ADELGACE
CON AZÚCAR

**Líbrese de las libras de más
al controlar la glucosa, la nueva arma
secreta del adelgazamiento**

Jennie Brand-Miller, PhD

Dr. Thomas M.S. Wolever, PhD

Dr. Stephen Colagiuri

Kaye Foster-Powell, M Nutr & Diet

RODALE

Aviso

Este libro sólo debe utilizarse como referencia y no como manual de medicina. La información que se ofrece en el mismo tiene como objetivo ayudarle a tomar decisiones con conocimiento de causa acerca de su salud. No pretende sustituir tratamiento alguno que su médico pueda haberle recetado. Si sospecha que padece algún problema de salud, le exhortamos a que busque la ayuda de un médico competente.

Las menciones que se hacen en este libro de compañías, organizaciones o autoridades específicas no implican que cuenten con el respaldo de la casa editorial, al igual que las menciones que se hacen en este libro de compañías, organizaciones o autoridades específicas no implican que ellas respalden lo que se dice en el mismo.

Las direcciones de páginas en Internet y los números telefónicos que se proporcionan en este libro eran precisos en el momento en que se envió a la imprenta.

Impreso en los Estados Unidos de América
Rodale Inc. hace lo posible por utilizar papel reciclado ♻ y libre de ácidos ∞.

Secciones de este libro se han publicado previamente bajo los títulos *The New Glucose Revolution*, revised and expanded edition (Marlowe and Company, 2002); *The New Glucose Revolution Life Plan* (Marlowe and Company, 2004); y *The New Glucose Revolution Pocket Guide to Diabetes*, 2nd revised and expanded edition (Marlowe and Company, 2003).

Diseño del libro de Pauline Neuwirth, Neuwirth & Associates, Inc.

ISBN-13 978 1–59486–504–6
ISBN-10 1–59486–504–3

2 4 6 8 10 9 7 5 3 1 tapa dura

Inspiramos a las personas y les damos la posibilidad de mejorar tanto sus vidas como el mundo a su alrededor

Para consequir más de nuestros productos visite **rodalestore.com** o llame al 800-424-5152

Índice

CUARTA PARTE
Las tablas del índice glucémico

Introducción

UANDO DECIMOS que a través de este libro usted adelgazará con azúcar, ¿qué significa eso? ¿Acaso estamos prometiéndole que podrá comer todos los alimentos azucarados que se le antojen? De ninguna manera. El azúcar al que se refiere el título del libro no es el azúcar que agregamos al café o el que se encuentra en los dulces. En cambio, se refiere al azúcar en la sangre, también conocido como glucosa. Las investigaciones médicas han revelado que los cambios en los niveles de glucosa pueden tener un gran impacto en nuestro cuerpo. Lo que es aún más importante, estas investigaciones parecen indicar que si sabemos cómo controlar el nivel de la glucosa en nuestro cuerpo, no sólo podremos adelgazar y mantenernos esbeltos, sino que también podremos protegernos contra varias enfermedades, entre ellas la diabetes, la hipoglucemia y las enfermedades cardíacas.

La clave para controlar los niveles de glucosa en la sangre es el índice glucémico (IG). Se trata de una escala que mide la "calidad" de los carbohidratos, es decir, la medida en que los carbohidratos contenidos en diversos alimentos aumentarán los niveles de la glucosa en la sangre. Conocer y apreciar el IG lo ayudará a escoger la cantidad correcta de carbohidratos y el tipo adecuado de estos para su salud y su bienestar personal. El IG —y su nuevo compañero, la carga glucémica, que también trataremos en este libro— son importantes para todo el mundo. Los diabéticos, las personas que padecen enfermedades cardíacas, las que sufren el síndrome metabólico (síndrome X) o las que quieren controlar su peso serán las que más se beneficiarán al poner en práctica los hallazgos y las recomendaciones de *Adelgace con azúcar*. Sin embargo, este libro también les puede resultar muy útiles a todos los que quieran evitar estos problemas en primer lugar y mejorar su salud en general.

■

EL ÍNDICE GLUCÉMICO (IG) es una medida para medir desde el punto de vista fisiológico la *calidad* de los carbohidratos, es decir, hace una comparación de los carbohidratos (gramo por gramo), basado en su efecto inmediato en los niveles de glucosa en la sangre.

⊃ **Los carbohidratos que se descomponen rápidamente durante la digestión tienen valores altos en el IG. Su respuesta a la glucosa en la sangre es rápida y alta.**

⊃ **Los carbohidratos que se descomponen lentamente, liberando gradualmente la glucosa al torrente sanguíneo, tienen un valor bajo en el IG.**

■

En 1996 escribimos nuestro primer libro sobre el IG, el avance médico que ha revolucionado la manera en que las personas manejan sus dietas.

Desde entonces nosotros y otros investigadores en todo el mundo han seguido estudiando el IG y hemos recibido miles de cartas y mensajes por correo electrónico de lectores de diferentes países que han ofrecido sus comentarios acerca de nuestros libros anteriores. Ahora *Adelgace con azúcar* presenta la información más exhaustiva y actualizada sobre el IG y su aplicación a las vidas de todos los que estén interesados en hacer las mejores elecciones alimenticias posibles.

■

⊃ **La respuesta de la glucosa en la sangre a un alimento en particular es determinada principalmente por su contenido de carbohidratos.**

⊃ **Tanto la cantidad como la calidad de los carbohidratos en los alimentos influyen en el aumento del nivel de la glucosa en la sangre.**

⊃ **Las comidas que contienen la misma cantidad de carbohidratos pueden producir efectos tanto altos como bajos en la glucosa en la sangre, dependiendo del tipo (o de la calidad) del carbohidrato, es decir, dependiendo de su valor en el IG.**

■

La mayoría de las personas tienen alguna noción de cómo el nivel del "azúcar" en la sangre (en realidad, la glucosa) aumenta y disminuye durante todo el día. Sin embargo, mucha de la información que en la actualidad se encuentra en los libros y en las publicaciones sobre los alimentos y la glucosa en la sangre está equivocada. *Adelgace con azúcar* detalla la verdadera historia acerca de la conexión que existe entre los carbohidratos y la glucosa en la sangre.

Nuestras investigaciones sobre el IG se iniciaron en los años 80 cuando las autoridades de la salud de todo el mundo empezaron a enfatizar la importancia de las dietas altas en carbohidratos. Hasta entonces, la grasa dietética había acaparado toda la atención del público y de los científicos (y hasta cierto punto esto sigue sucediendo). Pero las dietas bajas en grasas son por su propia naturaleza *automáticamente* altas en carbohidratos. Los científicos nutricionales empezaron a hacerse diferentes preguntas: ¿Son iguales todos los carbohidratos? ¿Son todas las féculas buenas para la salud? ¿Acaso son malos todos los azúcares? En particular, comenzaron a realizar estudios sobre los efectos de los carbohidratos en los niveles de glucosa en la sangre. Querían saber qué tipo de carbohidratos en los alimentos estaban relacionados con la fluc-tuación mínima en los niveles de glucosa en la sangre y con una mejor salud en general, así como cuáles estaban vinculados con un riesgo dis-minuido de padecer diabetes y enfermedades cardíacas.

Una abrumadora cantidad de investigaciones sobre el IG durante los últimos 20 años indica que diferentes alimentos que contienen carbo-hidratos tienen efectos dramáticamente distintos en los niveles de glu-cosa en la sangre. Estas diferencias tienen implicaciones importantes para nosotros. Hemos desempeñado un papel significativo en lo que se refiere a validar y analizar el IG en el contexto de controlar la diabetes, el peso y el apetito, así como a mejorar el desempeño atlético. Sabemos por nuestra propia experiencia y por las cartas de las personas que han leído nuestros libros que comprender los valores de los alimentos en el IG marca una enorme diferencia en la vida de las personas. Para algunas hasta significa una nueva vida.

En los laboratorios científicos de todo el mundo han determinado los valores en el IG de cientos de alimentos que contienen carbo-hidratos, tanto a nivel individual como en combinaciones. Además, han estudiado los alimentos que tienen el potencial de mejorar el control de la diabetes. Estudios realizados en los Estados Unidos han demostrado que consumir alimentos con valores bajos en el IG está relacionado con tener un menor riesgo de sufrir tanto diabetes del tipo II como enfermedades cardíacas.

En la actualidad resulta evidente, no sólo para nosotros, sino también para muchos comités de expertos y autoridades de la salud de todo el planeta, que los valores en el IG de los alimentos tiene implicaciones para *todos*. De hecho, esta medida ha cambiado para siempre el concepto que teníamos sobre los carbohidratos.

■

Adelgazar con azúcar ayuda:

- ⊃ a las personas con diabetes del tipo I
- ⊃ a las personas con diabetes del tipo II
- ⊃ a las personas con diabetes gestacional (diabetes que se desarrolla durante el embarazo)
- ⊃ a las personas con sobrepeso
- ⊃ a las personas de peso normal pero que tienen demasiada grasa abdominal (sobrepeso abdominal)
- ⊃ a las personas cuyos niveles de glucosa son más altos de lo saludable
- ⊃ a las personas diagnosticadas con prediabetes, "tolerancia impedida de glucosa" o bien un caso "ligero" de diabetes
- ⊃ a las personas con niveles altos de triglicéridos y niveles bajos de colesterol LAD (lipoproteínas de alta densidad)
- ⊃ a las personas con el síndrome metabólico (síndrome X o síndrome de resistencia a la insulina)
- ⊃ a las personas que padecen el síndrome de ovarios poliquísticos
- ⊃ ¡a todo el que quiere prevenir todo lo anterior y vivir una vida más saludable!

La glucosa desempeña un papel clave en todas estas afecciones. Los niveles altos de glucosa en la sangre son indeseables y tienen efectos adversos tanto a corto como a largo plazo.

■

Adelgace con azúcar les proporciona a las personas con diabetes una nueva vida, liberándolas de restricciones dietéticas difíciles de seguir, mal enfocadas y a menudo contraproducentes. Muchos diabéticos han encontrado que a pesar de hacer todo lo correcto, sus niveles de glucosa en la sangre continuaban siendo demasiado altos. Con *Adelgace con azúcar* se puede obtener el conocimiento para elegir el tipo "correcto" de carbohidratos para controlar de forma óptima los niveles de glucosa en la sangre.

El índice glucémico forma parte de la solución para resolver los problemas de glucosa en la sangre.

De igual modo, le brindamos consejos acerca de cómo escoger los mejores carbohidratos para adelgazar, los carbohidratos que le pueden ayudar a controlar las punzadas de hambre, los que minimizan los niveles de insulina y lo ayudan a quemar grasa. Si evitamos subir de peso conforme envejecemos, nuestro cuerpo tiene una mejor oportunidad para evitar afecciones como la diabetes y las enfermedades cardíacas. En este contexto, discutimos las dietas altas en proteínas, así como las dietas mediterráneas. También ofrecemos un razonamiento claramente científico para escoger entre todos los tipos diferentes de dietas que aparecen en los libros y en las publicaciones populares.

Adelgace con azúcar también ayuda a contestar sus preguntas sobre el tipo de dieta que debe seguirse durante el embarazo y la infancia, tratando en particular a enfermedades específicas como el síndrome de ovarios poliquísticos (una forma de infertilidad muy vinculada a la resistencia a la insulina) y la enfermedad celíaca.

Más que nunca argumentamos que el IG es para *todo el mundo, para todos los días y para todas las comidas.* Las pruebas científicas de que el IG es importante para la salud ya son indiscutibles y van mucho más lejos de lo que nosotros mismos habíamos imaginado mientras realizábamos nuestros estudios.

Le ofrecemos todos los detalles acerca de cómo adelgazar con azúcar, además de nuevas recetas y más planes de comidas. Discutimos la carga glucémica, la cual es de gran utilidad para calcular la cantidad *y* el tipo de carbohidrato que uno consume. También incluimos los últimos hallazgos al respecto, entre ellos:

- estudios recientes sobre el IG
- información sobre la carga glucémica
- las ideas actuales sobre la importancia de las grasas buenas en la dieta
- nuevos estudios sobre las enfermedades cardíacas y los niveles de glucosa en la sangre
- nuevos estudios sobre el IG y la diabetes, incluyendo la diabetes del tipo I en los niños
- los últimos estudios realizados sobre el IG y su impacto en el adelgazamiento
- nuevos estudios sobre el IG y el cáncer
- lo último sobre el IG y el síndrome de ovarios poliquísticos, además de su impacto en el aumento de peso durante el embarazo y en la diabetes gestacional
- la verdad sobre las dietas altas en proteínas
- nuevos valores en el IG para alimentos que se han analizado recientemente, entre ellos barras altas en proteínas, alimentos sin gluten, la comida rápida y muchísimos más

Por último, hemos incluido los testimonios de personas que cuentan cómo el IG ha cambiado sus vidas después de que empezaron a seguir una dieta a base de alimentos con valores bajos en esta escala revolucionaria. Sus historias muestran el impacto directo del IG en la salud.

■

¿Glucosa o azúcar en la sangre?

Los términos "azúcar en la sangre" y "glucosa en la sangre" significan exactamente lo mismo, aunque cabe señalar que el último es más correcto desde el punto de vista técnico. En este libro utilizaremos el término "glucosa en la sangre".

■

CÓMO UTILIZAR ESTE LIBRO

Hemos organizado los capítulos para la conveniencia de los que quieren ir al grano de inmediato, es decir, aprender a cambiar su dieta para incluir sólo los alimentos con valores bajos en el IG. Sin embargo, recomendamos que usted también lea los capítulos introductorios, ya que estos resumen de manera efectiva las investigaciones científicas sobre los carbohidratos. Los datos que revelamos acerca de estos nutrientes sorprenderán a muchos y facilitarán la adaptación a una dieta que aprovecha bien el IG.

La Primera Parte contiene la información más reciente sobre lo que se considera una dieta equilibrada y por qué; se trata de información basada en investigaciones científicas, ensayos clínicos y estudios realizados a gran escala en poblaciones enteras. Enfatiza los defectos de la dieta moderna y el valor ampliamente comprobado de las dietas altas en frutas y verduras. En esta sección explicamos la importancia de escoger con cuidado los tipos de carbohidratos *y* las grasas que usted consume, sin que tenga que ver las proporciones de proteínas, grasa o carbohidratos. La Primera Parte discute las dietas altas en proteínas y algunos nuevos conceptos como la carga glucémica. Asimismo, ofrece respuestas sobre las preguntas más comunes que las personas nos han hecho sobre el IG.

La Segunda Parte le enseña cómo comer según el IG. Le indicamos cómo puede incluir en su dieta más carbohidratos "correctos" y le damos algunos consejos para preparar los alimentos, así como ideas prácticas y combinaciones de alimentos para de este modo ayudarlo a aprovechar el IG durante todo el día. Esta sección incluye 50 deliciosas recetas realmente creativas y varias sugerencias sobre lo que usted puede comer en el desayuno, en el almuerzo y en la cena, así como recomendaciones para meriendas (refrigerios, tentempiés). Con todas nuestras sugerencias alimenticias incluimos sus valores respectivos en el IG más análisis de sus componentes nutricionales.

En la Tercera Parte tratamos las aplicaciones específicas del IG, incluyendo su uso para controlar el peso, la diabetes del tipo I y II, las enfermedades cardíacas, el síndrome metabólico (síndrome X), la diabetes durante el embarazo y la diabetes gestacional. Además, explicamos su relevancia a los niños y a los atletas.

Si solamente le interesa conocer bien cuáles son los valores en el IG de los alimentos, entonces los encontrará en las tablas —actualizadas y muy mejoradas— que aparecen en la Cuarta Parte. Hemos agrupado los valores según el tipo de alimento (panes, frutas, etc.) y hemos incluido no sólo sus valores respectivos en el IG y su cantidad de carbohidratos por ración, sino también su carga glucémica por ración. Además, hemos añadido los alimentos que se consumen con mucha frecuencia —carne, pescado, queso, brócoli, aguacates (paltas), etc.— aunque estos no contienen carbohidratos y su carga glucémica es de cero. Se trata de la lista más exhaustiva de valores en el IG de muchos alimentos diferentes que *jamás* se haya publicado. Por último, hay una lista completa de referencias científicas desde la página 403 hasta la 406 para respaldar todo lo que decimos en este libro.

Con *Adelgace con azúcar*, usted descubrirá una nueva —y más saludable— forma de comer que es tanto deliciosa como fácil de practicar.

■

Aclaraciones alimenticias

ESTE LIBRO DESTRUYE muchos mitos sobre los alimentos y los carbohidratos. Gracias a investigaciones científicas, ahora sabemos que las siguientes creencias populares sobre los alimentos y carbohidratos no son ciertas.

MITO Nº1   Los alimentos feculentos como el pan y la pasta engordan.

REALIDAD   La mayoría de los alimentos feculentos llenan mucho y son ricos en carbohidratos. Lo llenan y le quitan las punzadas de hambre. Se encuentran entre los mejores alimentos que se pueden comer para perder peso. Lo único que tiene que hacer es vigilar el tamaño de las porciones que come.

MITO Nº2   El azúcar es lo peor para las personas con diabetes.

REALIDAD   El azúcar y los alimentos azucarados en porciones normales no tienen un efecto más grande en los niveles de glucosa en la sangre que los alimentos feculentos. En realidad, las harinas y los cereales sumamente procesados, junto con la grasa saturada, son una preocupación mayor para los diabéticos.

MITO Nº3 El azúcar causa la diabetes.

REALIDAD El azúcar no es el único alimento que puede causar la diabetes. Los alimentos que producen niveles altos de glucosa en la sangre podrían aumentar el riesgo de padecer diabetes, pero el azúcar realmente tiene un efecto más moderado que la mayoría de las féculas, sobre todo las refinadas y muy procesadas.

MITO Nº4 Todas las féculas se digieren con lentitud en el intestino.

REALIDAD Algunas féculas, como sucede con muchos tipos de papas, se digieren rápidamente, lo que causa un aumento en los niveles de glucosa en la sangre mayor que el de muchos de los alimentos que contienen azúcar.

MITO Nº5 Las punzadas de hambre son inevitables si uno quiere bajar de peso.

REALIDAD Los alimentos que tienen un alto contenido en carbohidratos, particularmente los que tienen un valor bajo en el IG (como por ejemplo, copos de avena y pasta), producirán una sensación de llenura que se prolongará casi hasta la próxima comida.

MITO Nº6 Los alimentos altos en grasa llenan más.

REALIDAD Los estudios demuestran que los alimentos altos en grasa se hallan entre los alimentos que menos llenan. Es sumamente fácil consumir en exceso los alimentos altos en grasa —como las papitas fritas, por ejemplo— sin darse cuenta.

MITO Nº7 El azúcar engorda.

REALIDAD El azúcar no tiene propiedades especiales que nos haga engordar. Tampoco es más probable que se convierta en grasa que cualquier otro tipo de carbohidrato. Con frecuencia, el azúcar se encuentra en alimentos altos en calorías y en grasa (como por ejemplo las galletitas), pero es más bien el total de calorías que el azúcar en esos alimentos lo que podría contribuir a nuevas reservas de grasa corporal.

MITO Nº8   Las féculas son lo mejor para obtener un rendimiento atlético óptimo.

REALIDAD   En muchos casos, los alimentos feculentos (digamos, las papas) son demasiado voluminosos como para comerse en las cantidades que necesitan los deportistas activos. Los azúcares pueden ayudar a aumentar el consumo de carbohidratos.

MITO Nº9   Las dietas altas en azúcar son menos nutritivas.

REALIDAD   Los estudios han probado que las dietas altas en azúcar (que se obtienen de fuentes muy diversas, entre las que hay que mencionar a los lácteos y a las frutas) a menudo tienen niveles más altos de micronutrientes, entre ellos calcio, riboflavina y vitamina C, que las dietas bajas en azúcar.

MITO Nº10   El azúcar va de la mano con la grasa dietética.

REALIDAD   La verdad es que las dietas altas en azúcar por lo general son bajas en grasas y viceversa. La mayor parte de las fuentes de grasa en la dieta no son dulces (por ejemplo, las papitas fritas) y la mayor parte de las fuentes de azúcar no contienen grasa (los refrescos). Es verdad que hay ciertos alimentos que son altos tanto en grasa como en azúcar (chocolate, helado, galletitas y otros dulces), pero del mismo modo hay muchos otros que son combinaciones deliciosas de féculas y de grasa (como por ejemplo las papitas fritas, las papas a la francesa y ciertas galletas, entre otros ejemplos).

■

Parte

El índice glucémico: el arma secreta para adelgazar con azúcar

Las últimas investigaciones, los nuevos conceptos y las respuestas a las preguntas más comunes sobre el IG.

■

1

LOS DEFECTOS DE LA DIETA MODERNA

LA DIETA HUMANA DURANTE LA EDAD DE PIEDRA

Durante el período Paleolítico, los humanos eran cazadores-recolectores y consumían los animales y las plantas que formaban parte de su entorno natural. ¿Cómo sabemos esto? Los primeros humanos dejaron restos de sus comidas, entre ellos huesos de animales, conchas de mariscos y las herramientas que usaban para cazar, picar la carne y extraer la médula. Además, eran algo quisquillosos en cuanto a qué parte del animal se comían. Se sabe que preferían las ancas de los animales más grandes y también los animales hembras antes que los machos, ya que estas contenían más grasa y por lo tanto eran más jugosas y sabrosas. Se sabe también que les gustaban las vísceras, como el hígado, los riñones y los cerebros, todos alimentos muy ricos en nutrientes.

Hoy en día, resulta evidente que conforme los humanos fueron evolucionando se fueron convirtiendo cada vez más en carnívoros, comiendo alimentos a base de animales y menos verduras y plantas. Los estudios más recientes de los cazadores-recolectores modernos que vivieron hace unos 100 a 200 años demuestran que obtenían casi dos terceras partes de sus calorías de alimentos a base de animales, entre ellos pescados y mariscos, y que obtenían sólo un tercio de los alimentos provenientes de plantas. Algunos antropólogos consideran que la caza desempeñó un papel de suma importancia en la evolución de un cerebro más grande y mayor inteligencia por parte de los humanos. Otros tienen la polémica teoría de que somos responsables de la extinción de muchos de los animales grandes que anduvieron en la tierra durante miles de años.

Los nuevos estudios sobre la composición de los nutrientes en la dieta de los cazadores-recolectores indican que los primeros humanos ingerían más proteínas y menos carbohidratos que nosotros. Además, todo parece indicar que su consumo de grasa era más o menos igual al de nosotros, pero cabe señalar que el tipo de grasa que ingerían era muy diferente. Su consumo de carbohidratos era menor porque principalmente comían frutas y verduras en lugar de cereales. En gran parte, el trigo, el arroz y otros cereales no formaron parte de la dieta humana hasta que llegó la revolución agrícola, la cual empezó hace unos 10.000 años. Estos hallazgos tienen implicaciones para las recomendaciones dietéticas actuales. No significan que tenemos que comer grandes cantidades de carne para estar saludables, pero sí parecen indicar que tenemos que reconsiderar detenidamente el tipo y la cantidad de proteínas, carbohidratos y grasa que consumimos.

EL IMPACTO DE LA REVOLUCIÓN AGRÍCOLA

La revolución agrícola cambió nuestra dieta de manera dramática. Por primera vez, los seres humanos empezamos a consumir grandes cantidades de carbohidratos en forma de cereales integrales como trigo, centeno, cebada, avena, maíz y arroz. Las legumbres (entre ellas los frijoles/habichuelas), las raíces ricas en féculas y los tubérculos, así como las frutas, también contribuyeron a un alto consumo de carbohidratos. En aquella época, la preparación de los alimentos era un proceso muy sencillo: se molían con piedras y se cocinaban en hogueras. Esto traía como resultado que todos los carbohidratos en el alimento se digerían y se absorbían lentamente y el aumento de glucosa en la sangre era gradual y relativamente pequeño.

Esta dieta resultó ser ideal porque aportó energía que se liberó lentamente y por consiguiente tanto atrasó las punzadas del hambre como proporcionó combustible para los músculos activos mucho después de haberse consumido el alimento.

Conforme pasó el tiempo, las harinas se procesaron más. Se molieron para quedar más y más finas y el salvado (la cáscara de los cereales) quedó completamente separado de la harina blanca. Al introducirse los rodillos rápidos de acero en el siglo XIX, era posible producir una harina blanca tan fina que se parecía al talco en su apariencia y textura. Siempre se han valorado estas harinas finas porque producen pasteles (bizcochos, tortas, *cakes*) deliciosos y esponjosos, así como otros tipos sabrosos de repostería.

Al pasar los años, la gente empezó a ganar más dinero y podía costear la carne. Debido a esto, la gente también empezó a abandonar la cebada, la avena, las legumbres y los frijoles que comían habitualmente y comenzó a comer más carne grasosa. Por lo tanto, la composición de la dieta promedio cambió de nuevo: empezamos a ingerir más grasa saturada, menos fibra y más carbohidratos fáciles de digerir. También ocurrió algo que no esperábamos. Después de comer, empezamos a tener niveles de glucosa en la sangre más altos durante más tiempo, lo cual estimuló a nuestro páncreas a producir más insulina (vea abajo).

■

Hay que evitar extenuar el páncreas

EL PÁNCREAS es un órgano vital ubicado cerca del estómago. Su función es producir la hormona insulina. Los carbohidratos estimulan la secreción de insulina más que cualquier otro componente alimenticio. Cuando nuestro cuerpo absorbe los carbohidratos lentamente, el páncreas no tiene que trabajar tan arduamente y por tanto produce menos insulina. Ahora bien, si se sobreestimula el páncreas durante mucho tiempo, podría "extenuarse" y podría desarrollarse diabetes del tipo II en personas que sean genéticamente propensos a esta enfermedad. Aun si no se desarrolla la diabetes, los niveles altos de insulina no son recomendables porque podrían aumentar el riesgo de padecer enfermedades cardíacas.

■

Por consiguiente, después de una comida no sólo teníamos niveles más altos de glucosa en la sangre, sino que también nuestras respuestas de insulina eran más altas. La insulina es una hormona que se necesita para metabolizar los carbohidratos, pero a la vez tiene un efecto profundo en el desarrollo de muchas enfermedades. Muchos expertos en medicina piensan que tener niveles altos de glucosa e insulina son algunos de los factores clave responsables de las enfermedades cardíacas y de la hipertensión. La insulina influye en la forma en que metabolizamos los alimentos. Determina si quemaremos grasa o bien carbohidratos para cumplir con nuestras necesidades de energía. Y a fin de cuentas, esta hormona también determina si almacenaremos grasa en nuestro cuerpo.

Entonces una de las diferencias esenciales entre nuestra dieta y la de nuestros antepasados es la velocidad con que se digieren los carbohidratos y el efecto resultante en los niveles de glucosa y de insulina en la sangre. En todo el mundo las dietas tradicionales consistían en alimentos con carbohidratos que se digerían y se absorbían lentamente, alimentos que hoy en día sabemos que cuentan con valores bajos en el índice glucémico (IG), una medida científica del impacto de ciertos alimentos en el nivel de la glucosa en la sangre. Por contraste, nuestra dieta moderna —caracterizada por su digestión rápida de carbohidratos— está basada en alimentos con valores altos en el IG.

DESGLOSEMOS LOS DEFECTOS DE NUESTRA DIETA MODERNA

Nuestra dieta occidental moderna es el producto de la industrialización, basada en muchos inventos, entre ellos la pasteurización, la esterilización, la refrigeración, la congelación, el secado en rodillos y el secado con aerosol. En la industria de los cereales de desayuno se emplean rodillos rápidos de acero para moler granos, extrusión a altas temperaturas y presiones, fermentación rápida y aparatos para inflar los granos. En fin, existe todo un arsenal industrial para procesar estos alimentos.

Ahora bien, hay que reconocer que todos estos inventos ofrecen muchos beneficios. Contamos con cantidades enormes de alimentos relativamente baratos, sabrosos (algunos dirían que son *demasiado* sabrosos) y razonablemente seguros. Han quedado atrás los días de la comida monótona, de carecer de alimentos y de los alimentos contaminados por insectos o bacterias. Lejos también están las deficiencias de vitaminas que causaban escorbuto y pelagra. Hoy en día, los fabricantes de alimentos trabajan arduamente para ofrecer productos irresistibles y seguros que cumplen con las necesidades tanto de los *gourmets* como de los consumidores preocupados por la salud.

Muchos de los nuevos alimentos todavía se basan en nuestros cereales principales —trigo, maíz, avena—, pero el cereal original se muele bien para así obtener harinas finas con partículas pequeñas que sirven para confeccionar panes, pasteles, galletitas, galletas de sal, repostería, cereales para el desayuno y alimentos para meriendas (refrigerios, tentempiés), todos de gran calidad. Tanto los químicos que elaboran cereales como los panaderos saben que con las harinas finas que tienen partículas pequeñas se confeccionan productos más deliciosos que duran más tiempo sin echarse a perder.

■

Los alimentos no sólo aportan nutrientes

LOS ALIMENTOS FORMAN una parte fundamental de nuestra cultura y estilo de vida. Muchos factores determinan nuestras elecciones alimenticias, desde las creencias religiosas hasta el papel deliciosamente sensual que los alimentos desempeñan en nuestras vidas. Para los bebés, los alimentos tienen un papel reconfortante que va mucho más allá que sólo la alimentación. Para los adultos, los alimentos reflejan el estatus social: preparamos comidas especiales en ocasiones especiales para invitados (también especiales, valga la redundancia) para demostrar nuestro respeto o amistad.

Con tantos factores influyendo nuestras elecciones alimenticias, se suele pasar por alto el papel tan fundamental que desempeñan los alimentos en la nutrición y en el crecimiento de nuestro cuerpo. Con las vidas ajetreadas que muchos de nosotros llevamos, es fácil pensar que los alimentos sólo son una forma de saciar el hambre. En otras circunstancias, nos concentramos más en el aspecto social de los alimentos y comemos demasiado.

■

Desafortunadamente, lograr la excelencia en un área ha causado problemas inesperados en otra. Nuestro cuerpo digiere y absorbe con rapidez los carbohidratos de los alimentos, incluyendo los que contiene el pan común y corriente. El efecto resultante que esto tiene en los niveles de glucosa en la sangre ha creado un problema serio de proporciones epidémicas.

LO QUE PASA CON LA GRASA

Otro aspecto no deseado de la dieta moderna es el *tipo* de grasa que consumimos. Los fabricantes de alimentos, panaderos y *chefs* saben muy bien que nos encanta la grasa. Nos fascina su cremosidad, sentirla en la boca (lo que los científicos llaman "el placer del paladar") y es fácil consumirla en exceso. La grasa hace que la carne sea más tierna, que las verduras y las ensaladas sepan mejor y que los dulces sean aún más exquisitos. Preferimos las papas a la francesa, el pescado empanizado y frito, y las pastas con salsas sustanciosas y cremosas.

Y como por arte de magia grasosa, los alimentos que son sosos y altos en carbohidratos, como el arroz o la avena, se transforman para que sean sabrosos y altos en calorías. ¿El resultado? El arroz frito y la *granola* alta en grasa, entre otros alimentos comunes de nuestra dieta. De hecho, cuando se analiza, gran parte de nuestra dieta moderna es una combinación indeseable pero deliciosa de grasa y carbohidratos que se digieren rápidamente.

Ahora bien, lo que nos puede afectar la salud no es sólo la cantidad de grasa que ingerimos sino que también el *tipo* de grasa que típicamente elegimos. El problema está en que la mayoría de la grasa que consumimos es grasa saturada, la cual es muy dañina para el corazón.

La grasa saturada es sólida a temperatura ambiente y tiene la tendencia de obstruir nuestras arterias, a diferencia de la grasa no saturada, cuya forma es líquida. Por lo general, las grasas que se utilizan para hornear y freír son grasas saturadas, como por ejemplo el aceite vegetal hidrogenado y la manteca vegetal. La grasa que tienen las carnes y los productos lácteos *grasos* (como la leche entera) también es saturada. Sin embargo, la que se encuentra en las carnes magras, el pescado, el aceite de oliva, el aceite de *canola* y el aceite que se obtiene de otras semillas, como alazor (cártamo) y girasol, es la grasa no saturada que es saludable para el corazón.

Aunque los cazadores-recolectores consumían una gran cantidad de grasa animal, no ingerían enormes cantidades de grasa saturada, dado que la grasa de los animales silvestres, incluyendo la que se encuentra en el cerebro y en otros órganos, tiene proporciones más grandes de grasa no saturada.

Con el tiempo nos fuimos dando cuenta de los daños que puede causar la grasa saturada. Sin embargo, en nuestro afán por eliminarla, todas las grasas fueron calificadas como malas: era más fácil decir "hay que reducir la grasa" que decir "hay que reducir la grasa saturada". En muchos aspectos ya podemos ver que un mensaje tan simplificado resultó ser contraproducente. En el empeño por evitar la grasa, evitamos incluso las más esenciales de todas, las altamente poliinsaturadas, unas grasas de largas cadenas moleculares que son fundamentales para la salud humana. Además, evitamos la grasa por su gran contenido de calorías y nuestra tendencia de consumirla en exceso, sólo para sustituirla con grandes cantidades de carbohidratos de liberación rápida que tienen las mismas propiedades. Nos engañamos a nosotros mismos, convenciéndonos que *cualquier* tipo de dieta baja en grasa, sobre todo una que se hace con la ayuda de la sofisticada industria alimenticia, automáticamente era una dieta saludable. *Pero no lo es.* En el Capítulo 4 de este libro explicamos la manera en que las grasas correctas son beneficiosas y le indicamos cómo incorporarlas a su dieta.

¿EN QUÉ CONSISTE UNA DIETA EQUILIBRADA?

Tiene sentido coordinar nuestro consumo de alimentos con el ritmo al cual nuestro cuerpo los utiliza. De tal forma, mantenemos un peso estable. Sin embargo, hoy en día es difícil de lograr esto. Resulta muy fácil comer en exceso. Con frecuencia nos tientan los alimentos refinados y la comida rápida, invitándonos con su sabor pero que al final ofrecen casi nada de fibra y montones de grasa. Debido a esto, al comer estos alimentos —incluso antes de sentirnos llenos— ya hemos consumido demasiadas calorías. Es aún más facil no hacer ejercicio. Casi siempre toma más tiempo caminar a algún sitio que ir en automóvil (con la excepción, tal vez, de la hora pico). Entonces, si consumimos más calorías —gracias a la comida basura, las hamburguesas y todas las demás tentaciones que andan por ahí— y quemamos menos calorías porque no hacemos ejercicio, el resultado es muy sencillo y no sorprende: engordamos.

Necesitamos adaptar nuestro estilo de vida a nuestra dieta muy alta en calorías y poca actividad física. No cometa el error de creer que la mejor opción es estar a dieta la mayor parte del tiempo, es decir, reducir el consumo de alimentos a un nivel bajo para que esté a la par con nuestro estilo de vida poco activo. Sin duda, esta actitud resulta ser una receta excelente para fracasar. En cambio, es muy importante encontrar formas de quemar más calorías, aprovechando las oportunidades para activarse dondequiera que se presenten. Esto significa utilizar las escaleras, dar un paseo de 10 minutos a la hora del almuerzo, utilizar la estera mecánica mientras se vea el noticiero por television, leer en la bicicleta estacionaria, trabajar en el jardín, caminar a las tiendas, estacionar a cierta distancia de la oficina o sacar al perro a dar una caminata todas las noches. Haga lo que mejor le funcione según su estilo de vida. Hasta hacer los quehaceres domésticos quema calorías. Todos estos períodos pequeños de actividad —aunque parezca que no tengan mucho impacto— se van acumulando para aumentar la cantidad de calorías que quemamos.

Mientras usted trata de buscar formas de quemar más calorías, *Adelgace con azúcar* puede ayudarlo a elegir los mejores alimentos para equilibrar lo que usted come con las calorías que quema. Entonces, ¿en qué consiste una dieta equilibrada? ¿Existe una dieta saludable que todos debemos de seguir para controlar la proporción de grasa, de carbohidratos y de proteínas que consumimos? ¿Funciona la misma dieta para todo el mundo? Sinceramente, no lo sabemos a ciencia cierta, pero es muy probable que podamos ser flexibles. Después de todo, los cazadores-recolectores tenían muchos tipos de dietas, algunas muy altas en proteínas y otras muy altas en carbohidratos o grasa. Los nutriólogos se están empezando a dar cuenta que una dieta saludable puede ser muy distinta de otra similar que tal vez difiera bastante en cuanto a las proporciones de grasa, proteínas y carbohidratos que se consumen.

Muy bien, pero hay dos principios fundamentales en *todas* las dietas tradicionales saludables: todos los carbohidratos que forman parte
de estas dietas se liberaban lentamente en el torrente sanguíneo y toda
la grasa consumida como parte de dichas dietas es relativamente
insaturada (aun si se consumía mucho). Por lo tanto, nuestro primer
consejo es recomendar que elija el tipo de dieta que mejor le convenga
según su estilo de vida, sus raíces étnicas y su cultura. Este tipo de
dieta es la que usted probablemente seguirá durante el resto de su
vida. Sin embargo, sí hay principios importantes que todo el mundo
tiene que seguir. (Vea las Pautas Dietéticas para los Estadounidenses
que aparecen abajo).

■

Pautas dietéticas para los estadounidenses (edición de 2005)

1. Consuma una variedad de alimentos que pertenezcan a los grupos básicos de alimentos mientras que se mantenga dentro de los límites de sus necesidades calóricas.
2. Controle el consumo de calorías para controlar el peso corporal.
3. Sea físicamente activo todos los días.
4. Aumente el consumo diario de frutas y verduras, cereales integrales, así como de leche y lácteos bajos en grasa.
5. Seleccione inteligentemente las grasas para asegurar la buena salud.
6. Seleccione inteligentemente los carbohidratos para asegurar la buena salud.
7. Seleccione y prepare los alimentos con poca sal.
8. Si bebe alcohol, hágalo con moderación.
9. Asegure que los alimentos se conserven en buen estado para evitar que se echen a perder.

FUENTE: Departamento de Agricultura de los Estados Unidos; Departamento de Salud y Servicios Humanos de los Estados Unidos.

■

En los siguientes capítulos usted aprenderá cómo llevar una dieta equilibrada y saludable que esté diseñada según sus necesidades. Ninguna dieta funcionará a largo plazo si elimina sus alimentos favoritos, sean estos pan, papas, helado o pasta. *Adelgace con azúcar* va mucho más allá que la mayoría de los libros sobre la nutrición, ya que el valor en el IG de los carbohidratos desempeña un papel tan importante —pero aún poco reconocido— en determinar la salud y el bienestar personal.

(*Nota*: si encuentra en este capítulo nombres de alimentos que no entiende o que jamás ha visto, favor de remitirse al glosario en la página 407).

2

NUESTRA NECESIDAD DE CARBOHIDRATOS

NUESTRO COMBUSTIBLE PRINCIPAL

*E*L CARBOHIDRATO ES LA SUSTANCIA QUE MÁS se consume en todo el mundo después del agua. De hecho, los carbohidratos ocupan un lugar especial en la nutrición humana. La glucosa, el carbohidrato más simple de todos, es un combustible *esencial* para el cerebro, los glóbulos rojos y el crecimiento del feto, además de ser la fuente principal de energía para los músculos durante una extenuante sesión de ejercicios. Los carbohidratos son una fuente clave de energía, y uno no se puede dar el lujo de eliminarlos de su dieta. Sin embargo, los carbohidratos no se crearon iguales, por lo que usted debe escoger el tipo adecuado de carbohidratos según su estilo de vida.

Al igual que un automóvil funciona con gasolina, nuestro cuerpo funciona con combustible. El combustible que nuestro cuerpo quema proviene de la mezcla de proteínas, grasa, carbohidratos y alcohol que consumimos. Todos los días necesitamos llenar nuestros tanques de combustible con la cantidad adecuada y el tipo correcto de combustible para ser saludables, tener energía y sentirnos bien. La proporción de nuestra mezcla de combustible varía de una hora para otra y en gran parte está determinada por la última comida que ingerimos.

■

¿Qué son los carbohidratos?

LOS CARBOHIDRATOS FORMAN PARTE de los alimentos. La fécula es un carbohidrato, al igual que el azúcar y que algunos tipos de fibra. Las féculas y los azúcares son reservas de la naturaleza creadas por la energía del sol, el dióxido de carbono y el agua. El bloque edificador de la fécula es la glucosa.

La forma más simple de los carbohidratos es una molécula de un solo azúcar llamada **monosacárido** (**mono** quiere decir "uno", **sacárido** quiere decir "dulce"). La glucosa es un monosacárido que se encuentra en los alimentos (en la forma de glucosa como tal y en la forma de la glucosa que compone las féculas) y es la fuente de combustible más común para las células del cuerpo humano.

Si 2 monosacáridos se unen, el resultado es un **disacárido** (**di** significa "dos"). La sucrosa, o sea, el azúcar común, es un disacárido.

Conforme crece el número de monosacáridos en la cadena molecular, los carbohidratos se vuelven menos dulces. Las maltodextrinas son **oligosacáridos** (**oligo** significa "unos cuantos") que tienen un largo de 5 ó 6 residuos de glucosa y que se usan como un ingrediente de los alimentos. Su sabor es ligeramente dulce.

Las féculas son cadenas largas de moléculas de azúcar llamadas **polisacáridos** (**poli** significa "muchos"); su sabor no es nada dulce.

Las fibras dietéticas son moléculas grandes de carbohidratos que contienen muchos tipos diferentes de monosacáridos. Se diferencian de las féculas y de los azúcares en que las enzimas digestivas humanas no las descomponen. Las fibras llegan al intestino grueso sin sufrir cambio alguno. Una vez allí, las bacterias comienzan a fermentarse y descomponen las fibras.

Los diferentes tipos de fibra tienen propiedades físicas y químicas distintas. Las fibras solubles son las que se pueden disolver en el agua. Algunas fibras solubles son muy viscosas cuando entran en contacto con los líquidos y por consiguiente retrasan la velocidad digestiva. Por otra parte, otros tipos de fibra, como la celulosa, son insolubles, lo cual significa que no se disuelven en el agua ni afectan directamente a la velocidad de la digestión.

■

LOS AZÚCARES ENCONTRADOS EN LOS ALIMENTOS

MONOSACÁRIDOS (molécula simple de azúcar)	DISACÁRIDOS (dos moléculas simples de azúcar)
glucosa	maltosa = glucosa + glucosa
fructosa	sucrosa = glucosa + fructosa
galactosa	lactosa = glucosa + galactosa

Existe una "jerarquía" en los combustibles, es decir, un orden de prioridad que el cuerpo sigue en el momento de quemar los combustibles de los alimentos. En esta lista, el alcohol ocupa el primer lugar, dado que nuestro cuerpo no tiene lugar para almacenar el alcohol que no se ha usado. Las proteínas ocupan el segundo puesto, seguidas por los carbohidratos, mientras la grasa ocupa el último. En la práctica, la mezcla de combustibles es por lo general una combinación de carbohidratos y grasas en una proporción que varía. Después de que uno coma, esta mezcla consiste principalmente en carbohidratos. Pero entre las comidas del día, la mezcla consiste principalmente en grasa.

La capacidad de nuestro cuerpo para quemar toda la grasa que consumimos es sumamente importante para controlar el peso. Si se inhibe la quema de grasa, entonces se acumulan poco a poco las reservas de esta. La proporción relativa de grasa a carbohidratos en la mezcla de combustibles es, por lo tanto, un paso crítico y es algo que determinan *los niveles de insulina que prevalecen en la sangre*. Si los niveles de insulina están bajos, como sucede cuando nos levantamos por la mañana, entonces la mezcla de combustible está compuesta principalmente por grasa. Si en cambio nuestros niveles de insulina están altos, como pasa cuando ingerimos una comida alta en carbohidratos, entonces la mezcla de combustible que quemamos consiste principalmente en carbohidratos. Pero si la insulina siempre está alta, como sucede con las personas que padecen resistencia a la insulina o que tienen sobrepeso, entonces las células se ven constantemente obligadas a quemar carbohidratos. Por lo tanto, les cuesta trabajo utilizar la grasa que consumen como combustible y quemarla. Debido a esto aumenta la cantidad de grasa almacenada en sus cuerpos y lógicamente engordan. En la actualidad, los científicos creen que ciertas anormalidades sutiles en la capacidad de quemar grasa es lo que ocasiona la mayoría de los casos de sobrepeso y obesidad.

FUENTES DE CARBOHIDRATOS

Los carbohidratos son la parte feculenta de alimentos como el arroz, el pan, las papas y la pasta. Son también el ingrediente esencial que les da a los alimentos su sabor dulce: los azúcares en las frutas y la miel son carbohidratos, al igual que son los azúcares en los refrescos (sodas) y los dulces.

Los carbohidratos se obtienen principalmente de los alimentos provenientes de plantas, como los cereales, las frutas, las verduras y las legumbres (como los chícharos/guisantes y los frijoles/habichuelas). Los productos derivados de la leche también contienen carbohidratos en forma de los azúcares lácteos o la lactosa. La lactosa es el primer carbohidrato que consumimos cuando somos niños, y la leche humana contiene más lactosa que cualquier otra leche de mamíferos, aportando casi la mitad de la energía que recibe el bebé. Algunos alimentos (como los cereales, las papas y las legumbres) contienen una gran cantidad de carbohidratos, mientras otros son fuentes muy diluidas de estos, como por ejemplo las zanahorias, el brócoli y las verduras de ensaladas.

Entre los alimentos que son altos en carbohidratos están:

Los cereales, entre ellos arroz, trigo, avena, cebada, centeno y cualquier derivado de estos (como pan, pasta, fideos, harina y los cereales para el desayuno).

Frutas como manzanas, plátanos (guineos, bananas), uvas, melocotones (duraznos) y melones.

Verduras feculentas como papa, *yam*, maíz dulce y batata dulce (camote).

Legumbres, entre ellas frijoles horneados, lentejas, frijoles colorados, garbanzos, frijoles negros, chícharos y frijoles *cannellini*.

Lácteos como yogur y helado.

FUENTES DE CARBOHIDRATOS

PORCENTAJE DE CARBOHIDRATOS (gramos por 100 gramos de alimento) EN EL ALIMENTO CUANDO SE COME

arroz	79%	helado	22%
avena	61%	leche	5%
azúcar	100%	maíz dulce	16%
batata dulce	17%	mandioca	85%
biscuit de trigo	62%	manzana	12%
cebada	61%	naranja	8%
chícharos	8%	pan	47%
chícharos partidos	45%	papa	15%
ciruela	6%	pasta	70%
cornflakes	85%	pera	12%
frijoles refritos	11%	plátanos	21%
galletas de agua	71%	uvas	15%
harina	73%	uvas pasas	75%

LAS 20 FUENTES PRINCIPALES DE CARBOHIDRATOS EN LA DIETA ESTADOUNIDENSE*

1. Papas (en puré u horneadas)	11. Ponche de frutas
2. Pan blanco	12. *Coca-Cola*®
3. Cereal frío de desayuno	13. Manzana
4. Pan oscuro	14. Leche descremada
5. Jugo de naranja	15. Panqueque
6. Plátano	16. Azúcar (de mesa u horneada)
7. Arroz blanco	17. Mermelada
8. Pizza	18. Jugo de arándano agrio
9. Pasta	19. Papas a la francesa
10. *Muffins*	20. Caramelos

FUENTE: Dr. Simin Liu, Escuela de Salud Pública de la Universidad Harvard. *Esta información está basada en los hallazgos del Estudio sobre la Salud de Enfermeras realizadas por la Universidad Harvard.

LA DIGESTIÓN DE LOS CARBOHIDRATOS

Para hacer uso de los azúcares y féculas que se encuentran en los alimentos, nuestro cuerpo primero tiene que convertirlos en una forma en que podamos absorberlos y en que nuestras células puedan utilizarlos. Este proceso se llama digestión.

La digestión empieza en la boca donde la amilasa, la enzima en la saliva que digiere la fécula, se incorpora a los alimentos a medida que mastiquemos. La amilasa convierte una larga cadena de moléculas de fécula en pequeñas moléculas como maltosa y maltodextrinas. Su actividad es detenida por los ácidos que se segregan en el estómago, y la mayor parte de la digestión continúa sólo cuando los carbohidratos salen del estómago y llegan al intestino delgado.

El ritmo en que los alimentos salen del estómago para entrar al intestino delgado se le llama el ritmo de vaciamiento gástrico. Algunos componentes de los alimentos —como la fibra viscosa, ácidos y soluciones altamente osmóticas— ayudan a retrasar este ritmo de vaciamento gástrico y por consiguiente disminuye la velocidad general de la digestión de carbohidratos.

En el intestino delgado, la digestión de la fécula continúa. Se segregan grandes cantidades de amilasa en forma de jugo pancreático hacia el intestino delgado, tal cantidad que los bioquímicos la llaman una "sobrecarga de amilasa". La velocidad de la digestión depende entonces de la naturaleza de la propia fécula, es decir, de lo resistente que es física y químicamente cuando es atacada por las enzimas digestivas. Muchas féculas en los alimentos se digieren con rapidez, mientras otras son más resistentes y el proceso es más lento.

Otros factores alimenticios pueden influir en la velocidad de la digestión. Si la mezcla del alimento con las enzimas digestivas es muy viscosa o pegajosa, debido a la presencia de una fibra viscosa, entonces el proceso de mezclar ambas sustancias se vuelve lento. Por lo tanto, las enzimas digestivas y la fécula se demoran más tiempo en hacer contacto. Los productos de la digestion de la fécula también se demorarán más para moverse hacia la pared intestinal, donde tienen lugar los últimos pasos de la digestión. En la pared intestinal, los productos de fécula de cadena molecular corta, junto con los azúcares en los alimentos, son descompuestos por enzimas específicas. Los monosacáridos que resultan del proceso de la digestión de féculas y azúcares incluyen glucosa, fructosa y galactosa. Se absorben desde el intestino delgado hasta el torrente sanguíneo, donde están disponibles como fuentes de energía para las células.

COMBUSTIBLE PARA EL CEREBRO

Salvo en casos de inanición, los carbohidratos son los únicos combustibles que nuestro cerebro puede utilizar. El cerebro es el órgano del cuerpo que más energía exige, y es responsable de más de la mitad de nuestras exigencias obligatorias de energía. A diferencia de las células de los músculos, que pueden quemar indistintamente grasa o carbohidratos, el cerebro no tiene la maquinaria metabólica necesaria para quemar la grasa. Si usted ayuna durante 24 horas o decide no consumir nada de carbohidratos, inicialmente el cerebro utiliza las pequeñas reservas de carbohidratos que están en el hígado. Sin embargo, en pocas horas estas se agotan y entonces el hígado comienza a sintetizar glucosa de fuentes sin carbohidratos (¡entre ellas el tejido muscular!). Sin embargo, su capacidad para hacer esto es limitada y está claro que cualquier falta de glucosa conlleva serias consecuencias para las funciones cerebrales.

Recientes estudios médicos han demostrado que el desempeño intelectual mejora después de consumir una carga de glucosa o un alimento rico en carbohidratos. Las tareas mentales exigentes mejoran, mientras que las tareas fáciles no se ven afectadas. Además, los niveles de glucosa en la sangre disminuyen más durante un período de procesos cognoscitivos intensos. Entre las pruebas realizadas se utilizaron varias mediciones de "inteligencia", entre ellas recordar palabras, navegar laberintos, aritmética, ejercicios de memoria a corto plazo, procesamiento de información y razonamiento. Que la capacidad mental mejora tras ingerir una comida rica en carbohidratos es un hecho que quedó demostrado en personas de todo tipo, entre ellos jóvenes, estudiantes universitarios, pacientes con diabetes, ancianos saludables y también en las personas que padecen el mal de Alzheimer. Estos nuevos estudios nos dan a todos todavía más motivos para evitar una dieta baja en carbohidratos.

En todo momento, nuestro cuerpo necesita mantener un nivel mínimo de glucosa en la sangre para abastecer tanto al cerebro como al sistema nervioso central. Si por alguna razón el nivel de glucosa baja (un estado físico llamado "hipoglicemia"), las consecuencias son graves, entre ellas temblores, mareos, náuseas, habla incoherente y falta de co-ordinación. Si no se actúa a tiempo, puede sobrevenir un estado de coma e incluso la muerte.

■

¿Qué tienen de malo las dietas bajas en carbohidratos?

EXISTEN muy pocas pruebas científicas que respalden —o re-futen— el valor de las dietas bajas en carbohidratos. Las dietas bajas en carbohidratos son muy populares en lo que se refiere a perder peso porque las primeras libras se pierden con gran rapidez. En los primeros días, se baja entre 4 y 7 libras (8 a 14 kg), un indicio alentador para cualquiera que esté tratando de bajar de peso. El problema está en que la mayoría de las libras que se rebajan no son de grasa corporal, sino de glicógeno muscular y agua.

Cuando una dieta no suministra suficientes cantidades de carbohidratos, el cuerpo utiliza sus pequeñas reservas de carbo-hidratos (glicógeno) como combustible para impulsar las contrac-ciones de los músculos. Un gramo de carbohidratos en forma de glicógeno muscular y hepático liga cuatro gramos de agua. Así que cuando uno agota sus reservas totales de 500 gramos de glicógeno dentro de los primeros días de la dieta, uno también pierde unos 2 kilogramos de agua. Por lo tanto, a fin de cuentas uno termina bajando unos 2,5 kilogramos pero no elimina ni un poquito de grasa corporal. El proceso se invierte cuando uno regresa a su forma habitual de comer y las reservas de carbohidratos se reponen rápidamente junto con el agua.

Las personas que han seguido una dieta baja en carbohidratos durante cierto tiempo observan que eventualmente la pérdida de peso se estanca y empiezan a sentirse cansados y letárgicos. No sorprende que suceda esto, ya que a los músculos les queda muy pocas reservas de glicógeno. El ejercicio extenuante requiere que uno obtenga una mezcla de combustible que consista tanto en grasa como en carbohidratos. Por lo tanto, a largo plazo las dietas bajas en carbohidratos pueden terminar por desanimar a las personas a seguir haciendo el ejercicio que los ayudarán a controlar su peso en el futuro.

Nuestro consejo es diferente: la mejor dieta para controlar el peso es la que usted pueda seguir toda su vida, una que incluya sus alimentos favoritos y que tenga en cuenta sus raíces étnicas y culturales. Esta dieta puede variar en cierta medida en cuanto a la cantidad total de carbohidratos, proteínas y grasa que se consumen. En la actualidad, existen cada vez más pruebas científicas que respaldan las dietas más altas en carbohidratos, de valor bajo en el índice glucémico (IG) y bajas en grasa si se quiere perder peso. Ahora bien, a fin de cuentas resulta esencial seleccionar el tipo correcto tanto de carbohidratos como de grasa. Escoger alimentos con valores bajos en el IG no sólo ayudará a controlar el peso, sino que también reducirá la glicemia posprandial, aumentará la saciedad más aportará fibra y una cantidad abundante de micronutrientes.

■

El peso de las pruebas científicas sólo favorece las dietas basadas en alimentos con valores bajos en el IG.

Para asegurarse de que el nivel de glucosa en la sangre se mantenga inalterable entre una comida y otra, nuestro cuerpo utiliza la glucosa que se almacena en el hígado. Esta forma de glucosa almacenada se llama glicógeno, pero las reservas son muy limitadas y debe reponerse de una comida a otra. Si su dieta es baja en carbohidratos, entonces sus reservas de glicógeno estarán igualmente bajas y fácilmente pueden agotarse.

Una vez que el cuerpo haya utilizado las reservas de glicógeno (entre 12 y 24 horas después de haber iniciado un ayuno), empezará a descomponer las proteínas musculares para así sintetizar la glucosa que necesita el cerebro y el sistema nervioso. Recuerde que este proceso no

puede darle al cerebro toda la glucosa que necesita. Cuando sea absolutamente necesario, el cerebro utilizará a las ketonas, un derivado de la
grasa descompuesta. El nivel de ketonas en la sangre aumenta a medida
que uno siga ayunando y hasta puede olerlas (huelen un poco parecido
a la sidra de manzana) en el aliento.

Sin embargo, el cerebro no funciona al máximo cuando tiene que utilizar las ketonas y se ha demostrado que esto afecta al juicio mental. Es
sumamente probable que a uno le dé fuertes dolores de cabeza y que se
sienta aturdido. Dado que se habrán agotado las reservas de glicógeno
muscular, hacer ejercicios extenuantes resulta casi imposible y uno se
cansa fácilmente. Todo esto nos lleva a una pregunta importante.

¿CUÁNTOS CARBOHIDRATOS REALMENTE NECESITAMOS EN NUESTRA DIETA?

Como hemos indicado, hay muy buenos motivos para no seguir una
dieta que sea baja en carbohidratos. Bien, pero ¿cuál es el nivel óptimo

■

¿Le conviene tener un consumo moderado de carbohidratos?

LOS ESTADOUNIDENSES tienen la tendencia de consumir demasiadas calorías de todas las fuentes alimenticias. Esto
ocurre porque las porciones estadounidenses típicas de carbohidratos y proteínas son demasiado grandes y deben reducirse. En
cambio, una dieta al estilo mediterráneo es más alta en grasa y
proporciona sólo alrededor del 45 por ciento de la calorías a partir
de los carbohidratos. En el pasado, la mayoría de los nutriólogos
no hubieran estado de acuerdo con este nivel de consumo de carbohidratos, pero eso ha cambiado. Con tal de que usted considere
con cuidado los tipos de grasa y los tipos de carbohidratos que
ingiere, entonces este nivel de consumo de carbohidratos es perfectamente compatible con la buena salud. A este nivel, usted
necesita consumir por lo menos 125 gramos de carbohidratos a
diario si es una persona que come poco, y 225 gramos si es alguien

que come cantidades promedio. Si usamos el pan para ilustrar este ejemplo, significa que debería comer entre 9 y 15 rebanadas de pan todos los días.

■

de carbohidratos en la dieta? ¿Deberá ser tan alto como el 65 por ciento del total de calorías que se consumen diariamente, como recomiendan algunos nutriólogos, o quizás deba de ser un poco más moderado, cerca del 45 por ciento de las calorías ingeridas a diario? En el otoño de 2002, la Junta de Alimento y Nutrición del Instituto de Medicina publicó las nuevas guías nutricionales. Estas recomendaciones indican claramente que ambos niveles —o bien una cantidad entre estos— pueden cumplir con las necesidades nutricionales y calóricas diarias del cuerpo, además de que pueden minimizar el riesgo de desarrollar una enfermedad crónica. Trate de determinar el nivel que mejor le convenga entre estos dos porcentajes y obténgalo diariamente. Como quizás sea un poco difícil hacer esto por su cuenta, tal vez le convendría buscar la asesoría de un dietista certificado (vea la página siguiente).

Si analizamos cuidadosamente las dietas alrededor del mundo, resulta evidente que tanto un consumo alto como uno bajo de carbohidratos pueden conducir a la buena salud. Creemos que el consumo de carbohidratos puede ser *tanto alto como moderado,* con tal que usted tenga en cuenta el tipo de alimentos que come.

■

¿Le conviene tener una dieta alta en carbohidratos?

¿OBTENER el 50 por ciento o más de sus calorías diarias de los carbohidratos y menos de 30 por ciento de la grasa (el restante 15 por ciento debe provenir de las proteínas) resulta ser una meta realista para usted? Depende de muchos factores. Si usted ha estado siempre consciente de lo que come y ha evitado alimentos altos en grasa o bien si ha seguido un tipo de dieta al estilo asiático o medio-oriental, entonces es probable que ya esté llevando una dieta alta en carbohidratos.

Desde luego, el número de calorías y por lo tanto la cantidad de carbohidratos varía con su peso y con su nivel de actividad física. Si es una persona activa con exigencias promedio de calorías que no está tratando de perder peso (es decir, con un consumo promedio de 2.000 calorías diarias), usted necesitará consumir 275 gramos de carbohidratos. Si está tratando de perder peso y su dieta es baja en calorías (1.200 calorías diarias), eso significa que necesita ingerir unos 165 gramos de carbohidratos a diario. Si quiere ver un ejemplo de estos tipos de dietas, vea las páginas 30 a 34.

■

Lo que enfatizamos aquí es que el *tipo* o la fuente de los carbohidratos y la grasa es tan importante como la cantidad. A fin de cuentas, elegir la cantidad de carbohidratos que usted consumirá —sea moderada o alta— es su decisión. La manera de comer que usted disfrutará y tenderá a seguir a largo plazo será la que más se asemeje a su dieta habitual y a sus raíces étnicas y culturales. Creemos que, a diferencia de lo que pasa con las gorras de béisbol en que una misma talla les sirve a todos por igual, cada dieta es diferente para cada persona. Nuestro enfoque tiene una flexibilidad incorporada cuando se trata de determinar la cantidad de carbohidratos que usted necesita ingerir.

■

Cómo encontrar a un dietista

PARA OBTENER información más específica sobre sus necesidades exactas de calorías y carbohidratos, deberá consultar a un dietista certificado. Busque en el directorio telefónico bajo *"Dietitians"*, llame a la Asociación Estadounidense de Dietistas al 1-800-366-1655 o visite su sitio *web*: http://www.eatright.org. Asegúrese de que la persona que elija lleve las iniciales R.D. (*registered dietitian* o dietista registrado) después de su nombre.

■

La mayoría de la población mundial tiene una dieta alta en carbohidratos que se basa en alimentos básicos como arroz, maíz, millo y alimentos a base de trigo como el pan o los fideos. En algunos países africanos y asiáticos, los carbohidratos pueden incluso alcanzar hasta el 70 o el 80 por ciento del consumo calórico de una persona (lo cual es probablemente demasiado alto para gozar de una salud óptima). Por contraste, la población en algunos países industrializados como los Estados Unidos y Australia consume sólo la mitad de estas cantidades. Nuestra dieta típica contiene alrededor de un 40 a un 45 por ciento de carbohidratos y entre un 33 y un 40 por ciento de grasa.

LA RELACIÓN RECÍPROCA QUE EXISTE ENTRE LOS CARBOHIDRATOS Y LA GRASA

Los carbohidratos y la grasa no sólo son las dos fuentes principales de combustible para los tejidos del cuerpo, sino que también son los dos componentes principales de los alimentos, y existe una relación recíproca entre estos nutrientes. La razón por la cual las proteínas no son uno de los combustibles principales del cuerpo es porque por lo general estas aportan menos de un 20 por ciento de las calorías en los alimentos. En cambio, las grasas y los carbohidratos conforman el 80 por ciento y hasta más. En una dieta alta en carbohidratos, por lo menos el 50 por ciento de todas las calorías provienen de los carbohidratos, y menos del 30 por ciento de la grasa. Por contraste, en una dieta alta en grasa, típicamente el 40 por ciento de las calorías proviene de la grasa y sólo el 40 por ciento proviene de los carbohidratos.

Esta relación recíproca significa que los carbohidratos desplazan la grasa de nuestra dieta. Cuando hacemos un esfuerzo por ingerir más carbohidratos, el consumo de grasa disminuye y viceversa. Con frecuencia los alimentos altos en carbohidratos —como por ejemplo las frutas y las verduras— son voluminosos y llenan, además de ser ricos en micronutrientes. Por otra parte, el problema con la grasa está en que es muy sabrosa (como se puede comprobar al comer chocolate o queso) y mucho del sabor en los alimentos en realidad se disuelve en la grasa. Las grasas también son fuentes muy concentradas de calorías, y si se analiza gramo por gramo, se verá que la grasa pura contiene más del doble de las calorías que los carbohidratos o las proteínas puras.

Las recomendaciones de salud de hoy en día se tratan
tanto del *tipo* de grasa y de la *naturaleza* de los
carbohidratos como de las cantidades que se consumen
de cada uno.

En fin, muchos alimentos que son altos en grasa son excepcional-
mente deliciosos, poco voluminosos, altos en calorías y fáciles de consumir en exceso. Si su dieta consiste mayormente en estos alimentos y
usted no es una persona muy activa, entonces resulta muy fácil subir de
peso. La grasa saturada también desempeña un papel en las enfermedades cardíacas. Debido a esto muchos nutriólogos promueven dietas altas en carbohidratos en las cuales entre el 50 y el 60 por ciento del
consumo diario de calorías provienen de estos.

Sin embargo, este enfoque nutricional bajo en grasa y alto en carbohidratos ha tenido consecuencias imprevistas. Por ejemplo, muchas
personas pudieron reducir su consumo total de grasa a un 30 por ciento
o menos de sus calorías diarias. Sin embargo, aún consumían demasiada
grasa saturada. Además, los consumidores empezaron a pedir más alimentos bajos en grasa que también fueran sabrosos. Los fabricantes los
complacieron. No obstante, el cambio no los benefició: terminaron
comiendo versiones bajas en grasa de sus alimentos favoritos, como por
ejemplo yogur y helado, que tenían la misma cantidad de calorías y eran
iguales de fáciles de comer en exceso que las versiones originales altas
en grasa. Por lo tanto, los nutriólogos han tenido que analizar y modificar sus mensajes acerca de la salud.

LA COMPARACIÓN DE LOS SIMPLES CON LOS COMPLEJOS

Hasta el momento, hemos enfatizado la *cantidad* de carbohidratos en la
dieta. Ya es hora de preguntarnos qué pasa con el tipo o la *naturaleza* del
carbohidrato.

Tradicionalmente, la naturaleza de los carbohidratos se describía según
su estructura química: era simple o compleja. Los azúcares se consideraban simples y las féculas se consideraban complejas, simplemente
porque los azúcares son compuestos por moléculas pequeñas y las féculas

constan de moléculas grandes. Debido al gran tamaño de sus moléculas, se daba por sentado que los carbohidratos complejos como las féculas se digerían y absorbían lentamente y causaban sólo un aumento pequeño y gradual en el nivel de glucosa en la sangre. Por otra parte, se asumía que los azúcares simples se digerían y absorbían con rapidez, lo cual ocasionaba un aumento rápido de la glucosa en la sangre.

Unos cuantos experimentos simples con féculas crudas y azúcares puros respaldaban estas teorías, y durante 50 años esto se les ha enseñado a todos los estudiantes de Bioquímica como un "hecho".

Ahora sabemos que los conceptos de carbohidratos "simples" y carbohidratos "complejos" no nos dicen nada acerca de la forma en que los carbohidratos en los alimentos cambian el nivel de glucosa en la sangre. Veinte años de investigaciones científicas han demostrado que todas estas suposiciones sobre la velocidad de la digestión estaban equivocadas.

El aumento de la glucosa en la sangre después de haber comido no se podía predecir sólo basándose en las estructuras químicas de los carbohidratos simples y los complejos. Hacía falta otro sistema para describir de una forma más efectiva la naturaleza de los carbohidratos y clasificarlos de acuerdo con sus efectos en la glucosa en la sangre: el índice glucémico.

EL IG: UNA MEDIDA DEL IMPACTO DE LOS CARBOHIDRATOS

Después de todo, lo que sorprende es que los científicos no estudiaron las verdaderas respuestas de la glucosa en la sangre a los alimentos comunes hasta principios de los años 80. Anteriormente, habían analizado soluciones de azúcar pura y féculas crudas y llegaron a conclusiones que no se aplicaban a los alimentos verdaderos en comidas verdaderas.

Desde 1981, cientos de alimentos diferentes se han analizado individualmente y en comidas combinadas administradas tanto a personas saludables como a diabéticos. Los profesores David Jenkins y Tom Wolever de la Universidad de Toronto fueron los primeros en emplear el término "índice glucémico" (o IG) para comparar la capacidad de los diferentes carbohidratos de aumentar el nivel de glucosa en la sangre.

El IG es simplemente una manera numérica de describir cómo los carbohidratos en alimentos individuales afectan al nivel de glucosa en la sangre. Los alimentos que tienen un valor alto en el IG contienen carbohidratos que causan un aumento drástico en el nivel de glucosa en la sangre, mientras los que tienen un valor bajo contienen carbohidratos cuyo impacto es mucho menor.

El IG describe el *tipo* de carbohidratos en los alimentos e indica la capacidad que tienen para aumentar el nivel de glucosa en la *sangre*.

Esta investigación ha echado por tierra y ha acabado con algunas creencias ampliamente respaldadas (es realmente una revolución) y en el camino, como era de esperar, ha causado un gran revuelo.

La primera sorpresa fue que la fécula en alimentos como el pan, las papas y muchos tipos de arroz se digiere y absorbe con gran rapidez —no lentamente—, como siempre se había creído que ocurría.

La segunda sorpresa fue que los científicos encontraron que el azúcar en los alimentos (como frutas, dulces y helado) no produce aumentos más rápidos ni más prolongados en la glucosa en la sangre como siempre se creyó. La verdad es que la mayoría de los azúcares en los alimentos, sin importar su fuente, en realidad producen respuestas bastante moderadas en los niveles de glucosa en la sangre, más bajos que la mayoría de las féculas.

Hay que olvidarse de las distinciones viejas que se hacían entre los alimentos feculentos y los azucarados, o entre los carbohidratos simples y los complejos. La verdad es que no sirven de nada cuando se trata de medir el nivel de glucosa en la sangre. De hecho, incluso a un científico experimentado con un conocimiento detallado de la composición química de un alimento le costaría trabajo predecir cuál será el valor de este en el IG.

Olvídese de los carbohidratos *"simples"* y de los *"complejos"*. En cambio, piense en términos de valores bajos y altos en el IG.

EL CONSUMO CORRECTO DE CARBOHIDRATOS

A fin de asegurarse de que está ingiriendo suficientes carbohidratos y el tipo correcto de estos, usted debería comer:

- frutas en cada comida
- verduras en el almuerzo y en la cena e incluso como merienda (refrigerio, tentempié)
- por lo menos un alimento con un valor bajo en el IG en cada comida
- por lo menos la cantidad mínima de alimentos con carbohidratos que se recomienda para los que comen poco (vea las páginas 30–34)
- mucha fibra (se trata de alimentos con poca densidad calórica, es decir, menos calorías por gramo)

Usted descubrirá que una vez que empiece a ser exigente con respecto a los carbohidratos que ingiere, sus niveles de insulina disminuirán y automáticamente quemará más grasa. Tal vez no note este cambio en el momento en que está ocurriendo, pero verá los resultados: ¡con el tiempo perderá peso! Por otra parte, comer alimentos altos en fibra también lo ayudará a sentirse lleno y evitará que coma en exceso.

Si está buscando una forma de mejorar su dieta, hay dos cosas importantes que debe recordar.

1. Identifique cuáles son las fuentes de carbohidratos de su dieta y reduzca el consumo de alimentos con valores altos en el IG. No tiene que llegar a extremos: sus alimentos favoritos con valores altos en el IG siempre pueden tener cabida en su dieta.
2. Identifique las fuentes de grasa en su dieta y busque la forma de reducir la cantidad de grasa saturada que consume. Opte por grasas monoinsaturadas y poliinsaturadas, como las que se encuentran en el aceite de oliva y en el de girasol, en lugar de las grasas saturadas que se encuentran en la mantequilla y en la manteca vegetal. Tan sólo asegúrese de no consumir demasiada grasa. Aunque el cuerpo necesita un poco de grasa y que siempre habrá ocasión para comer platos grasos, procure fijarse bien en las porciones que consume.

EL TIPO CORRECTO DE DIETA A BASE DE CARBOHIDRATOS

Tanto un consumo alto como moderado de carbohidratos puede ser saludable: la decisión depende exclusivamente de usted. Los dos tipos de dietas, sin embargo, tienen que enfatizar carbohidratos con valores bajos en el IG y grasas saludables.

Una dieta alta en carbohidratos

He aquí un ejemplo de lo que se come al seguir una dieta alta en carbohidratos (con el 65 por ciento de las calorías totales provenientes de los carbohidratos) si usted come poco o bien come cantidades promedio de alimentos.

Para los que comen poco

Incluso los que comen poco necesitan diariamente estos alimentos ricos en carbohidratos:

- aproximadamente 4 rebanadas de pan o su equivalente (galletas, panecillos, *muffins* ingleses)
- por lo menos 2 piezas de fruta fresca o su equivalente (jugo, frutas secas o frutas enlatadas en su propio jugo)
- 1 taza de verduras feculentas cocinadas (maíz, legumbres, papas, batata dulce/camote)
- alrededor de 1 taza de cereal cocinado o de un alimento a base de cereales (cereal para el desayuno, arroz o pasta cocidos u otros tipos de cereales)
- por lo menos 2 tazas de leche descremada o baja en grasa o su equivalente (yogur, helado), incluyendo leche en su té o café o con su cereal

Si esta cantidad de alimentos le parece bien según sus necesidades, entonces pruébela; se trata de una opción dietética que ofrece la cantidad mínima de carbohidratos. Esta dieta suminista 190 gramos de carbohidratos, lo que es adecuado para una dieta de 1.200 calorías. Si su apetito le pide más comida, hágale caso, y de ser necesario, agregue una merienda (refrigerio, tentempié) pequeña con un valor bajo en el IG.

■

Los que comen poco pueden:

⊃ ser mujeres menudas
⊃ tener poco apetito
⊃ realizar muy poca actividad física
⊃ estar tratando de perder peso

■

Para los que tienen un apetito promedio

Las personas con un apetito promedio pueden comer:

- unas 8 rebanadas de pan o su equivalente (galletas o panecillos)
- unas 4 piezas de fruta fresca o su equivalente (jugo, frutas secas o frutas enlatadas en su propio jugo)
- 1 taza de verduras feculentas cocinadas (maíz, legumbres, papas, batata dulce/camote)
- alrededor de 2 tazas de cereales o alimentos a base de cereales (cereal para el desayuno, arroz o pasta cocinados u otros granos)
- 2 tazas de leche baja en grasa o su equivalente (yogur, helado)

Esta dieta suministra 250 gramos de carbohidratos, lo que es adecuado para una dieta de 1.800 calorías.

Es poco probable que coma demasiado al seguir la dieta alta en fibra y baja en carbohidratos y grasa que acabamos de desglosar. Así que base su dieta en alimentos con carbohidratos altos en fibra como panes integrales, cereales, frutas, verduras y legumbres, dejando que su apetito le indique cuánto necesita comer.

■

Los que tienen un apetito promedio quizás:

⊃ realicen una actividad física regular (pero no ejercicio extenuante)

⊃ sean adultos de tamaño físico promedio

■

Una dieta con un consumo moderado de carbohidratos

Si piensa que preferiría un consumo más moderado de carbohidratos (en que constituyan un 45 por ciento de las calorías diarias) y más grasa, he aquí ejemplos de cuántos alimentos ricos en carbohidratos necesitarían a diario tanto las personas que comen poco como las que tienen un apetito promedio.

Para los que comen poco

Para asegurar un consumo equilibrado de nutrientes al seguir una dieta moderada en carbohidratos, aun los que comen poco necesitan comer los siguientes alimentos ricos en carbohidratos a diario:

▶ unas 4 rebanadas de pan o su equivalente (galletas, panecillos, *muffins* ingleses)

▶ unas 2 piezas de fruta fresca o su equivalente (jugo, frutas secas o frutas enlatadas en su propio jugo)

▶ más o menos ½ taza de verduras feculentas cocinadas (maíz, legumbres, papas, batata dulce/camote)

▶ más o menos ½ taza de cereal o de alimentos a base de cereales (cereal para el desayuno, arroz o pasta cocinados u otros cereales)

▶ 2 tazas de leche baja en grasa o su equivalente (yogur, helado)

Estos alimentos con carbohidratos suministran 135 gramos de carbohidratos, los cuales constituyen el 45 por ciento del total de las calorías diarias en una dieta de 1.200 calorías.

■

¿Cómo puede cambiar su dieta?

ALGUNOS DE LOS alimentos más comunes que las personas nos dicen que han empezado a comer para adelgazar con azúcar son:

⊃ panes integrales

⊃ cereales para el desayuno con valores bajos en el IG

⊃ más frutas

⊃ yogur

⊃ mucha pasta, frijoles y verduras

■

Para los que tienen un apetito promedio

Aun si está tratando de consumir una cantidad moderada de carbohidratos, el que tiene un apetito promedio necesita comer lo siguiente a diario:

▶ unas 6 rebanadas de pan o su equivalente (galletas, panecillos, *muffins* ingleses)

▶ unas 2 piezas de fruta fresca o su equivalente (jugo, frutas secas o frutas enlatadas en su propio jugo)

▶ más o menos ½ taza de verduras feculentas cocinadas (maíz, legumbres, papas, batata dulce/camote)

▶ por lo menos 1½ taza de cereal o alimentos a base de cereales (cereal para el desayuno, arroz o pasta cocinados u otros cereales)

▶ 2½ tazas de leche baja en grasa o su equivalente (yogur, helado)

Esto equivale a 200 gramos de carbohidratos, los cuales constituyen el 45 por ciento del total de las calorías diarias en una dieta de 1.800 calorías.

(*Nota*: si encuentra en este capítulo nombres de alimentos que no entiende o que jamás ha visto, favor de remitirse al glosario en la página 407).

■

PARA CALCULAR el porcentaje de calorías que suministran los carbohidratos, simplemente multiplique los gramos de carbohidratos por cuatro (la cantidad de calorías que suministra cada gramo de carbohidrato) y luego divídalos por el número total de calorías que usted consume a diario.

Por consiguiente: $(225 \times 4 \times 100)/1800 = 50$ por ciento (aproximadamente).

■

3

UNA INTRODUCCIÓN AL
ÍNDICE GLUCÉMICO

*E*L ÍNDICE GLUCÉMICO **(IG)** lo creó en 1981 el Dr. David Jenkins, profesor de Nutrición de la Universidad de Toronto, Canadá, con el fin de ayudar a determinar qué alimentos eran mejores para las personas con diabetes. En aquel tiempo, la dieta para los diabéticos se basaba en un sistema de intercambios de los carbohidratos. (*Nota*: "intercambio" es un término científico para una porción). Cada intercambio contenía la misma cantidad de carbohidratos. El sistema de intercambio daba por sentado que todos los alimentos feculentos producían el mismo efecto en los niveles de glucosa en la sangre si bien algunos estudios previos ya habían demostrado que esto no era cierto. Jenkins fue uno de los primeros investigadores en poner en duda el uso de intercambios e investigar realmente cómo los alimentos verdaderos actúan en las personas de carne y hueso.

El estudio de Jenkins atrajo mucha atención por todo lo lógico y sistemático que era. Jenkins y sus colegas analizaron una gran cantidad de alimentos comunes con algunos resultados sorprendentes. Un intercambio de helado, por ejemplo, a pesar de su contenido de azúcar, tenía menos efecto en la glucosa en la sangre que uno de pan blanco común. Durante los siguientes 15 años, investigadores médicos y científicos de todo el mundo, entre ellos los autores de este libro, probaron el efecto de muchos alimentos en el nivel de glucosa en la sangre y participaron en la elaboración de este nuevo concepto de clasificar los carbohidratos basándose en el IG.

Bien, pero ¿qué es exactamente el IG? Simplemente, el IG es una evaluación de los intercambios de carbohidratos en los alimentos según su impacto inmediato en el nivel de la glucosa en la sangre. Para hacer una comparación justa, todos los alimentos se comparan con un alimento de referencia, como por ejemplo la glucosa pura, usando cantidades iguales de carbohidratos.

Hoy en día conocemos los valores en el IG de cientos de alimentos, todos los cuales han sido analizados a través de un método estandarizado. Las tablas detalladas en la Cuarta Parte de este libro muestran los valores en el IG de una gran variedad de alimentos comunes, entre ellos muchos analizados por Jennie Brand-Miller, Ph.D., y sus colegas en la Universidad de Sidney y el Dr. Thomas M.S. Wolever y sus colegas en la Universidad de Toronto.

Durante años, el IG fue un tema muy polémico. Había tanto defensores ávidos como detractores apasionados de este nuevo enfoque para clasificar los carbohidratos. De hecho, ambas partes casi se fueron a las manos en conferencias organizadas con el fin de llegar a un consenso con respecto al tema.

Al principio, las críticas del IG eran justificadas: no había pruebas contundentes de que los valores de alimentos individuales pudieran influir en el resultado del nivel de glucosa en la sangre cuando se comían en combinación con otros alimentos. Tampoco había pruebas de que los alimentos bajos en el IG podrían ser beneficiosos a largo plazo. Además, no había estudios sobre la reproductividad del IG ni de la consistencia de sus valores de un país a otro. Asimismo, en muchas de las primeras investigaciones se utilizaron voluntarios saludables, por lo que no había pruebas de que los resultados pudieran aplicarse a personas que padecieran diabetes.

Hoy en día, sin embargo, abundan las pruebas. Sabemos que el IG es reproducible y que es una herramienta clínicamente comprobada en su aplicación a la diabetes, al apetito y a la salud cardíaca. Hasta la fecha, estudios realizados en el Reino Unido, Francia, Italia, Suecia, Australia y Canadá han demostrado el valor del IG. Ahora bien, cabe notar que los Estados Unidos sigue opuesto de forma oficial al IG. Sin embargo, instituciones estadounidenses como la Escuela de Salud Pública de la Universidad Harvard y el Hospital Infantil de Boston recomiendan el IG incluso para personas saludables.

EL IG MIDE EL RITMO DE LA DIGESTIÓN

Los alimentos con carbohidratos que se descomponen con rapidez durante la digestión tienen valores más altos en el IG. La respuesta de la glucosa en la sangre es rápida y alta. Esto significa que la glucosa (o azúcar) en el torrente sanguíneo aumenta rápidamente. Por el contrario, los alimentos con carbohidratos que se descomponen lentamente y liberan la glucosa de forma gradual al torrente sanguíneo tienen valores bajos en el IG.

Una analogía pertinente podría ser la popular fábula de la tortuga y la liebre. La liebre, como los alimentos con valores altos en el IG, empieza la carrera con gran velocidad, pero luego pierde frente a la tortuga que le gana con su paso lento pero estable. De manera similar, los alimentos lentos y estables con valores bajos en el IG producen una curva fija en los niveles de glucosa en la sangre sin drásticas fluctuaciones ni cambios. El gráfico que aparece en la página 39 demuestra el efecto de los carbohidratos lentos y rápidos en el nivel de glucosa en la sangre.

Para la mayoría de las personas, los alimentos con valores bajos en el IG tienen ventajas sobre los que tienen valores altos. Sin embargo, hay atletas que se pueden beneficiar del consumo de alimentos con valores altos en el IG durante y después de la competencia (vea el Capítulo 14). Los alimentos con valores altos en el IG también son útiles en el tratamiento de la hipoglicemia (vea el Capítulo 11).

El IG es una herramienta clínicamente comprobada en sus aplicaciones a la diabetes, al control del apetito y a la salud cardíaca.

La sustancia que produce uno de los efectos más grandes en el nivel de glucosa en la sangre es la propia glucosa pura. Los análisis realizados con el IG demuestran que la mayoría de los alimentos tienen menos efecto en el nivel de glucosa en la sangre que la glucosa misma. El valor en el IG de la glucosa pura se establece en 100, y cualquier otro alimento es calificado en una escala de 0 a 100 según su efecto verdadero en el nivel de la glucosa en la sangre. (*Nota*: hay pocos alimentos que tengan un valor en el IG que sobrepase 100. Uno de ellos es el arroz jazmín. Aunque parezca algo extraordinario, existe una sencilla explicación para esto. La glucosa es una solución altamente concentrada que tiende a atrasarse un poco en el estómago. En cambio, el arroz jazmín contiene féculas que dejan el estómago rápidamente y que se digieren a la misma velocidad).

■

Cómo miden los científicos el IG

1. Una cantidad de alimento que contiene una cantidad estándar de carbohidratos (por lo general de 25 a 50 gramos) se le da a un voluntario. Por ejemplo, para analizar los espaguetis cocinados, al voluntario se le dan 200 gramos de espaguetis (unas siete onzas, o ¾ de taza), lo que le suministra unos 50 gramos de carbohidratos (determinado por las tablas de composición de los alimentos).

2. Durante las dos (o tres si el voluntario padece diabetes) horas siguientes, se toma una muestra de su sangre cada 15 minutos durante la primera hora y después cada 30 minutos. El nivel de glucosa en la sangre de estas muestras se mide en el laboratorio y se archiva.

3. El nivel de glucosa en la sangre se traza en un gráfico y el área bajo la curva se calcula empleando un programa de computadora (Figura Nº1).

4. La respuesta del voluntario a los espaguetis (o a cualquier otro alimento que se esté analizando) se compara con la respuesta de la glucosa en la sangre al ingerir 50 gramos de glucosa pura (el alimento de referencia).

5. El alimento de referencia se analiza en dos o tres ocasiones diferentes y se le calcula un valor promedio. Esto se hace con el fin de reducir el efecto de variación de las respuestas de la glucosa en la sangre de un día a otro.

6. El valor promedio en el IG medido en 8 a 10 personas es el valor en el IG de ese alimento.

FIGURA N°1. Cómo se mide el valor de un alimento en el IG

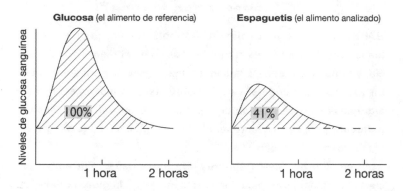

Glucosa (el alimento de referencia) — Espaguetis (el alimento analizado)

Tanto el alimento analizado como el alimento de referencia deben contener la misma cantidad de carbohidratos. La dosis típica que se administra del alimento es de 50 gramos, pero a veces se usa 25 gramos cuando la porción resulta ser demasiado grande. En ocasiones se han utilizado hasta dosis pequeñas de 15 gramos. El resultado en el IG es casi el mismo sin importar la dosis, ya que el IG es simplemente una medida relativa de la calidad de los carbohidratos en cuanto a su impacto en los niveles de glucosa en la sangre.

■

Valor alto, intermedio o bajo en el IG

Alto	70 o más
Intermedio	56–69
Bajo	0–55

■

El valor de un alimento dado en el IG no puede predecirse a partir de su composición nutricional ni a través de los valores en el IG de alimentos parecidos. Para determinar bien los valores, es necesario realizar análisis con personas y alimentos verdaderos. En la página anterior describimos cómo se mide el IG de un alimento en particular. No existe ninguna prueba fácil o barata que se pueda usar como sustituto. Además, siempre se siguen métodos estandarizados para que así los resultados de un grupo de personas puedan compararse directamente con los de otro grupo.

■

¿Glucosa o pan blanco?

EN EL pasado, algunos científicos emplearon una porción de pan blanco con 50 gramos de carbohidratos como alimento de referencia, ya que se trataba de la comida más típica que consumíamos. En esta escala, donde el valor en el IG del pan blanco es de 100, algunos alimentos tendrán un valor en el IG más alto de 100 simplemente porque su efecto en el nivel de glucosa en la sangre es más alto que el del pan.

El empleo de dos estándares diferentes causó, sin embargo, cierta confusión, por lo cual la escala en la que la glucosa tiene un valor de 100 se recomienda en la actualidad. Es posible hacer la conversión de la escala del pan a la escala de la glucosa usando el factor 0,7 (70/100). Este factor se deriva del hecho de que el valor de IG del pan blanco es de 70 en la escala en que la glucosa tiene un valor de 100.

Para evitar cualquier confusión a lo largo de este libro, nos referiremos a todos los alimentos utilizando un estándar donde la glucosa es igual a 100.

■

En total, hay que realizar análisis con 8 a 10 personas, y el valor en el IG del alimento será entonces el valor promedio del grupo. Sabemos que esta cifra promedio es reproducible y que en un grupo diferente de voluntarios se obtendrá un resultado similar. Los resultados logrados en un grupo de personas con diabetes son comparables a los que se obtienen con las que no padecen diabetes.

Mientras más alto sea el valor en el IG, más altos serán los niveles de glucosa en la sangre de los sujetos tras haber comido el alimento. Por lo general, los alimentos que tienen valores altos en el IG alcanzan un pico más alto, el llamado "pico glucémico", pero a veces el nivel de glucosa en la sangre se mantiene moderadamente alto durante dos horas, como sucede con el pan blanco.

El cereal de la marca *Rice Krispies*™ (con un valor de 87 en el IG) y las papas asadas (con un valor de 85) tienen valores muy altos en el IG, lo que quiere decir que su efecto en el nivel de glucosa en la sangre es casi tan alto como el de la misma cantidad de glucosa pura (sí, leyó correctamente). La Figura Nº2 indica la respuesta de la glucosa en la sangre al pan blanco comparada con la respuesta a la glucosa pura. Los alimentos con un valor bajo en el IG (como las lentejas, que sólo tienen 29) producen una respuesta más neutra en la glucosa en la sangre cuando se comen, como se indica en la Figura Nº3. El nivel pico de la glucosa en la sangre es más bajo y el regreso a los niveles normales es más lento que con un alimento que tiene un valor alto en el IG.

FIGURA Nº2. El efecto de la glucosa pura (50 gramos) y del pan blanco (una porción de 50 gramos de carbohidratos) en el nivel de glucosa en la sangre.

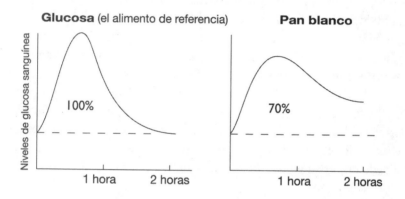

FIGURA Nº3. El efecto de la glucosa pura (50 gramos) y de las lentejas (una porción de 50 gramos de carbohidratos) en el nivel de glucosa en la sangre.

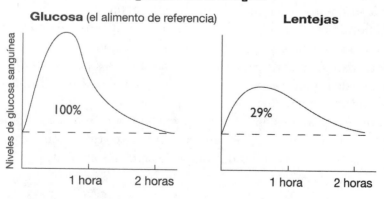

LA IMPORTANCIA DEL IG

La lenta digestión y el aumento y caída gradual en las respuestas de glucosa en la sangre después de ingerir un alimento con un valor bajo en el IG ayuda a controlar los niveles de glucosa en la sangre de las personas con diabetes o que tienen intolerancia a la glucosa. Este efecto podría beneficiar igualmente a las personas saludables, ya que reduce la secreción de la hormona insulina durante el transcurso del día. (Este asunto se discute más detalladamente en los Capítulos 1 y 10). Una digestión más lenta ayuda a prolongar los deseos de comer y por consiguiente produce pérdida de peso en las personas con sobrepeso.

Los niveles de glucosa bajos durante el día también ayudan a mejorar la salud coronaria al reducir el estrés oxidante relacionado con picos glucémicos. Mantener la estabilidad de los niveles de la glucosa en la sangre ayuda a que los vasos sanguíneos se mantengan elásticos y flexibles, reduciendo así la formación de capas de grasa y placas que causan el "endurecimiento" de las arterias (arterioesclerosis). Por último, cuando se controla la glucosa en la sangre hay menos tendencia de que se formen coágulos sanguíneos, el paso final que precipita un ataque al corazón.

Estos hechos no son una exageración. Tampoco son hallazgos preliminares. Son los resultados confirmados de muchos estudios que se han publicado en prestigiosas publicaciones científicas en todo el mundo.

¿PUEDE APLICARSE EL IG A LOS ALIMENTOS QUE TÍPICAMENTE COMEMOS A DIARIO?

El IG se desarrolló al analizar un solo alimento a la vez, no combinaciones de estos, pero por lo general comemos una *combinación* de alimentos. Sin embargo, podemos aplicar el IG a nuestra rutina alimenticia diaria. Los científicos han descubierto que es posible predecir el aumento de la glucosa en la sangre producido por una comida que consiste en varios alimentos con diferentes valores en el IG. El contenido total de carbohidratos en la comida y la contribución de cada alimento al total de carbohidratos debe conocerse. Este tipo de información puede hallarse en las tablas de composición de los alimentos.

Por ejemplo, digamos que usted toma un desayuno que consiste en jugo de naranja (china), *Corn Flakes™* con leche y una rebanada de pan tostado con un poco de margarina. En la siguiente tabla, puede ver cómo el valor en el IG de todo el desayuno se ha calculado. Esto podría parecer complicado, pero en la práctica las personas no tienen que hacer este tipo de cálculo, aunque a veces los dietistas y los investigadores de nutrición sí tienen que hacerlo. Muchos estudios demuestran que existe una relación muy estrecha entre la respuesta de la glucosa en la sangre que se predice (basándose en los valores en el IG publicados de los efectos relativos de diferentes alimentos y comidas) y la respuesta real de la glucosa en la sangre.

Para saber más sobre cómo calcular el valor en el IG de una comida, un menú o una receta, vea las páginas 105 y 106.

CÓMO CALCULAMOS EL VALOR TOTAL DEL IG DE UNA COMIDA

Alimento	Cbhdtos.	% de cbhdtos.	Valor en el IG	Contribución al valor total en IG de la comida
Jugo de naranja (4 onzas/120 ml)	13	23	46	23% × 46 = 11
Corn Flakes de Kellogg™ (1 oz/28 g)	24	43	84	43% × 84 = 36
Leche (4 onzas)	6	11	27	11% × 27 = 3
1 rebanada de pan tostado (1 onza)	13	23	70	23% × 70 = 16
Total	**56**			**Comida GI = 66***

*Todos los cálculos han sido redondeados. Estos cálculos dan una idea bastante confiable del valor en el IG de comidas mezcladas, siempre que los componentes hayan sido analizados en el estado físico en que se comen. Sin embargo, en recetas que incorporan ingredientes como harina de trigo cruda y azúcar que después se cocinan (como es el caso de los pasteles y las galletitas), el valor final en el IG no se puede predecir. *Nota*: "Cbhdtos." es la abreviatura de "carbohidratos".

UN NUEVO DESCUBRIMIENTO: LA CARGA GLUCÉMICA

Cuando comemos un alimento que contiene carbohidratos, nuestro nivel de glucosa en la sangre aumenta o disminuye. Bien, pero hasta qué punto aumenta y sigue estando alto es sumamente importante para la salud y depende de dos cosas: la cantidad de carbohidratos en la comida y la naturaleza de esos carbohidratos (es decir, su valor en el IG). Ambas cosas son igualmente importantes a la hora de determinar un cambio en los niveles de glucosa en la sangre. Desafortunadamente, la cantidad de carbohidratos sigue siendo lo que más llama la atención.

Nutrition Facts

Serving Size 1/2 cup (130g)
Servings Per Container 3

Amount Per Serving

Calories 90	Calories from Fat 0
	% Daily Value*
Total Fat 0g	**0%**
Saturated Fat 0g	**0%**
Cholesterol 0 mg	**0%**
Sodium 140 mg	**4%**
Total Carbohydrate 16g	**5%**
Dietary Fiber 6g	**22%**
Sugars 3g	
Protein 5g	

Vitamin A 0%	•	Vitamin C 2%
Calcium 2%	•	Iron 8%

*Percent Daily Values are based on a 2,000 calorie diet.

Resulta fácil determinar la cantidad de carbohidratos en un alimento si se observa la etiqueta del alimento o se consultan las tablas de composición alimenticia. (Vea una muestra de una etiqueta de alimento a la izquierda). Lo que todavía no se puede determinar a partir de la etiqueta de un alimento o de las tablas de composición alimenticia es el valor en el IG del carbohidrato. Es justamente aquí cuando resultan útiles las tablas de IG en las páginas finales de este libro. Estas tablas le permiten al lector analizar los valores en el IG de cientos de alimentos. Es la lista más larga, más amplia y más confiable de valores en el IG que existe en todo el mundo.

Dado que se necesita saber tanto la cantidad como el tipo de carbohidrato para predecir las respuestas de glucosa en la sangre a la comida, necesitamos una forma de combinar y describir ambas cosas. Investigadores en la Universidad Harvard lograron esto al introducir el término "carga glucémica" (CG). La CG nos ayuda a predecir qué efecto tendrán los carbohidratos en un alimento en particular en el nivel de glucosa en la sangre después de comerlo. La CG es más grande en los alimentos que contienen una mayor cantidad de carbohidratos (como el arroz o los espaguetis), sobre todo cuando se comen en grandes cantidades. La CG se calcula simplemente al multiplicar el valor de IG de un alimento por la cantidad de carbohidratos por porción y luego dividir esta cifra por 100.

La carga glucémica (CG) = (valor en el IG X carbohidratos por porción) ÷ 100

Compare la CG de los siguientes alimentos para ver hasta qué punto el tamaño de la porción, así como el valor en el IG, son importantes a la hora de determinar cuál es la respuesta glucémica, es decir, cuánto impacto tendrá un alimento particular, comido en una cantidad particular, en el nivel resultante de la glucosa en la sangre.

Arroz: una taza de arroz instantáneo cocido tiene un valor de 87 en el IG (vea las tablas en la página 56) y contiene 37 gramos de carbohidratos por porción (según las tablas de referencia de valores de alimentos)

Carga glucémica: $(87 \times 37) \div 100 = 32$

Espaguetis: 1 taza de espaguetis tiene un valor promedio en el IG de 41 por porción y contiene 52 gramos de carbohidratos

Carga glucémica: $(41 \times 52) \div 100 = 21$

Ahora bien, no se preocupe tanto por la CG. Esta medida no distingue a los "carbohidratos lentos" de los "carbohidratos bajos". O sea, resulta mucho mejor hacer elecciones de alimentos basándose en el IG que en la CG, ya que le conviene incluir al menos cantidades moderadas de carbohidratos en sus comidas. Si usted escoge los alimentos basándose sólo en la CG, fácilmente podría terminar ingiriendo una cantidad enorme de grasa no deseada, así como demasiadas proteínas. Los carbohidratos con un nivel bajo en el IG le proporcionan mucho más que un simple control del nivel de glucosa en la sangre: usted se sentirá lleno por más tiempo, gracias a una absorción prolongada, y también reducirá su nivel de insulina.

¿QUÉ DETERMINA EL VALOR QUE TIENE UN ALIMENTO EN EL IG?

Los científicos han estado estudiando qué es lo que le otorga a un alimento dado un valor alto en el IG y a otro un valor bajo. Hay abundantes datos al respecto, pero estos pueden confundir. Para hacer que se entienda con más facilidad, hemos resumido los resultados de las investigaciones en la tabla en la página siguiente, la cual analiza los factores que influyen en el valor en el IG de un alimento.

El mensaje fundamental es que el estado físico de la fécula en un alimento es sin duda el factor más importante que influye en su valor en el IG. Es por ello que los avances logrados en 200 años en el procesamiento de alimentos han tenido un efecto tan profundo en los valores totales en el IG de los carbohidratos que consumimos.

EL EFECTO DE LA GELATINIZACIÓN DE LA FÉCULA
EN EL IG

En los alimentos crudos la fécula se almacena en gránulos duros y compactos que son difíciles de digerir; es por eso que las papas producen dolor de estómago si se comen crudas. La mayoría de los alimentos feculentos necesitan ser cocinados. Durante la cocción, el agua y el calor expanden los gránulos de la fécula a diferentes grados; algunos gránulos incluso se revientan y liberan las moléculas individuales de fécula. Un ejemplo de esta reacción sería cuando uno prepara una salsa con agua y harina. Al principio se trata de una mezcla líquida, pero al uno calentarla se van reventando los gránulos de la fécula en la harina y así se va espesando la salsa en vez de quedarse líquida.

Si la mayoría de los gránulos de fécula crecen y se revientan durante el proceso de cocción, se dice que la fécula está completamente "gelatinizada". La Figura Nº4 (en la página 48) muestra la diferencia entre las féculas crudas y las cocinadas en las papas.

Los gránulos hinchados y las moléculas libres de las féculas son muy fáciles de digerir porque las enzimas que digieren la fécula en el intestino delgado tiene una superficie más grande para atacar. La acción rápida de las enzimas traen como resultado un rápido aumento de la glucosa en la sangre tras haber comido el alimento (recuerde que la fécula

FACTORES QUE IMPACTAN LOS VALORES EN EL IG DE LOS ALIMENTOS

FACTOR	MECANISMO	EJEMPLOS DE ALIMENTOS DONDE EL EFECTO SE NOTA
Gelatinización de la fécula	Mientras menos gelatinizada es la fécula, más lento es el ritmo de digestión.	Espaguetis cocidos al punto, avena y galletitas todas tienen menos fécula gelatinizada.
Captura física	La capa fibrosa alrededor de frijoles, semillas y membranas celulares de plantas actúa como una barrera física, retrasando el acceso de las enzimas a la fécula contenida en estos alimentos.	Pan integral de centeno y panes integrales, legumbres y cebada.
Alta proporción de amilosa a amilopectina*	Mientras más amilosa contenga un alimento, menos agua absorberá la fécula y más lento será su ritmo de digestión.	El arroz *basmati* y las legumbres contienen más amilosa que otros cereales.
Tamaño de la partícula	Mientras más pequeño sea el tamaño de la partícula, es más facil para el agua y las enzimas penetrarlo.	Harinas molidas finamente tiene valores altos en el IG. Las harinas molidas por piedra tienen partículas más grandes y valores menores en el IG.
Viscosidad de la fibra	Las fibras viscosas y solubles incrementan la viscosidad del contenido del intestino y esto retrasa la interacción entre la fécula y las enzimas. Harinas finamente molidas de trigo y centeno tiene ritmos rápidos de digestión y absorción porque la fibra no es viscosa.	Copos de avena, frijoles, lentejas, manzanas, el laxante de la marca *Metamucil.*
Azúcar	La digestión del azúcar produce sólo la mitad de la cantidad de moléculas de glucosa que la misma cantidad de fécula (la otra mitad es fructosa). La presencia de azúcar también restringe la gelatinización de la fécula al ligar agua y reducir la cantidad de agua "disponible".	*Biscuits* de la marca *Social Tea*, galletitas de avena y algunos cereales de desayuno (como las marcas *Kellogg's Frosted Flakes* o *Smacks*) que son altos en azúcar tienen valores relativamente bajos en el IG.

(continúa)

FACTORES QUE IMPACTAN LOS VALORES EN EL IG DE LOS ALIMENTOS *(continuación)*

FACTOR	MECANISMO	EJEMPLOS DE ALIMENTOS DONDE EL EFECTO SE NOTA
Acidez	Los ácidos en los alimentos retrasan el vaciamiento gástrico, por lo que retrasan el ritmo al cual se pueden digerir la fécula.	Las papitas fritas tiene un valor en el IG más bajo que el de las papas blancas hervidas.
Grasa	La grasa retrasa el ritmo de vaciamiento gástrico, por lo que se retrasa la digestión de la fécula.	Vinagre, jugo de limón y de limón verde, algunos aliños, verduras encurtidas, pan de masa fermentada.

*La amilosa y la amilopectina son dos tipos diferentes de fécula. Ambos se encuentran en los alimentos, pero su ritmo de digestión varía (vea las páginas 50–51).

no es más que una cadena de moléculas de glucosa). Un alimento que contenga féculas que estén completamente gelatinizadas tendrá por consiguiente un valor muy alto en el IG.

En ciertos alimentos, entre ellos las galletitas, la presencia de azúcar y grasa y muy poca agua hace que la gelatinización de la fécula resulte más difícil, y sólo la mitad de los gránulos se gelatinizarán completamente. Debido a esto, por lo general las galletitas tienen un valor intermedio en el IG.

FIGURA Nº4. La diferencia entre la fécula cruda (gránulos compactos, a la izquierda) y la cocinada (gránulos hinchados, a la derecha) en las papas.

 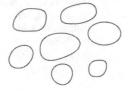

EL EFECTO DEL TAMAÑO DE LAS PARTÍCULAS EN EL IG

Otro factor que influye en la gelatinización de la fécula y el valor en el IG de los alimentos es el tamaño de sus partículas. Moler o triturar los cereales, por ejemplo, reduce el tamaño de las partículas y facilita tanto la absorción del agua como el ataque de las enzimas digestivas. Es por esto que los cereales elaborados de harinas finas —las cuales se muelen muy bien— tienen un valor alto en el IG. Mientras más grande sea la partícula, más bajo será el valor en el IG, tal como se demuestra en la Figura Nº5 (vea abajo).

Una de las alteraciones más notables en los alimentos que consumimos sucedió con la llegada de los molinos de acero a mediados del siglo XIX. No sólo se hizo más fácil quitar la fibra de los cereales, sino que también el tamaño de la partícula de la fécula se hizo más pequeña que nunca antes. Antes del siglo XIX, las harinas que se molían con piedras eran muy gruesas, lo que ocasionaba que el ritmo de digestión y absorción fuera más lento.

Cuando la fécula se consume en su "estado natural" —es decir, en forma de granos intactos que ya se han ablandado al sumergirse en agua y cocinarse— el alimento tendrán un valor bajo en el IG. Por ejemplo, la cebada cocinada tiene un valor de sólo 25 en el IG. La mayoría de las

FIGURA Nº5. Mientras más grande sea el tamaño de la partícula, más bajo será el valor en el IG.

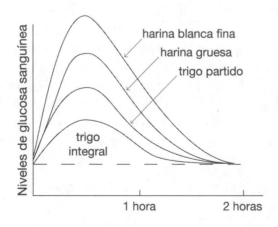

legumbres tienen un valor que oscila entre 30 y 40. El trigo integral cocido tiene, por su parte, un valor de 41 en el IG.

EL EFECTO DE LA AMILOSA Y LA AMILOPECTINA EN EL IG

Hay dos tipos de féculas en los alimentos, la amilosa y la amilopectina, y los investigadores han descubierto que la proporción de una a la otra tiene un efecto muy poderoso en el valor que tienen los alimentos en el IG.

La amilosa es una molécula en forma de cadena, como un collar de cuentas. Estas moléculas tienden a alinearse en filas y a formar terrones compactos que son muy difíciles de gelatinizar y por consiguiente de digerir (vea la Figura Nº6 en la página siguiente).

Por su parte, la amilopectina consiste en una cadena de moléculas de glucosa con muchas ramas, como algunos tipos de algas marinas. Las moléculas de amilopectina son por lo tanto más grandes y más abiertas, por lo que este tipo de fécula es más fácil de gelatinizar y de digerir.

Por lo tanto, los alimentos que contienen poca amilosa y mucha amilopectina en sus féculas —como el arroz jazmín y la harina de trigo— tendrán valores más altos en el IG. Los alimentos con una proporción más alta de amilosa a la amilopectina —como el arroz *basmati* y ciertas legumbres como frijoles negros, lentejas y frijoles de soya— tendrán valores más bajos en el IG.

El único cereal integral con un valor alto en el IG es el arroz bajo en amilosa, como el *Calrose* (con un valor de 83 en el IG). Esta variedad de arroz contiene un tipo de fécula que es más fácil de gelatinizar durante el proceso de cocción y por tanto las enzimas digestivas la descomponen más fácilmente. Esto podría explicar por qué a veces tenemos hambre poco después de haber comido platos que contienen arroz. Sin embargo, algunas variedades de arroz (como el *basmati* y la marca *Uncle Ben's*® *Converted*® de grano largo) tienen valores más bajos en el IG, ya que su contenido de amilosa es más alto que el que tiene el arroz normal. Los valores en el IG de estas variedades oscilan entre 38 y 58.

EL EFECTO DEL AZÚCAR EN EL IG

El azúcar de mesa o refinada (sucrosa) tiene un valor de sólo 60–65 en el IG. Esto se debe a que se trata de un disacárido (azúcar doble)

FIGURA Nº6. La amilosa es una molécula en forma de cadena, más difícil de digerir que la amilopectina, la cual tiene muchas ramas.

Amilosa (digerida lentamente)

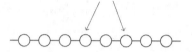
moléculas individuales de glucosa

Amilopectina (digerida rápidamente)

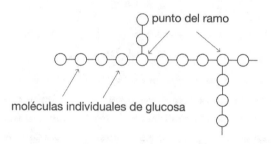
punto del ramo

moléculas individuales de glucosa

compuesto de una molécula de glucosa ligada a una molécula de fructosa. La fructosa es absorbida y luego es llevada directamente al hígado donde inmediatamente se oxida (es decir, se quema como fuente de energía). La respuesta de la glucosa en la sangre a la fructosa pura es muy pequeña (esta tiene un valor de sólo 19 en el IG). Por lo tanto, cuando consumimos sucrosa, sólo la mitad de lo que hemos ingerido es realmente glucosa; la otra mitad es fructosa. Esto explica por qué la respuesta de la glucosa en la sangre a 50 gramos de sucrosa es más o menos la mitad de la respuesta a 50 gramos de sirope de maíz o de maltodextrinas (donde las moléculas consisten totalmente en glucosa).

Muchos alimentos que contienen grandes cantidades de azúcar refinada tienen un valor cercano a 60 en el IG. Este es el promedio de la glucosa (con un valor de 100) y de la fructosa (con un valor de 19). El valor del azúcar en el IG es más bajo que el del pan blanco común, que tiene un valor promedio de aproximadamente 70. El cereal de la marca *Kellogg's Cocoa Puffs*™, que contiene un 39 por ciento de azúcar, tiene un valor de 77 en el IG, más bajo que el del cereal de la marca *Rice Krispies*™ (con un valor de 87), que contiene poca azúcar.

Así que, contrariamente a la opinión popular, muchos alimentos que contienen azúcares simples no aumentan los niveles de glucosa en la sangre mucho más que la mayoría de los alimentos feculentos como el pan.

Entre los azúcares que se encuentran naturalmente en los alimentos están la lactosa, la sucrosa, la glucosa y la fructosa en proporciones que varían, según el alimento. Teóricamente es muy difícil predecir cuál será la respuesta general del nivel de glucosa en la sangre a un alimento en particular, dado que el vaciamiento gástrico se ve desacelerado por la concentración aumentada de los azúcares, sin importar su estructura molecular.

■

¿Por qué la pasta tiene un valor bajo en el IG?

ANTES SE CREÍA que la pasta tenía un valor bajo en el IG porque el ingrediente principal era la semolina (trigo partido) y no harina de trigo finamente molida. Las investigaciones actuales, sin embargo, demuestran que incluso la pasta elaborada con harina tiene un valor bajo en el IG, y lo que provoca una digestión lenta es que los gránulos de la fécula quedan atrapados sin gelatinizar en una red de moléculas de proteínas (gluten) que se encuentra en la masa de la pasta. En este aspecto la pasta es un alimento realmente único, ya que de cualquier forma y tamaño tiene un valor bajo (de 30 a 60) en el IG. Por su parte, la pasta recocida queda muy suave, aumenta de tamaño y tendrá un valor más alto en el IG que la pasta cocinada al punto. Los fideos asiáticos como *hokkein*, *udon* y el arroz *vermicelli* tienen valores de bajo a mediano en el IG.

■

Algunas frutas, por ejemplo, tienen un valor bajo (la toronja o pomelo tiene sólo 25) en el IG, mientras otras lo tienen relativamente alto (el valor de la sandía es 72). Al parecer, mientras más alta sea la acidez de la fruta, más bajo será su valor en el IG. Por lo tanto, no es posible concluir categóricamente que todas las frutas tienen valores bajos en IG porque son altas en fibra. En este aspecto no todas las frutas son iguales. Vea las tablas en la Cuarta Parte para comparar unas frutas con otras.

Muchos alimentos que contienen azúcares son una mezcla de azúcares refinadas y azúcares que se producen de forma natural, como por ejemplo el yogur endulzado. El efecto general de estos alimentos en la respuesta de la glucosa en la sangre es muy difícil de predecir. Es por esto que necesitamos determinar bien los valores en el IG de los alimentos azucarados en personas verdaderas antes de hacer generalizaciones acerca de estos.

EL EFECTO DE LA FIBRA EN EL IG

El efecto de la fibra en el valor del IG de un alimento depende del tipo de fibra y de su viscosidad. La fibra finamente molida del trigo, como un pan de trigo integral, no tiene efecto alguno en el ritmo de digestión de féculas ni en la posterior respuesta de la glucosa en la sangre. De igual modo, cualquier producto hecho con harina de trigo integral tendrá un valor en el IG similar al de otro producto hecho con harina blanca. Los cereales para el desayuno hechos con harinas de trigo integral también tendrán una tendencia a tener valores altos en el IG, a menos que otros factores los afecten. El cereal de la marca *Puffed Wheat* (con un valor de 80 en el IG), que está hecho a base de granos de trigo integral bien cocidos, tiene un valor alto en el IG *a pesar* de su alto contenido de fibra.

Ahora bien, si la fibra todavía está intacta, puede actuar como una barrera física a la digestión, por lo que el valor en el IG será más bajo. Es por esto que el cereal de la marca *All-Bran*® tiene un valor bajo en el IG. Es también una de las razones por las cuales los cereales integrales (intactos) tienen, por lo general, valores bajos en el IG.

La fibra viscosa, por su parte, espesa la mezcla del alimento que entra al aparato digestivo. Esto hace más lento el paso del alimento y limita el movimiento de las enzimas, ocasionando que la digestión sea más lenta. El resultado final es una respuesta más baja de la glucosa en la sangre. Las legumbres contienen niveles altos de fibra viscosa, igual que la avena y el *psyllium*, ambos ingredientes en algunos cereales para el desayuno y en algunos suplementos de fibra como el de la marca *Metamucil*®. Todos estos alimentos tienen valores bajos en el IG.

EL EFECTO DEL ÁCIDO EN EL IG

En los últimos años, varios informes publicados en revistas científicas indican que una cantidad moderada de vinagre o de jugo de limón en forma de aliño (aderezo), consumido como parte de una combinación de alimentos, tiene efectos notables en la glucosa en la sangre.

Por ejemplo, unas cuatro cucharadas de vinagre en una vinagreta (cuatro cucharadas de vinagre y dos de aceite) que se coma como parte de una comida típica disminuye hasta en un 30 por ciento el nivel de glucosa en la sangre.

Estos hallazgos son importantes para las personas diabéticas o las que tienen riesgos de desarrollar diabetes, problemas cardíacos o el síndrome metabólico (vea los Capítulos 10, 11 y 12).

Al parecer, el efecto está relacionado con la acidez del aliño, ya que otros ácidos orgánicos (como el ácido láctico y el ácido propiónico) también reducen el nivel de la glucosa en la sangre. Sin embargo, el grado de reducción varía de acuerdo con el tipo de ácido que sea. Nuestros estudios demuestran que el jugo de limón es tan poderoso como el vinagre. El vinagre y el jugo de limón también pueden utilizarse en las salsas o en los adobos (marinados).

Una ensalada con la comida, sobre todo si es una comida alta en el IG, ayudará a mantener el nivel de glucosa en la sangre bajo control.

Los panes que se fabrican con masa fermentada (*sourdough bread*), en los cuales el ácido láctico y el propiónico se producen por la fermentación natural de la fécula y de los azúcares en la levadura, también pueden reducir los niveles de glucosa e insulina en la sangre en un 22 por ciento si se comparan con el pan común. Además, los estudios indican que la gente se siente más llena cuando come panes que tienen ritmos más lentos de digestión y de absorción. Por lo tanto, los panes que se fabrican con masa fermentada parecen tener un potencial notable para disminuir los niveles de glucosa e insulina en la sangre, aparte de hacer que uno se sienta más lleno.

(*Nota*: si encuentra en este capítulo —o en la tabla en las páginas siguientes— nombres de alimentos que no entiende o que jamás ha visto, favor de remitirse al glosario en la página 407).

■

El IG no fue diseñado para aplicarse aisladamente

A PRIMERA vista podría parecer que algunos alimentos altos en grasa como el chocolate son una buena elección simplemente porque tienen un valor bajo en el IG. Pero hay que aclarar que esto no es cierto. El valor que tenga un alimento en el IG no es el único criterio que se usa para determinar si se debe comer. Grandes cantidades de grasa (y de proteínas) en los alimentos tienden a disminuir el ritmo de vaciamiento gástrico y, por lo tanto, la digestión de estos alimentos en el intestino delgado. Los alimentos con un contenido alto de grasa tienen la tendencia de tener valores en el IG más bajos que sus equivalentes bajos en grasa. Por ejemplo, las papas a la francesa tienen un valor en el IG más bajo (54) que las papas asadas sin grasa (85). Muchas galletitas tienen un valor más bajo (de 55 a 65) en el IG que el pan (que tiene 70). En estos casos, desde un punto de vista nutricional, un valor en el IG más bajo no significa que sean una opción automáticamente mejor. La grasa saturada en estos alimentos tendrá efectos adversos en la salud cardíaca que excede por mucho su beneficio en producir un nivel de glucosa más bajo. Por lo tanto, estos tipos de alimentos deben considerarse como gustos que uno se da de vez en cuando.

Ahora bien, esto no quiere decir que se debe evitar todo tipo de grasa. Las legumbres tienen un valor tan bajo en el IG precisamente por su contenido relativamente alto de grasa en comparación con los cereales. Pero del mismo modo en que existen diferencias en la naturaleza de los carbohidratos en los alimentos, existen también diferencias en la calidad de las grasas. Por lo tanto, debemos escoger bien las grasas que decidimos consumir. Las grasas saludables, tales como las poliinsaturadas y las omega-3, no sólo son saludables sino que también ayudan a reducir la respuesta de la glucosa en la sangre a los alimentos.

■

VALORES EN EL IG Y LA CARGA GLUCÉMICA DE ALGUNOS ALIMENTOS POPULARES
(GLUCOSA = 100 Y "PDO." ES EL VALOR PROMEDIO DEL ALIMENTO EN EL IG)

	IG	CG
CEREALES PARA EL DESAYUNO		
Kellogg's All-Bran®	30	4
Kellogg's Cocoa Puffs™	77	20
Kellogg's Corn Flakes™	92	24
Kellogg's Mini Wheats™	58	12
Kellogg's Nutrigrain™	66	10
Copos de avena		
tradicionales	42	9
Kellogg's Rice Krispies™	82	22
Kellogg's Special K™	69	14
Kellogg's Raisin Bran™	61	12
CEREALES/PASTAS		
Alforjón	54	16
Arroz		
basmati	58	22
integral	50	16
instantáneo	87	36
Uncle Ben's®		
Converted®, blanco	39	14
Fideos instantáneos	47	19
Pasta		
fettuccine de huevo		
(pdo.)	40	18
espagueti (pdo.)	38	18
vermicelli	35	16
tortellini de la marca		
Stouffer's™	50	1
Trigo bulgur	48	12
PANES		
Bagel	72	25
Croissant*	67	17
Crumpet	69	13
Pan árabe	57	10
Pan blanco (pdo.)	70	10
Pan de centeno (pdo.)	58	8
Pan integral (pdo.)	77	9
Pan integral de centeno		
(pdo.)	50	6
Panes integrales (pdo.)	49	6

	IG	CG
GALLETAS/PANES CRUJIENTES		
Galletas de agua	78	14
Galletas de la marca Kavli™	71	12
Galletas de la marca Ryvita®	69	11
Puffed crispbread	81	15
GALLETITAS		
De la marca Arrowroot™	69	12
De avena	55	12
Dulces, de mantequilla*	64	10
PASTELES		
De chocolate, con glaseado,		
de la marca Betty Crocker®	38	20
Muffin de salvado de		
avena	69	24
Pastel esponjoso	46	17
Waffles	76	10
VERDURAS		
Batata dulce (pdo.)	61	17
Calabaza	75	3
Chícharos verdes (pdo.)	48	3
Chirvías	97	12
Maíz dulce	60	11
Papa		
horneada (pdo.)	85	26
hervida	88	16
papas a la francesa	75	22
en microondas	82	27
Papas nuevas	57	12
Remolachas, enlatadas	64	5
Rutabaga	72	7
Yam (pdo.)	37	13
Zanahorias (pdo.)	47	3
LEGUMBRES		
Frijoles cannellini (pdo.)	38	12
Frijoles colorados (pdo.)	28	7
Frijoles de soya (pdo.)	18	1
Frijoles refritos (pdo.)	48	7

VALORES EN EL IG Y LA CARGA GLUCÉMICA DE ALGUNOS ALIMENTOS POPULARES
(GLUCOSA = 100 Y "PDO." ES EL VALOR PROMEDIO DEL ALIMENTO EN EL IG)

	IG	CG
Garbanzos (pdo.)	28	8
Habas	79	9
Habichuelas verdes	31	6
Lentejas (pdo.)	29	5
FRUTAS		
Albaricoque (seco)	31	9
Cantaloup	65	4
Cerezas	22	3
Ciruela	39	5
Kiwi (pdo.)	53	6
Mango	51	8
Manzana (pdo.)	38	6
Melocotón (pdo.)		
enlatado (en su jugo natural)	38	4
fresco (pdo.)	42	5
Naranja (pdo.)	48	5
Papaya	59	10
Pasas	64	28
Pera (pdo.)	38	4
Piña	59	7
Plátano amarillo (pdo.)	51	13
Sandía	72	4
Toronja	25	3
Uvas (pdo.)	46	8
LÁCTEOS		
Flan	43	7
Helado		
regular (pdo.)	61	8
bajo en grasa	50	3
Leche		
entera	27	3
descremada	32	4
con sabor a chocolate	42	13
condensada	61	33
Yogur, bajo en grasa	33	10
BEBIDAS		
Coca-Cola®	63	16
Fanta®	68	23

	IG	CG
Jugo de manzana	40	12
Jugo de naranja (pdo.)	52	12
Limonada	66	13
MERIENDAS		
Cacahuates* (pdo.)	14	1
Palitos de pescado	38	7
Palomitas de maíz	72	8
Papitas fritas*	57	10
Totopos* (pdo.)	63	17
ALIMENTOS DE PREPARACIÓN RÁPIDA		
Macarrones y queso	64	32
Pizza, de queso	60	16
Sopa		
de lentejas	44	9
de chícharos	60	16
de tomate	38	6
Sushi (pdo.)	52	19
DULCES		
Barra Mars®*	68	27
Barra integral de la marca Kudo	62	20
Caramelos de goma (pdo.)	78	22
Chocolate*	44	13
Salvavidas	70	21
AZÚCARES		
Fructosa (pdo.)	19	2
Glucosa	100	10
Lactosa (pdo.)	46	5
Miel (pdo.)	55	10
Sucrosa (pdo.)	68	7
BARRAS ALIMENTICIAS		
Barra Clif® (con sabor a galletitas y crema)	101	34
Barra PowerBar® (con sabor a chocolate)	83	35
Barra METRx® (con sabor a vainilla)	74	37

4

MITOS Y REALIDADES ACERCA DE LAS GRASAS

*H*OY EN DÍA USTED NO PUEDE ENCENDER el televisor ni abrir un periódico sin leer algo sobre la grasa. Pero el problema está en que mucha de la información que nos llega es demasiado científica o demasiado confusa. ¿A qué conclusión se ha llegado por fin? ¿Es saludable o no la grasa?

La respuesta rápida es: depende de muchas cosas. Es cierto que en gran parte el tipo de grasa que usted consume determina si usted sufrirá o no un ataque cardíaco o un derrame cerebral. Además, incluir el tipo correcto de grasa en su dieta (aunque se trate de una dieta baja en grasa) tal vez disminuya su riesgo para desarrollar ciertos tipos de cáncer, depresión, ciertas enfermedades autoimmunes como la artritis o las alergias y en general quizás promueva la salud y la longevidad. De hecho, existen pruebas sólidas de que el tipo de grasa que un bebé consume en sus primeras semanas de vida podría aumentar su inteligencia y capacidad de aprendizaje.

Uno de los hallazgos principales de la década pasada es que no todas las grasas son malas para el corazón; en efecto, todos necesitamos consumir algo de grasa para poder tener una salud óptima. Sin embargo, en nuestra búsqueda para hallar una dieta que no nos engordará, sin querer

LOS DIFERENTES TIPOS DE GRASA

TODAS LAS GRASAS y aceites contienen diferentes cantidades de lo siguiente:

• Grasas monoinsaturadas (GMIS)

• Grasas poliinsaturadas (GPIS)

• Grasa saturada

GMIS	GPIS	GRASA SATURADA
Benefician al corazón	Benefician al corazón	Daña al corazón
Reducen el colesterol de LBD*	Reducen el colesterol de LBD	Aumenta el colesterol de LBD
Protegen el colesterol de LAD	Reducen el colesterol de LAD	
FUENTES ALIMENTICIAS	**FUENTES ALIMENTICIAS**	**FUENTES ALIMENTICIAS**
Aceite de oliva, aceite de *canola*, crema de cacahuate, almendras, pistachos	Salmón, sardinas, caballa, pomátomo, aceite de *canola*, semillas de lino, atún blanco tipo albacora	Lácteos de grasa entera, cortes grasosos de carne, piel de aves de corral

Nota: el colesterol de lipoproteínas de alta densidad (LAD) es beneficioso para el corazón, mientras que colesterol de lipoproteínas de baja densidad (LBD) es dañino para este.

hemos tirado las frutas frescas con las pochas. Es decir, decidimos que *todas* las grasas eran malas y que para que una dieta fuera saludable debía tener la menor cantidad de grasa posible. Sin embargo, ¡eso no es cierto! Es posible sustituir las grasas dañinas con las buenas, lo que le permite a uno derivar hasta un 35 o un 40 por ciento de las calorías diarias de la grasa. Muchas personas encuentran que las dietas altas en grasa ofrecen alimentos de mejor sabor y es fácil seguirlas, ya que por lo general una dieta alta en grasas saludables para el corazón se acerca más a nuestras costumbres alimenticias tempranas que nos fueron inculcadas desde la infancia.

ALGUNOS HECHOS ACERCA DE LA GRASA

Los ácidos grasos se dividen en las siguientes categorías: saturados, monoinsaturados o poliinsaturados. Su estructura molecular es lo que determina a qué categoría pertenece una grasa. Lo más importante que se debe recordar acerca de las grasas dietéticas es lo siguiente: las grasas saturadas no son saludables para el corazón, mientras que las grasas no saturadas (es decir, las grasas monoinsaturadas y poliinsaturadas) sí lo son.

LAS GRASAS "BUENAS"

Como mencionamos anteriormente, tal vez le sorprenda saber que algunas grasas son saludables. Por ejemplo, las grasas monoinsaturadas (GMIS), como las del aceite de oliva y las del aceite de *canola*, pueden reducir el riesgo de sufrir enfermedades cardiovasculares al disminuir los triglicéridos en la sangre y aumentar los niveles del colesterol de lipoproteínas de alta densidad (LAD), el llamado "colesterol bueno". (Esto es particularmente importante si usted padece diabetes o tiene un historial familiar de enfermedades cardíacas). Los estudios realizados demuestran que un nivel de colesterol LAD bajo es uno de los mejores factores predictores del riesgo aumentado de sufrir un ataque al corazón.

Los mejores tipos de grasa para consumir son los que contienen una proporción alta de GMIS, grasas poliinsaturadas (GPIS) y ácidos grasos omega-3. En la práctica, esto quiere decir que usted debería preparar comidas con carnes magras, pescados y mariscos, aceite de oliva, aceite de *canola* y aceite de cacahuate (maní), ya que todos estos aceites contienen muchos ácidos grasos monoinsaturados. También podría asegurar que los frutos secos, los aguacates y los aceites poliinsaturados como el aceite de alazor (cártamo) y el aceite de girasol formen parte de su dieta. Estos alimentos y aceites deberían ocupar el lugar de las grasas saturadas que se encuentran en las carnes grasosas, los alimentos fritos, los lácteos altos en grasa y en la mayoría de los productos panificados.

Las GPIS incluyen los ácidos grasos omega-3 y omega-6, los cuales son esenciales para una dieta saludable. Los estudios sugieren que deberíamos consumir más ácidos grasos omega-3 que omega-6, pero no lo hacemos. De hecho, aunque necesitamos ambos tipos de ácidos

grasos en nuestra dieta, muchos expertos piensan que estamos consumiendo demasiado de los omega-6. Más adelante en este capítulo
describiremos en mayor detalle estos dos tipos de grasa.

Las margarinas poliinsaturadas y los aceites de semillas como alazor
y girasol, así como los aceites de soya, son las fuentes principales de
ácidos grasos omega-6 en la mayoría de nuestras dietas. Por otra parte,
los pescados y mariscos, así como el aceite de *canola*, son las fuentes
principales de ácidos grasos omega-3.

Ácidos grasos esenciales

Aparte de ser saludables, algunos tipos de grasa —los ácidos grasos
esenciales— en realidad son *necesarios* para su cuerpo. Y sólo podemos
obtener estos ácidos de nuestra dieta. Antes se creía que con una pequeña cantidad de estos ácidos grasos era suficiente, pero estábamos
equivocados: al parecer necesitamos cantidades mucho mayores de
ellos, ya que desempeñan un papel fundamental en el desarrollo de las
membranas de nuestras células y nos ayudan a crecer y a desarrollarnos
normalmente.

El cerebro humano necesita dos de los ácidos grasos esenciales más
importantes: el ácido eicosapentanoico (*EPA* por sus siglas en inglés) y
el ácido docosahexanoico (*DHA* por sus siglas en inglés). Estos dos
ácidos grasos esenciales son omega-3, los cuales trataremos en mayor
detalle más adelante en este capítulo. Sin EPA y DHA el tejido de nuestro cuerpo puede sufrir y producir una regeneración de la piel demasiado
alta. La primera señal de que está produciéndose eso sería la dermatitis
escamosa (irritación de la piel), y hasta corremos el peligro de morir si
la deficiencia persiste durante algunos meses. Sin embargo, eso no es
todo: al parecer necesitamos ácidos grasos esenciales para la óptima
salud mental y para alcanzar nuestro máximo potencial intelectual. Se
ha demostrado científicamente que la depresión está relacionada con
esta falta de estos ácidos grasos esenciales en nuestra dieta.

Las mejores fuentes de EPA y DHA son los mariscos, sobre todo
pescados grasos como salmón, caballa, sardinas y arenque. (Cabe notar
que en realidad estos pescados no tienen más grasa que la carne magra,
pero sí contienen más que la mayoría de los otros pescados). Nuestra

dependencia absoluta en estos ácidos grasos esenciales podría remontarse hasta nuestros remotísimos ancestros, que comían grandes cantidades de pescado y mariscos.

■

Virtudes y defectos de los lácteos

AUNQUE LOS LÁCTEOS son una fuente rica de calcio pueden al mismo tiempo ser altos en grasa saturada. Para cumplir con nuestras necesidades diarias de calcio, los expertos recomiendan que los adultos ingieran dos o tres porciones de lácteos todos los días. Entre los lácteos bajos en grasa están la leche al 1 por ciento y los yogures bajos en grasa.

■

Si usted tiene intolerancia a la lactosa, entonces trate de tomar jugos de naranja (china) y de toronja (pomelo) fortificados con calcio, leche de lactosa reducida, leche de soya alta en calcio, salmón (enlatado, con las espinas), *tofu* alto en calcio, cereal para el desayuno fortificado con calcio e higos secos: todos estos son fuentes sabrosas no lácteas de calcio.

■

Muchos expertos piensan que los recién nacidos no obtienen suficiente EPA y DHA de los preparados para biberón y por consiguiente recomiendan suplementos. La leche materna es una fuente buena de estos ácidos grasos esenciales y las mujeres japonesas, cuya dieta incluye mucho pescado, producen leche con niveles más altos de ácidos grasos esenciales.

LAS GRASAS "MALAS"

La mayoría de nosotros hemos escuchado que la grasa saturada no es saludable, y en este punto no hay argumento ninguno. Sólida a temperatura ambiente, la grasa saturada se encuentra en las vetas encontradas en la carne de res, en la crema de la leche y en otros lácteos altos en grasa, así como en los aceites tropicales como el aceite de palma, que se utiliza mucho para freír o bien para preparar pasteles (bizcochos, tortas, *cakes*), *pies*, galletitas y galletas. Muchos estudios de todas partes del mundo han demostrado con creces que la grasa saturada aumenta el riesgo de padecer enfermedades coronarias. Sin embargo, no cometa el error de pensar que los alimentos provenientes de animales son todos malos para la salud sólo porque algunos contienen grasa saturada. De hecho, los humanos evolucionamos a base de una dieta estable de alimentos obtenidos de los animales y dependemos de ellos para obtener muchos de los nutrientes que nos hacen falta. No obstante, cabe notar que en nuestro pasado evolucionario los alimentos derivados de animales no eran una fuente tan alta en grasa saturada como lo son hoy en día. Lo que marca la diferencia es que los animales criados para comerse (como las vacas, por ejemplo) están encerrados y no pueden moverse con la naturalidad y la libertad de los animales silvestres. Por lo tanto, la carne de los animales silvestres que se cazan (como el venado, por ejemplo) es más baja en grasa y contiene relativamente menos grasa saturada que la carne de animales criados en granjas. Además, los animales criados en granjas se alimentan con una cantidad excesiva de cereales, por lo que ganan demasiada grasa en y alrededor de los músculos.

Hoy en día, la carne que se compra en los Estados Unidos proviene de animales alimentados con esta cantidad excesiva de cereales. Es por eso que tiene muchas vetas de grasa, incluso en el tejido muscular. Es imposible evitar consumir esta grasa al comer esta carne. De hecho, esta cantidad alta de grasa es lo que la mayoría de los estadounidenses consideran un sello de calidad. Si bien tiene buen sabor, esta carne es sumamente alta en grasa saturada y quizás aumente el riesgo de tener sobrepeso y de sufrir enfermedades cardíacas y ciertos tipos de cáncer. La grasa de los otros animales de cría (entre ellos los cerdos y las gallinas) es menos saturada y contiene cierta cantidad de ácidos grasos poliinsaturados. Por su parte, la grasa de la carne de venado y de otros animales de caza contiene todavía menos grasa saturada y a menudo contiene una cantidad significativa de ácidos grasos poliinsaturados.

Recientemente, los investigadores han descubierto que los ácidos transgrasos (también conocidos como aceite vegetal hidrogenado) resultan tan malos para nuestra salud como las grasas saturadas. De hecho, la Dirección de Alimentación y Fármacos ha dictaminado que a partir de este año los fabricantes de alimentos tienen que indicar la cantidad de ácidos transgrasos que contienen todos sus productos. Los ácidos transgrasos (en inglés, *trans-fatty acids* o *transfats*) se producen durante la fabricación de las margarinas. Actúan como la grasa saturada en estos productos al aumentar su firmeza. Desafortunadamente, tienen la misma función en nuestro cuerpo, por lo que incrementan las posibilidades de que uno sufra un ataque al corazón. Entre los alimentos altos en ácidos transgrasos están los alimentos fritos, algunas margarinas, galletas, galletitas y ciertos pasteles para merendar (botanear).

■

El aceite vegetal: ¿amigo o enemigo?

ANTES PENSABAMOS —gracias a muchos de los comerciales que veíamos por televisión en los años 60 y 70— que todos los aceites vegetales eran buenos. Si bien es cierto que todos los aceites vegetales están libres de colesterol, sus ácidos transgrasos pueden ser saturados, lo que promueve un nivel alto de colesterol en la sangre. Los aceites de coco y de palma, por ejemplo, son aceites vegetales altamente saturados. La mayoría de los otros aceites obtenidos de plantas, por otra parte, contienen poca grasa saturada. El aceite de aguacate, el de cacahuate (maní) y los otros aceites obtenidos de los frutos secos son por lo general monoinsaturados, lo que hace que sean saludables para el corazón.

■

Consejos para comer queso y aún respetar el índice glucémico

¿LE CUESTA TRABAJO encontrar un queso que sea bajo en grasa y que a la vez sepa rico? Pruebe seguir estos consejos para aprovechar al máximo sus elecciones de quesos altos en grasa.

- Coma un poco de un queso con sabor fuerte en vez de mucho de un queso que sea soso.
- Ralle un poco de queso parmesano fresco por encima de la pasta que coma. Es delicioso y muy alto en calcio.
- Disfrute quesos con contenidos altos de grasa en pequeñas cantidades, como los quesos tipo *Cheddar*, americano, suizo, *brie*, *Colby*, *gouda*, *havarti* y el queso crema.

- Trate de rallar los quesos duros para que tengan más usos.
- Sirva sus quesos blandos favoritos con galletas bajas en grasa o bien con frutas frescas y secas.
- Pruebe un poco de queso *mozzarella* descremado; podría contener menos grasa que algunos quesos bajos en grasa. Úselo en recetas y para hacer sándwiches (emparedados).
- Siéntase libre de comer diariamente quesos bajos en grasa, como requesón, queso *ricotta* y queso *feta*.

■

LOS CONSUMOS QUE RECOMENDAMOS

Los expertos en la salud nos aconsejan aumentar nuestro consumo de carbohidratos para que constituyan aproximadamente un 55 por ciento del total de calorías que consumimos a diario. También recomiendan que optemos por versiones bajas en el índice glucémico (IG) de los alimentos altos en carbohidratos. Las calorías restantes en nuestra dieta (el 45 por ciento) deben dividirse entre proteínas y grasa. Es probable que usted ya esté obteniendo al menos el 15 por ciento de sus calorías de las proteínas, ya que la mayoría de las personas consumen esta cantidad incluso sin proponérselo. Esto deja bastante cabida para la grasa: en efecto, la mayoría de los expertos consideran que una dieta es "baja en grasa" si el total de las calorías que provienen de la grasa no excede el 30 por ciento. No es necesario ingerir menos grasa que esta cantidad, en particular si usted consume las GMIS que son saludables para el corazón y que ayudan mucho a la salud. Es importante no eliminar las grasas saludables junto con las dañinas: es precisamente este error que cometen muchas personas al tratar de llevar una dieta con la cantidad más mínima posible de grasa.

APLICACIONES DE LOS ACEITES

Trate de usar diferentes aceites según el plato que quiera preparar:

- Si va a sofreír, cambie un poco el sabor del plato utilizando aceite de *canola*, de cacahuate o de sésamo (ajonjolí). También puede rociar un poco de aceite de sésamo por encima de los alimentos sofritos para añadirles más sabor.

- Puede darles a los aliños (aderezos) de ensaladas un sabor a frutos secos al prepararlos con aceite de nuez o de macadamia, o bien puede echarles un poco de aceite de sésamo para preparar una ensalada al estilo asiático.
- Para cocinar al estilo mediterráneo, incluyendo las ensaladas, use aceite de oliva extra virgen para aprovechar su sabor distintivo.
- Para cocinar a diario, incluso cuando vaya a asar o freír, opte por un aceite que tenga un sabor neutro y que resista temperaturas altas sin humear, como el aceite de girasol o el de *canola*. Y si quiere darles un agradable sabor a frutos secos a los panes y a los otros productos panificados, utilice el aceite de maíz.

OPTE POR LOS OMEGA

Las grasas omega-3, una de las grasas saludables más importantes, son ácidos grasos poliinsaturados que se encuentran en varias plantas y en los aceites que se obtienen de estas plantas, entre ellos el aceite de *canola*, el de maní, el de semillas de lino (linaza) y el de soya. Este tipo de grasa también se encuentra en grandes cantidades en pescados grasos y en mariscos.

Varios estudios indican que uno puede reducir su riesgo de sufrir enfermedades cardíacas si consume pescado regularmente. De hecho, algunos estudios sugieren que con comer sólo una porción de pescado una vez a la semana se podría reducir el riesgo de sufir un ataque cardíaco mortal hasta en un 40 por ciento. (Sin embargo, comer pescado más de una vez a la semana no parece aumentar esta protección). Los componentes del pescado que supuestamente protegen al corazón son una cadena larga de ácidos grasos marinos poliinsaturados omega-3, el EPA y el DHA que mencionamos anteriormente en la página 62. El ácido graso omega-3 que se obtiene de plantas, el ácido alfalinolénico, también conocido como ALA (una fuente del cual es el aceite de *canola*), tal vez disminuya el riesgo de sufrir un ataque cardíaco. Sin embargo, su efecto no es tan pronunciado como lo es con los ácidos grasos que se obtienen de los pescados. De hecho, muchos expertos piensan que muchas de nuestras dietas son relativamente deficientes en lo que respecta a los niveles de ácidos grasos omega-3.

LO QUE APORTAN LOS OMEGA

Los ácidos grasos omega-3 son esenciales para el crecimiento y el desarrollo normal, al tiempo que podrían desempeñar un papel importante en la prevención y en el tratamiento de las enfermedades cardíacas, la hipertensión, la artritis y el cáncer. Los científicos todavía están estudiando cómo los ácidos grasos omega-3 ayudan a prevenir los ataques cardíacos. Sin lugar a dudas, consumir más grasas omega-3 reduce varios factores de riesgo, como por ejemplo:

- Si se consumen en grandes cantidades, se ha podido comprobar que los ácidos grasos marinos omega-3 disminuyen los niveles de triglicéridos en la sangre. Tener un nivel alto de triglicéridos es un factor de riesgo reconocido para las enfermedades cardíacas.

- Los omega-3 también podrían aumentar ligeramente los niveles de lipoproteínas de alta densidad —el llamado "colesterol bueno" o LAD— en la sangre. (Cabe notar que estos efectos se logran sólo con los ácidos grasos marinos omega-3; los expertos no han observado los mismos efectos con los ácidos grasos omega-3 que se obtienen de las plantas).

- Algunos estudios indican que los ácidos grasos marinos omega-3 reducen la coagulación sanguínea. Aunque obviamente conviene que la sangre se coagule rápidamente si acaso nos cortamos, por ejemplo, si se coagula excesivamente podrían formarse coágulos en las venas, ocasionando la trombosis. Uno de los eventos causantes de un ataque al corazón es la formación de coágulos en las arterias del corazón, los cuales pueden cortar por completo el suministro de sangre a una parte esencial del músculo cardíaco. Entonces el corazón pierde su capacidad de bombear sangre al cerebro, provocando la muerte. Si se forman coágulos en arterias menos importantes usted podría sobrevivir el ataque, pero el riesgo de tener otro es alto.

- Las grasas omega-3 podrían también reducir su susceptibilidad a padecer un ritmo cardíaco irregular, lo que se conoce como arritmia cardíaca, una de las causas principales de una muerte repentina tras un ataque fuerte al corazón. Los estudios han demostrado que los ácidos grasos omega-3 ayudan a restaurar el ritmo regular en las células cardíacas aisladas.

• Un alto consumo de ácidos grasos omega-3 también puede reducir la presión arterial alta (una enfermedad también conocida como hipertensión). Sin embargo, los científicos sólo observan este efecto cuando las personas consumen grandes cantidades de suplementos de aceite de pescado; no lo notan con las cantidades normales que uno podría consumir sólo al comer pescado.

LO QUE IMPLICAN LOS OMEGA PARA SU SALUD

ALIVIO DE LA ARTRITIS

En varias pruebas clínicas se ha observado que los ácidos grasos marinos omega-3 reducen de forma consistente los dolores y la rigidez matutina relacionadas con la artritis reumatoide. Ciertas sustancias en la sangre —los eicosanoides y los citokinos— se encargan de iniciar la respuesta inmunitaria y la consequente inflamación que se produce con esta enfermedad. Los científicos piensan que los ácidos grasos omega-3 disminuyen estas reacciones.

DESARROLLO CEREBRAL

Los ácidos grasos omega-3 también facilitan el crecimiento de los nervios en los fetos y en los recién nacidos. Algunos expertos creen que los bebés no pueden sintetizar suficiente DHA del ácido alfalinolénico (ALA), un compuesto precursor del primero, para asegurar un crecimiento óptimo. La leche materna, sin embargo, es naturalmente rica en DHA, y los niveles de DHA en los cerebros de los bebés alimentados con leche materna son más altos que en los bebés alimentados con preparados para biberón.

Se ha encontrado que los preparados infantiles enriquecidos con DHA mejoran la vista y el desarrollo neuromental en los bebés prematuros comparado con los preparados convencionales. Sin embargo, se desconoce los efectos a largo plazo de añadirles DHA a los preparados. Por lo tanto, muchos fabricantes de preparados infantiles no están dispuestos a poner en peligro la seguridad de estos al agregarles DHA. Esta es una razón más por la que se debe alimentar a los recién nacidos con leche materna siempre que sea posible.

Las mujeres embarazadas y las que están amamantando pueden

aumentar su consumo de omega-3 al comer más pescado; les transmitirán ese beneficio a sus hijos a través de la placenta o bien a través de la leche materna.

RIESGO DE PADECER CÁNCER

Muchos estudios muestran una relación entre comer mucho pescado y la reducción del riesgo de sufrir cáncer de mama. Además, experimentos realizados con animales demuestran que altas dosis de aceites de pescado inhiben el desarrollo del cáncer de mama y del cáncer de colon. Sin embargo, los expertos dicen que las pruebas actuales son insuficientes para afirmar de manera categórica que comer pescado disminuye el riesgo de contraer cáncer.

¿IMPORTA LA PROPORCIÓN DE LOS ÁCIDOS GRASOS OMEGA-3 A LOS OMEGA-6 EN NUESTRA DIETA?

Los expertos aún no están de acuerdo sobre la importancia de la proporción entre los ácidos grasos omega-3 y omega-6 que debemos tener en nuestra dieta. Algunos piensan que la proporción está muy baja, que consumimos demasiado pocos ácidos grasos omega-3 y demasiados omega-6 de fuentes como aceite de alazor (cártamo) y de girasol, así como de las margarinas producidas con estos. Ahora bien, muchos investigadores sí concuerdan en que la proporción de ácidos grasos omega-6 a los omega-3 debería ser de 1 a 4 o de 1 a 1 cuando máximo. Esto quiere decir que uno debe consumir cuatro veces la cantidad de ácidos grasos omega-3 que de los omega 6; y sin duda no se debe ingerir más de los omega-6 que de los omega-3.

PREOCUPACIONES CON LAS GRASAS OMEGA-3

Una de las mayores preocupaciones que tienen los científicos con los ácidos grasos omega-3 es que se oxidan, es decir, se vuelven rancios. Se ha implicado las grasas oxidadas en el desarrollo de la arterioesclerosis (el endurecimiento de las arterias). De hecho, todas las GPIS son susceptibles a la oxidación, por lo que deberíamos consumirlas junto con cantidades adecuadas de antioxidantes como la

(continúa en la página 72)

LOS DIFERENTES TIPOS DE GRASAS OMEGA

OMEGA-6 (ÁCIDO LINOLEICO)

Nuestros cuerpos no pueden producir el ácido linoleico, por lo que tenemos que obtenerlo de los alimentos que consumimos. Necesitamos este ácido graso para mantener la integridad de las membranas de las células, para regular la presión arterial, para regular la formación de coágulos en la sangre, para regular los lípidos y para tener una respuesta inmunitaria ante una herida o una infección.

Fuentes alimenticias buenas: verduras con muchas hojas, semillas, frutos secos, cereales, aceites vegetales (es decir, los de maíz, alazor, soya, semilla de algodón, sésamo y girasol)

OMEGA-3 (ÁCIDO LINOLÉNICO)

Al igual que el ácido linoleico, el ácido linolénico es también esencial para nuestro cuerpo. Dado que el cuerpo no lo produce, tenemos que acudir a los alimentos para obtenerlo. Los omega-3 son de gran ayuda para el desarrollo del cerebro, alivian el dolor de artritis y tal vez hasta disminuyan el riesgo de contraer cáncer.

Fuentes alimenticias buenas: grasas y aceites (los de *canola*, soya, nuez, germen del trigo y algunas margarinas), frutos secos, semillas (nueces, nueces blancas, semillas de soya) y frijoles de soya

EPA (ÁCIDO EICOSAPENTANOICO) Y DHA (ÁCIDO DOCOSAHEXANOICO)

Dado que nuestro cuerpo sólo produce pequeñas cantidades de EPA y DHA, tenemos que obtener estos ácidos de nuestra dieta, en particular de los mariscos y de los pescados. El EPA fomenta el crecimiento de los nervios en los fetos y se ha podido comprobar que el DHA mejora la vista y el desarrollo neuromental en los niños prematuros.

Fuentes alimenticias buenas: leche materna, mariscos, caballa, atún, salmón, pomátomo, mújol, esturión, anchoas, arenque, trucha, sardinas

■

Las mejores fuentes de pescado para obtener grasas omega-3

TANTO EL PESCADO ENLATADO como el fresco son fuentes ricas de grasas omega-3. En la siguiente lista se mencionan algunos de los tipos más ricos en omega-3:

PESCADOS ENLATADOS

Atún blanco tipo albacora

Caballa

Salmón (tanto rosado como rojo)

Sardinas

PESCADOS FRESCOS

Atún de aleta azul

Caballa (la del Atlántico, la del Pacífico y la española)

Mújol

Pez espada

Salmón del Atlántico y del Pacífico (fresco o ahumado)

MARISCOS

Calamar

Ostras del este y del Pacífico

■

vitamina E. Afortunadamente, tantos los GPIS como la vitamina E tienden a encontrarse juntos en los mismos alimentos, entre ellos los aceites poliinsaturados obtenidos de plantas (como las margarinas), los aliños (aderezos) para ensalada, las verduras de muchas hojas, el germen del trigo, los alimentos integrales, el hígado, las yemas de huevo, los frutos secos (como las nueces y los pistachos) y las semillas.

En su estado natural, todas las GPIS son fuentes ricas de vitamina E, pero a veces el procesamiento de los alimentos puede inadvertidamente reducir las concentraciones de antioxidantes (como la vitamina E), por lo que debemos evitar alimentos y aceites que han sido almacenados durante mucho tiempo —incluso en el congelador— o que han estado expuestos a temperaturas demasiado altas. Por lo general, los aceites vienen en botellas oscuras para protegerlos contra la luz, la cual aumenta la posibilidad de que se pongan rancios.

Hay abundantes pruebas que sugieren que los ácidos grasos marinos omega-3 pueden ser buenos para la salud, especialmente para personas con enfermedades cardíacas. Las fuentes marinas y de plantas de los omega-3 tienen efectos fisiológicos distintivos, por lo que una no puede sustituir a la otra. Pruebe comer pescado al menos una vez a la semana e incluya una fuente de los omega-3, como por ejemplo aceite de *canola*, en su dieta. (El aceite de oliva no es una fuente rica en ácidos grasos omega-3). Para aumentar su consumo de ácidos grasos omega-3 provenientes de plantas, coma verduras de hojas verdes todos los días.

(*Nota*: si encuentra en este capítulo nombres de alimentos que no entiende o que jamás ha visto, favor de remitirse al glosario en la página 407).

5

RESPUESTAS A LAS PREGUNTAS MÁS COMUNES

ODO EL MUNDO PUEDE BENEFICIARSE al comer alimentos con valores bajos en el índice glucémico (IG). Esa es justamente la manera en que la naturaleza quiso que comiéramos. Todos los nutrientes que están en los "envases" originales que les dio la naturaleza liberan su energía lentamente al digerirse. Sin embargo, desde la Revolución Industrial, hemos cambiado los alimentos con carbohidratos, procesándolos de tal forma que ahora liberan su energía rápidamente o bien instantáneamente. Aunque este procesamiento dio lugar a un festín de alimentos más sabrosos, convenientes y duraderos, al igual que muchos festines, también dio por resultado algunos "platos rotos", en este caso a nivel nutricional. Y ahora estamos pagando aquellos platos rotos nutricionales al sufrir de males como la obesidad, las enfermedades cardíacas y la diabetes. Además, estos alimentos sumamente procesados a veces nos hacen sentir hambrientos y alertagados.

Ahora bien, esto no quiere decir que hay que darle la espalda al progreso. Conocemos suficiente de los alimentos y de la nutrición para poder cambiar las tendencias con el fin de que cumplan con nuestras necesidades. Pero para lograr esto necesitamos datos fundamentados. Nos hace falta respuestas a nuestras dudas con respecto al IG y cómo aprovecharlo al máximo todos los días. A continuación contestamos las preguntas más comunes que nos han hecho acerca de los carbohidratos, la dieta y el IG.

¿Cuáles son los valores en el IG de la carne de res, del pollo, del pescado, de los huevos, de los frutos secos y de los aguacates (paltas)? ¿Por qué estos alimentos no aparecen en la lista de los valores del IG?

Estos alimentos no contienen carbohidratos, o tienen tan poco que sus valores en el IG no pueden analizarse utilizando la metodología estándar. Hay que tener presente que el IG mide la *calidad* de los carbohidratos, no la cantidad. Esencialmente, estos tipos de alimentos, cuando se comen solos, no afectan mucho al nivel de glucosa en la sangre. Pero como siempre se nos pregunta sobre ellos, hemos decidido incluirlos en las tablas y darles un valor de 0 en el IG. La carga glucémica de estos alimentos es 0.

¿Cuál es el valor de las bebidas alcohólicas en el IG?

Las bebidas alcohólicas contienen pocos carbohidratos. De hecho, la mayoría de los vinos y de los licores casi no contienen ninguno. Una botella o una lata de cerveza de 12 onzas contiene aproximadamente 11 gramos de carbohidratos (una lata o botella de cerveza *light* sólo tiene 4 gramos), mientras que una lata de refresco (soda) regular tiene entre 35 y 40 gramos de carbohidratos. Es por esto que beber una cerveza aumentará los niveles de glucosa un poco. Si usted bebe cerveza en grandes cantidades (lo cual, dicho sea de paso, no es una buena idea), entonces puede esperar que tenga un efecto significativo en su nivel de glucosa en la sangre. Las tablas contienen bebidas alcohólicas con un valor de IG de 0.

¿Aumenta el valor en el IG de un alimento con el tamaño de la porción que uno come del mismo? O sea, si como el doble de lo que normalmente como, ¿se duplica el valor del alimento en el IG?

El valor en el IG *siempre* sigue siendo el mismo, aun si usted duplica la cantidad de carbohidratos en su comida. Esto se debe a que el IG es una calificación relativa de los alimentos que contienen la *misma cantidad* de carbohidratos (no importa que sean 15 ó 50 gramos). Pero si usted duplica la cantidad de alimento que come, entonces podría ver una respuesta más alta de la glucosa en la sangre; por ejemplo, su nivel de glucosa podría alcanzar un punto más alto y demorarse más tiempo en volver al nivel normal si se compara con una porción normal.

El aumento y disminución del nivel de la glucosa en la sangre después de comer se determina tanto por la cantidad como por la calidad del carbohidrato. Aun si usted come dos veces más, el nivel de glucosa en la sangre no se duplicará, ya que el cuerpo trata de limitar el aumento todo lo que pueda. El área bajo la curva podría ser un 50 por ciento mayor en lugar de un 100 por ciento mayor.

Si mi nivel de glucosa en la sangre es determinado tanto por la cantidad como por la calidad de los carbohidratos en una comida, ¿cómo puedo predecir los efectos de estas? ¿Cómo puedo comparar dos comidas que contienen diferentes tipos de alimentos con diferentes cantidades de carbohidratos y valores variados en el IG?

Para hacer esto, calculamos la carga glucémica de cada comida.

Supongamos que en una comida se incluye una manzana de cinco onzas, que a su vez contiene 15 gramos de carbohidratos y tiene un valor de 40 en el IG. La carga glucémica es $(15 \times 40) \div 100 = 6$. Digamos que otra comida incluya una papa de 5 onzas (140 g), que contiene 20 gramos de carbohidratos y tiene un valor de IG de 90. La carga glucémica es $(20 \times 90) \div 100 = 18$. De modo que la carga glucémica es más o menos tres veces más alta si se come una papa que si se come una manzana (18 contra 6). Aunque la respuesta glucémica tal vez no sea tres veces más alta, la demanda de insulina sí lo será.

¿Cuál es el efecto de proteínas y grasa adicionales en el IG y en la respuesta de la glucosa en la sangre a dichos nutrientes?

Si se comen solas, las proteínas y la grasa tienen poco efecto en el nivel de glucosa en la sangre, así que comerse un bistec o un pedazo de queso no producirá ningún aumento en este. Son los carbohidratos en los alimentos los que mayormente son responsables del aumento y de la disminución del nivel de la glucosa en la sangre después de las comidas. Añadirle grasa y proteínas a una comida no afecta la naturaleza de los carbohidratos y, por consiguiente, no afectará su valor en el IG. Ahora bien, esto no significa que las proteínas y la grasa no afectarán la respuesta de la glucosa en la sangre cuando se comen juntos *con* carbohidratos. Tanto las proteínas como la grasa tienden a retrasar el vaciamiento gástrico. Por lo tanto, se retrasará el ritmo al cual los carbohidratos se digieren y se absorben. Así que un plato con mucha grasa tendrá un efecto glucémico más bajo que un plato bajo en grasa, aun si ambos tienen la misma cantidad y el mismo tipo de carbohidratos. Sin embargo, usted puede todavía contar con el hecho de que un alimento con un valor alto en el IG producirá una respuesta más alta que uno que tenga un valor bajo, aun si el plato contiene grasa y proteínas adicionales.

Si la grasa y las proteínas adicionales provocan respuestas glucémicas bajas, ¿debemos recomendar las dietas altas en proteínas o en grasa para las personas con diabetes?

El problema con estas dos opciones está en que las dietas con *mucha* grasa o muchas proteínas han sido relacionadas con la resistencia a la insulina. Esto significa que, a largo plazo, el consumo de cualquier carbohidrato que acompañe a la grasa o a las proteínas podría aumentar mucho el nivel de glucosa y de insulina en la sangre y causará un deterioro en la capacidad de control general de la glucosa en la sangre.

Quizás sea posible aumentar moderadamente las cantidades de grasa (en particular grasa monoinsaturada) y proteínas, pero se han realizado pocos estudios que puedan orientarnos al respecto. Las dietas altas en grasa monoinsaturada tal vez mejoren los lípidos de la sangre pero no se ha demostrado que mejoren el control glucémico en general cuando se mide este a través de los niveles de hemoglobina glicata (una de las mejores formas de medir el control de la diabetes).

¿Predice el IG el efecto glucémico de una porción normal de alimento?

Casi siempre (aunque hay algunas excepciones), la clasificación de alimentos en altos y bajos resulta ser la misma cuando se compara por cada porción de 200 calorías, o bien por cada 100 gramos de los alimentos. Los que critican el IG argumentan que los alimentos contienen diferentes cantidades de carbohidratos (tanto por porción como por cada 100 gramos), mientras el IG se basa en una comparación de la misma cantidad de carbohidratos.

¿Puede usarse el IG para predecir el efecto de una comida que contiene una combinación de alimentos con valores distintos en este?

Sí, el IG puede predecir los efectos relativos de diferentes comidas que consisten en una combinación de alimentos con valores diferentes en este. Más de 15 estudios han analizado los valores en el IG de tales combinaciones de alimentos. Doce de estas investigaciones han demostrado que existe una correlación excelente entre lo que se esperaba y lo que en realidad se encontró. Uno puede predecir el valor en el IG de una comida que consiste en varios alimentos diferentes al hacer unos cuantos cálculos sencillos (vea la página 43). Si la mitad de los carbohidratos en la comida proviene de un alimento con un valor de 30 en el IG (por ejemplo, los frijoles/habichuelas negros) y la otra mitad proviene de un arroz que tenga un valor de 80, entonces la comida mezclada tendrá un valor en el IG de (50% × 30) + (50% × 80) = 55. Este es un buen ejemplo, ya que demuestra que no hay que evitar consumir todos los alimentos que tengan un valor alto en el IG para seguir una dieta de valor bajo en IG. Incluir un alimento bajo en el IG por comida podría ser todo lo que se necesita.

¿Qué me puede decir de las dietas bajas en carbohidratos? Si se acepta que los carbohidratos aumentan el nivel de glucosa en la sangre, ¿tendría sentido sólo consumir alimentos bajos en carbohidratos?

Lo que sucede con esta propuesta es que apenas existen pruebas científicas de que un consumo muy bajo en carbohidratos sea realmente beneficioso. Algunas dietas populares se basan en el concepto de evitar por completo los carbohidratos en los alimentos. Se restringen hasta las frutas y las verduras, mientras que la carne y los lácteos llenos de grasa saturada, colesterol y calorías forman una parte esencial de estos tipos de dietas. Pero estas en realidad sólo son recetas para sufrir un repentino ataque al corazón, ya que hay abundantes pruebas de que las dietas altas en grasa saturada no son saludables.

Ahora bien, hay varios tipos de dietas bajas en carbohidratos. Algunos no son tan extremos como la que acabamos de describir. La dieta llamada La Zona recomienda consumir menos carbohidratos (con aproximadamente un 40 por ciento de las calorías diarias provenientes de los carbohidratos en vez de un 55 por ciento) y más proteínas (con un 30 por ciento de las calorías diarias provenientes de las proteínas en vez de un 15 por ciento), pero limita a las grasas a aportar no más de un 30 por ciento de las calorías diarias. Esta dieta incluye consejos sobre la calidad de los carbohidratos (los de valores bajos y altos en el IG) y el tipo de grasa (insaturada y saturada). Para mantenerse dentro de los límites recomendados en esta dieta, con frecuencia es necesario que muchos alimentos se preparen y se empaquen especialmente. Si a usted le gusta esta manera de comer, entonces no hay nada malo en ello, pero con el tiempo tal vez se le desate un deseo irresistible de comer alimentos altos en carbohidratos como el pan y las papas.

Un estudio reciente hecho en Holanda respalda un aumento moderado en el consumo de las proteínas (de 15 a 25 por ciento) y una disminución moderada en el de los carbohidratos (de 55 a 45 por ciento). El consumo de grasa fue igual tanto en el grupo de control como en el grupo que ingirió muchas proteínas: un 30 por ciento de las calorías diarias. A los que participaron como voluntarios en el estudio se les permitió comer todo el alimento que quisieran, pero siempre con el fin de perder peso. Al final del estudio de 12 semanas de duración, tanto la pérdida de peso como la pérdida de grasa corporal eran mayores en las personas que siguieron la dieta alta en proteínas. Los investigadores sugirieron que el consumo mayor de proteínas había aumentado el ritmo metabólico y al mismo tiempo aumentó la sensación de sentirse lleno. Es bien conocido que las proteínas estimulan más termogénesis (la quema de calorías) que cualquier otro nutriente y que también son el nutriente que más satisface el apetito. No hubo ningún consejo sobre el IG en ninguna de las dos dietas.

Usted no tiene que evitar todos los alimentos altos en el IG para seguir una dieta de valor bajo en el IG. Tal vez baste con incluir en cada comida un alimento que tenga un valor bajo en este.

El IG ha sido criticado por algunas personas debido a la variabilidad en las respuestas de la glucosa en la sangre de un día a otro entre personas diferentes y también en la misma persona. ¿Cuánta variación podríamos esperar y cuánta es aceptable?

Cuando medimos el valor en el IG de un alimento en un grupo de personas, se nota que no todas producen el mismo valor en el IG (vea la Figura Nº7 en la página 82). Por ejemplo, si analizamos las manzanas (con un valor promedio de 40 en el IG), en una persona podrían producir un valor de 20 y otra podrían producir uno de 60. Esta variación es un fenómeno biológico natural que ha sido relacionado con la variabilidad en la tolerancia a la glucosa de un día al otro. Una de las razones por la que analizamos el alimento de referencia tres veces en una persona es para obtener un indicio confiable de cuál es su tolerancia normal a la glucosa. Si analizáramos a las manzanas tres veces, también descubriríamos que cada persona se acerca un poco más al resultado promedio de todo el grupo. En fin, los alimentos a los que fueron asignados valores altos, medianos o bajos en el IG demostrarán los mismos valores en diferentes personas (tal como se muestra en la Figura Nº7 en la página 82).

Esta variabilidad natural en la respuesta de la glucosa en la sangre ha sido una de las críticas principales hechas acerca del IG. Sin embargo, resulta ilógico criticarlo por este motivo, ya que esta variabilidad se aplica a todos los enfoques dietéticos, ya sean intercambios de carbohidratos, conteo de carbohidratos o una dieta baja en carbohidratos. Usted puede confiar en el valor de IG publicado como una fuente confiable para clasificar los alimentos.

En resumen, el IG refleja la manera en que usted como individuo responderá al consumo de diferentes alimentos la mayoría de las veces.

He leído que los lácteos provocan un aumento en la secreción de insulina. Su valor en el IG es de más o menos de 30 ó 50, pero que su índice de insulina es tres veces más alto.

Los científicos no saben por qué esto sucede con los lácteos. Nuestra especulación es que las proteínas de la leche son "insulinogénicas" porque están diseñadas para estimular el crecimiento de los mamíferos jóvenes. La insulina es una hormona anabólica diseñada para llevar los nutrientes a las células, sean estos glucosa, ácidos grasos o bien amino-ácidos, las piedras angulares de los tejidos nuevos. Puede ser que la leche contenga una combinación única de aminoácidos que en conjunto estimulan más a la insulina que cuando están solos. Esta disparidad entre la glucosa y la respuesta a la insulina no es exclusiva de los lácteos, ya que también la encontramos en algunos dulces y productos horneados. El chocolate es otro alimento que también podría contener aminoácidos insulinogénicos.

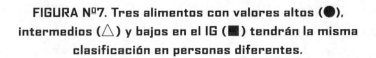

FIGURA Nº7. Tres alimentos con valores altos (●), intermedios (△) y bajos en el IG (■) tendrán la misma clasificación en personas diferentes.

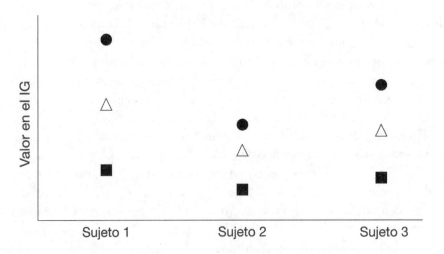

¿No es la respuesta de la insulina a los alimentos más importante que la respuesta glucémica? ¿Acaso no sería mejor tener un índice de insulina en los alimentos en lugar de uno glucémico?

Aunque está claro que la demanda de insulina ejercida por los alimentos es importante para la salud a largo plazo, eso no significa necesariamente que nos haga falta un índice de insulina en los alimentos en lugar de un índice glucémico (IG). Cuando los dos se han analizado juntos, el IG sirve muy bien para predecir el índice de insulina. Esto quiere decir, en otras palabras, que un alimento con un valor bajo en el

IG tiene un valor bajo en el índice de insulina y un alimento con un valor alto en el IG tiene, por su parte, un valor alto en el índice de insulina. Además, el nivel de la glucosa en la sangre está directamente relacionado con reacciones adversas como la glicosilación de proteínas (la relación entre la glucosa y las proteínas) y las moléculas oxidantes.

Sin embargo, hay algunos momentos en que un alimento tiene un valor bajo en el IG pero uno alto en el índice de insulina. Esto sucede con los lácteos y con algunas golosinas sabrosas y muy altas en calorías. Además, hay algunos alimentos (como por ejemplo, la carne, el pescado y los huevos) que no contienen carbohidratos, sino proteínas y grasa; a pesar de tener esencialmente un valor de cero en el IG, aun así estos provocan grandes aumentos de insulina en la sangre.

Actualmente no sabemos cómo interpretar este tipo de respuesta (glicemia baja, insulinemia alta) en cuanto a su impacto en la salud a largo plazo. Por una parte, podría ser bueno, ya que el aumento de insulina ha contribuido a niveles bajos de glicemia. Por otra parte, quizás no sea tan favorable porque el aumento de la demanda por insulina contribuye a "cansar" a las células beta y al desarrollo de la diabetes del tipo II. Hasta que no se realicen estudios que puedan contestar este tipo de interrogantes, el IG sigue siendo una herramienta eficaz para predecir los efectos de los alimentos en la salud.

¿Por qué es que la mayoría de las variedades de arroz tienen un valor tan alto en el IG?

La mayoría de las variedades de arroz tienen un valor alto en el IG: un valor mayor de 70 es típico. Las variedades importadas de Tailandia también tienen un valor alto en el IG, e incluso el arroz integral generalmente tiene un valor alto en el IG. La razón por esto se encuentra en el estado de gelatinización de las féculas en los granos de arroz cocinados.

A pesar de la naturaleza "integral" del arroz, la gelatinización completa toma lugar durante el proceso de cocción. Esto sucede porque millones de grietas y fisuras microscópicas en los granos de arroz le permiten al agua penetrar justo en el medio de ellos durante la cocción, dejando que los gránulos de las féculas crezcan y que se hidraten. Algunas variedades de arroz blanco, como el arroz *basmati*, tienen valores notablemente bajos en el IG, ya que contienen más féculas amilosas, las cuales resisten la gelatinización. Si a usted le gusta mucho el arroz, le recomendamos que compre el arroz *basmati* o el arroz de la marca *Uncle Ben's Converted Long Grain Rice*. Otra opción podría ser los arroces hechos de fideos (por ejemplo, el arroz *vermicelli* tiene un valor bajo en el IG). Si es amante del *sushi*, entonces tiene suerte. El vinagre que se utiliza para preparar tanto el *sushi* como el *nori* (alga marina) ayuda a disminuir el valor del *sushi* en el IG, por lo que sólo tiene un valor de 48.

¿Por qué los valores en el IG a veces cambian? Por ejemplo, una marca de pan antes tenía un valor de 19, pero ahora está en 36.

¡Estos cambios preocupan a muchas personas! Sin embargo, no hay que preocuparse mucho. En el caso específico de la marca de pan mencionada, el fabricante cambió la fórmula porque a los consumidores les preocupaba que el pan tuviera demasiada grasa. Al reducir la grasa se aumentó su valor en el IG. Sin embargo, tanto la versión vieja como la nueva contaban con valores bajos en el IG y ambos eran las mejores opciones para las personas que deseaban reducir su nivel de glucosa en la sangre.

Ahora bien, cabe notar que este asunto resulta importante cuando se trata de la información que se incluye en la etiqueta de los alimentos. Si cambian la fórmula o empiezan a recibir ingredientes para un producto dado de una empresa nueva, los fabricantes de alimentos tienen que volver a analizarlos para estar seguros de su contenido de nutrientes.

Otro buen ejemplo de un cambio en el valor en el IG es el caso de un cereal para el desayuno cuyo valor aumentó de 54 a 73. En este caso, se trata de un cambio sustantial, ya que lo convierte inmediatamente de un alimento con un valor bajo en el IG a uno con un valor alto. Lo que sucedió aquí es que el primer valor que se le dio al cereal era incorrecto porque se utilizó una porción de 50 gramos de carbohidratos que sin querer incluyó a la fibra. Dado que este producto era alto en fibra, este nutriente aportó más del 25 por ciento del peso total. Cuando se volvió a analizar el producto usando el peso más grande pero correcto (es decir, una porción de 50 gramos de los carbohidratos "disponibles"), desde luego su valor en el IG resultó ser más alto.

Esta fue una excelente lección para todos los laboratorios que participaron en las pruebas para determinar el valor en el IG. Hay que tener información confiable sobre la composición del alimento y, en algunos casos, se exige analizar directamente el contenido de los carbohidratos.

¿Por qué el valor de las zanahorias cambió de 92 a 47?

En 1981, cuando se analizaron por primera vez las zanahorias, se les asignó un valor de 92 en el IG. Sin embargo, el estudio sólo utilizó a cinco sujetos y la variación entre ellos fue muy grande. Además, este estudio fue realizado cuando apenas se habían iniciado los análisis de los valores en el IG, por lo que el alimento de referencia se analizó sólo una vez. Más recientemente, las zanahorias se analizaron con un mayor detenimiento. Se hizo un estudio nuevo con 10 personas, el alimento de referencia se analizó dos veces y al final la zanahoria obtuvo un valor de 47 en el IG, con ligeras variaciones. Es evidente que esta última investigación fue mucho más acertada y que el otro valor debe ignorarse.

Desafortunadamente, una de las críticas más frecuentes hechas sobre el IG es que las zanahorias se excluían de las dietas simplemente por su alto valor en este. De nuevo, aquí tenemos otro buen ejemplo de la necesidad de contar con una metodología confiable y estandarizada a la hora de analizar los valores en el IG. Es también otra razón para *no* emplear el IG de forma aislada.

¿Da el área bajo la curva una idea real de la respuesta de la glucosa en la sangre? ¿Qué hay de cierto sobre la forma de la curva y el tamaño del pico glucémico?

El área bajo la curva tal vez no sea perfecta, pero se piensa que brinda la mejor medida del grado total de hiperglicemia que se experimenta después de comer. En los estudios realizados, el área posprandial bajo la curva (que corresponde al nivel de glucosa después de comer) se ha correlacionado considerablemente con medidas como la de hemoglobina glicata (HbA1c) la cual está vinculadas con el riesgo de sufrir complicaciones. De hecho, varios estudios recientes han sorprendido hasta a los expertos, ya que han indicado que las influencias de glicemia posprandial en general controlan mucho más que los niveles de glucosa en la sangre antes o después de comer. Aparentemente los picos glucémicos también son importantes, pero hay una relación muy estrecha entre el área bajo la curva y la respuesta pico. Si uno es alta, la otra es también alta y si uno es bajo la otra también lo es.

Si se siguen haciendo análisis el tiempo suficiente, ¿podría esperarse que las áreas bajo la curva sean iguales incluso para alimentos con valores muy altos o muy bajos en el IG?

Muchas personas asumen que como la cantidad de carbohidratos en los alimentos es la misma, entonces las áreas bajo la curva serán al final la misma. Pero este no es el caso, ya que el cuerpo no sólo absorbe glucosa de los intestinos hacia el torrente sanguíneo, sino que también está *extrayendo* la glucosa de la sangre. Del mismo modo que un jardín agradece más una lluvia suave que un diluvio repentinamente violento, el cuerpo metaboliza mejor el alimento que se digiere lentamente que el carbohidrato digerido con demasiada rapidez. Los carbohidratos que se liberan rápidamente provocan que el organismo se "inunde" y entonces no puede extraer la glucosa de la sangre con la velocidad necesaria. Del mismo modo en que los niveles de agua aumentan considerablemente tras una lluvia torrencial, así aumentan los niveles de glucosa en la sangre. En cambio, si la misma cantidad de lluvia cae durante un período largo de tiempo, la tierra puede absorberlas y los niveles de agua no suben.

Mi médico me ha recomendado la dieta SugarBusters. Su consejo es opuesto al suyo, y me siento un poco perplejo.

Los creadores de la dieta SugarBusters utilizan el IG en sus consejos. La gran diferencia está en su forma de considerar el azúcar: para ellos es un alimento con un valor alto en el IG y por tanto recomiendan que se evite. Los estadounidenses obtienen aproximadamente un 16 por ciento de sus calorías diarias (62 libras al año para las mujeres y 89 libras al año para los hombres) de azúcares agregados a los alimentos que son altas en el IG, entre ellos el sirope de maíz alto en fructosa, la dextrosa, el azúcar invertida, la malta de cebada y la miel. Estos edulcorantes se encuentran principalmente en refrescos (sodas), dulces, productos panificados, helados y bebidas de frutas azucaradas. Así que sus consejos vienen muy al caso en los Estados Unidos, ya que hay un uso sobreabundante de edulcorantes con valores altos en el IG, como el sirope de maíz, en los alimentos.

¿Hay alguna diferencia entre el azúcar natural y el azúcar refinada?

El azúcar que se obtiene de forma natural es el que se encuentra en alimentos como la leche y los lácteos, así como en las frutas y en las verduras, incluyendo sus jugos. Por su parte, el azúcar refinada significa que se ha añadido azúcar, azúcar de mesa, miel, sirope de arce o sirope de maíz. Ambas fuentes incluyen cantidades variadas de sucrosa, glucosa, fructosa y lactosa. Algunos nutriólogos hacen una distinción entre estos dos tipos de azúcares, dado que por lo general el azúcar natural está acompañada de micronutrientes como la vitamina C.

El ritmo de digestión y de absorción de los azúcares naturales no es diferente, en promedio, al del azúcar refinada. Hay, sin embargo, una amplia variación dentro de ambos grupos de alimentos, según el alimento. El valor de IG de las frutas varía de 22 para las cerezas a 72 para la sandía. Similarmente, entre los alimentos que contienen azúcar refinada, algunos tienen un valor bajo en el IG, mientras otros tienen uno alto. El valor en el IG de un yogur endulzado es sólo 33, mientras que el de una barra de chocolate *Mars*™ es de 62 (más bajo que el del pan).

> Por lo general, las personas que consumen de tres a cuatro porciones de frutas al día (sobre todo manzanas y naranjas) tiene una dieta con el valor más bajo en el IG de una dieta y el mejor control de glucosa en la sangre.

¿Por qué los nutriólogos siguen recomendando alimentos feculentos en lugar de alimentos azucarados?

El azúcar tiene un problema de imagen que se debe sobre todo a las investigaciones hechas con roedores utilizando cantidades poco realistas de azúcar. De igual modo, se considera una fuente de "calorías vacías" (energía sin vitaminas ni minerales) y de energía concentrada. Pero gran parte de las críticas no resisten la fría solidez de la ciencia.

La mayoría de los alimentos feculentos tienen la misma densidad calórica que los alimentos azucarados, y hasta un refresco tiene el mismo contenido de calorías por gramo que una manzana. Los alimentos feculentos, como los cereales integrales, pueden ser excelentes fuentes de vitaminas, minerales y fibra, pero algunas formas puras de fécula y féculas modificadas se añaden a los alimentos que ofrecen "calorías vacías". Esto quiere decir que no existe realmente una gran distinción entre los azúcares y las féculas, tanto en términos nutricionales como en términos del IG. Por lo tanto, nuestro consejo es utilizar el azúcar a ventaja suya, es decir, como una forma de mejorar el sabor de alimentos nutritivos (como se hace con el azúcar morena en la avena, o la miel en el té o la mermelada en el pan).

Un alimento alto en grasa puede tener un valor bajo en el IG. ¿No brinda esto una impresión falsamente favorable de ese alimento?

Es cierto, en efecto la da, sobre todo si se trata de grasa saturada. El valor en el IG de unas papitas fritas o de papas a la francesa es más bajo que el de las papas asadas. El valor en el IG de las frituras de maíz es más bajo que el del maíz dulce. Las cantidades grandes de grasa en este tipo de alimentos tiende a disminuir el ritmo de vaciamiento gástrico y por consiguiente también reduce el ritmo al cual se digieren estos alimentos. Sin embargo, la grasa saturada en estos alimentos contribuirá a un aumento mucho mayor del riesgo de padecer enfermedades cardíacas.

Si comparásemos los beneficios para la salud que ofrece un alimento bajo en grasa que tiene un valor alto en el IG, (como por ejemplo, el puré de papas) con uno alto en grasa saturada que tiene un valor bajo en el IG (por ejemplo, ciertos tipos de galletitas), entonces el puré de papas les gana a las galletitas. El IG nunca tuvo el propósito de ser el único factor que determinara qué alimento escoger. Es esencial basar las elecciones alimenticias en el contenido general de nutrientes que tiene un alimento dado, entre ellos la fibra, la grasa y la sal.

Es más importante considerar el tipo de grasa que contienen los alimentos en lugar de evitarla por completo. Los alimentos que contienen grasas saludables para el corazón, como los aguacates (paltas), los frutos secos y las legumbres, son alimentos excelentes. Por otra parte, los alimentos que contienen grasas saturadas, como los lácteos altos en grasa, los pasteles (tortas, bizcochos, *cakes*) y galletitas, no son tan saludables aunque su valor en el IG sea bajo. Nos convendría más reservarlos sólo para ocasiones especiales.

¿Por qué muchos alimentos altos en fibra siguen teniendo un valor alto en el IG?

La fibra dietética no es un solo constituyente químico como sí lo son la grasa y las proteínas. La fibra se compone de muchos tipos diferentes de moléculas y puede dividirse en dos tipos: soluble e insoluble.

La fibra soluble es a menudo viscosa (espesa y parecida a la gelatina) en líquidos y continúa siendo viscosa incluso cuando está en el intestino delgado. Por este motivo retrasa el ritmo de la digestión, haciendo que les resulte más difícil a las enzimas digerir el alimento. Por lo tanto, los alimentos con más fibra soluble, como las manzanas, la avena y las legumbres, tienen valores bajos en el IG.

La fibra indisoluble, por otra parte, no es tan viscosa y no retrasa el ritmo de la digestión, en especial si ha sido finamente molida. El pan integral y el pan blanco tienen valores de IG parecidos. La pasta y el arroz integral tienen valores similares a los de sus homólogos blancos. En algunos casos la fibra indisoluble está presente en una forma que actúa como una barrera física que demora el acceso de la enzima y del agua a la fécula. Esto ocurre con los granos intactos de trigo, centeno y cebada, así como con algunas marcas de productos como *All-Bran*™.

¿Hay que comer alimentos con valores bajos en el IG en cada comida para obtener un beneficio?

No hay que hacer esto debido a que el efecto de un alimento con un valor bajo en el IG dura hasta la próxima comida, por lo que se reduce el impacto glucémico de esta. Esto se aplica al desayuno que se come tras haber cenado alimentos con valores bajos en el IG la noche anterior. También se aplica al almuerzo que se come después de haber desayunado alimentos con valores bajos en el IG. Este inesperado efecto beneficioso de las comidas bajas en el IG se llama "el efecto de la segunda comida". Sin embargo, no lleve esto muy lejos. En general, recomendamos que consuma al menos un alimento de valor bajo en el IG en cada comida.

La mayoría de los panes y papas tienen valores altos en el IG (de 70 a 80). ¿Significa esto que debo evitar mis comidas favoritas?

A pesar de su alto valor en el IG, las papas y el pan pueden desempeñar un papel importante en una dieta baja en grasa y alta en carbohidratos aun si su meta es reducir el valor general de su dieta en el IG. Para obtener beneficios para la salud hay que intercambiar sólo la mitad de los carbohidratos con valores altos en el IG por unos que tengan valores bajos. Así que el pan y las papas aún tienen cabida en este tipo de dieta. Desde luego, ciertos tipos de pan y papas tienen valores más bajos en el IG que otros tipos, y se deben preferir estos si la meta es reducir el valor en el IG todo lo que sea posible.

Los que se oponen al uso del IG dicen que las dietas bajas en el IG son demasiado severas, limitando la selección de alimentos que se pueden comer. ¿Qué hay de verdad en todo esto?

Es un mito que debe limitarse la selección de alimentos que se pueden comer en una dieta de alimentos con valores bajos en el IG. De hecho, muchas personas nos han dicho todo lo contrario. Estas personas han encontrado que la llegada del IG ha ampliado su gama de opciones alimenticias porque han podido probar alimentos que nunca antes habían probado (por ejemplo, comidas indias, fideos asiáticos y sopas de lentejas). También dicen que sienten cierto alivio por tener "permiso" de comer alimentos con azúcar como la mermelada y el helado. Los estudios realizados demuestran que los niños diabéticos que siguieron dietas flexibles de alimentos con valores bajos en el IG consumieron la misma cantidad de diferentes alimentos ricos en carbohidratos, es decir, no hubo indicios de que sus opciones alimenticias fueran limitadas. Además, ingirieron la misma cantidad de grasa, proteínas, fibra y azúcar refinada que los niños que siguieron una dieta convencional de intercambio de carbohidratos.

Hay también que acabar de una vez con el mito de que todos los alimentos bajos en el IG son altos en fibra y no tienen buen sabor. Tal vez sea cierto que las legumbres y el cereal de la marca *All-Bran*™ no sean alimentos muy populares que digamos, pero la pasta, la avena, la frutas y muchas recetas mediterráneas que utilizan trigo integral y garbanzos con valores bajos en el IG se han convertido en opciones muy populares. Para terminar con tales mitos, hemos incluido en la Segunda Parte de este libro muchas recetas deliciosas que utilizan legumbres y lentejas.

¿Qué es una fécula resistente? ¿Qué efecto tiene en el valor en el IG de un alimento?

Las féculas resistentes son las que luchan totalmente contra el proceso de la digestión en el intestino delgado. No pueden contribuir al efecto glucémico del alimento porque no se absorben. Cuando se analiza el valor en el IG de un alimento, las féculas resistentes no deben incluirse en la porción de 50 gramos por carbohidratos. Esta porción debería incluir sólo el carbohidrato disponible (el glucémico).

Las féculas resistentes no son viscosas como algunos tipos de fibra soluble que retrasan la absorción en el intestino delgado y disminuyen la curva de la glucosa en la sangre. Por consiguiente, la mera presencia de féculas resistentes no afectará al valor de un alimento en el IG. Tanto los plátanos amarillos (guineos, bananas) como la ensalada de papa contienen grandes cantidades de féculas resistentes, pero sus valores en el IG son muy diferentes. La dificultad que surge en las pruebas de IG es que el contenido de carbohidratos de un alimento a menudo se calcula al restar la suma de la grasa, proteínas, fibra, agua y ceniza de 100. (*Nota*: la ceniza representa los minerales en los alimentos, es decir, los restos que quedan después de quemar la grasa, las proteínas y los carbohidratos en un horno muy caliente). Desafortunadamente, este tipo de cálculo incluirá a las féculas resistentes en el valor de los carbohidratos. Medir las féculas resistentes por separado es una obra compleja que toma mucho tiempo. Por suerte, la mayoría de los alimentos contienen sólo pequeñas cantidades de féculas resistentes y el argumento sobre si afectan o no es de interés puramente intelectual.

Recientemente me diagnosticaron la enfermedad celíaca (sensibilidad al gluten), además de diabetes. Es sumamente difícil encontrar alimentos que sean bajos en el IG y que no contengan trigo. ¿Qué me recomiendan?

Tal vez todo esto no sea tan difícil como le parece. Si le gusta la comida asiática —los *dals* indios, los alimentos sofritos con arroz, el *sushi* y los fideos— entonces tiene suerte, ya que todos tienen valores bajos en el IG. También puede optar por fideos *vermicelli* hechos de arroz, frijoles *mung* y arroces bajos en el IG como el *basmati*. Coma batata dulce (camote) en lugar de papas y todo tipo de verduras sin preocuparse por su valor en el IG. Además, coma frutas, ya que cuentan con valores bajos en el IG. Si puede consumir lácteos, entonces aproveche sus valores bajos en el IG. Ahora bien, si la intolerancia a la lactosa es un problema, pruebe el yogur con cultivos activos y la leche sin lactosa. Incluso el helado puede disfrutarse si se toman unas gotas de enzima de lactasa (como los de la marca *Lactaid*®) primero. Busque los alimentos sin gluten en las tablas del IG en la pagina 352.

¿Aparecerán en las etiquetas de los alimentos sus valores en el IG?

Los fabricantes de alimentos están demostrando cada vez más su interés en indicar los valores en el IG de sus productos. Algunos alimentos ya incluyen en sus etiquetas sus valores en el IG. Conforme más  estudios han estado señalando los beneficios de los alimentos con valores bajos en IG, los consumidores y los dietistas han estado enviando cartas y llamando a las compañías y a las organizaciones de diabetes pidiendo datos sobre los valores en el IG de diferentes alimentos. El símbolo a la izquierda es un símbolo internacional inscrito en varios países (entre ellos los Estados Unidos y Australia) para indicar que el valor de IG del alimento ha sido *correctamente* analizado y también hace una aportación positiva a la nutrición. Usted puede averiguar más sobre el programa en el siguiente sitio *web*: www.gisymbol.com.au.

Como consumidor, usted tiene el derecho de conocer la información sobre los nutrientes y los efectos fisiológicos de los alimentos. Igualmente, tiene el derecho de conocer el valor de un alimento en el IG y si fue analizado con la metodología apropiada.

Para comparar alimentos, ¿no sería mejor utilizar la carga glucémica en vez del IG?

La carga glucémica (CG) es el producto del valor en el IG y la cantidad de carbohidratos por porción de un alimento dado. Usted encontrará este valor en las tablas que aparecen en la Cuarta Parte de este libro. La CG brinda una medida del grado de la glicemia y de la demanda por insulina que se produce tras consumir una porción normal de alimento. Se puede calcular la carga glucémica del consumo diario del alimento o de una dieta entera a partir de registros dietéticos y de cuestionarios acerca de la frecuencia con que se consumen los alimentos.

Algunos nutriólogos argumentan que la CG representa un avance en comparación con el IG, dado que ofrece un cálculo aproximado tanto de la calidad como de la cantidad de carbohidratos (el IG sólo nos da la calidad) en una dieta.

En ciertos estudios a gran escala realizados en la Universidad Harvard, sin embargo, el riesgo de contraer una enfermedad se pudo pronosticar al calcular tanto la CG como los valores en el IG de la dieta en general. El uso de la CG fortalece las relaciones, lo cual indica que mientras más frecuente se vuelva el consumo de alimentos altos en carbohidratos que también tienen valores altos en el IG, más impacto negativo habrá para la salud.

La polémica con respecto al uso del concepto de la CG se debe a que parece indicar que mientras menos carbohidratos se consuman, aun si estos tienen valores bajos en el IG, menor será el riesgo de desarrollar diabetes del tipo II o problemas cardíacos. Sin embargo, esta no una interpretación correcta de la información. Se ha podido comprobar que el contenido de carbohidratos por sí solo no tiene absolutamente ninguna relación con el riesgo de desarrollar enfermedades. El poco riesgo de sufrir enfermedades que se relaciona con la CG más baja fue estimulada por el consumo de alimentos con valores bajos en el IG, no por un consumo bajo de carbohidratos. Por lo tanto, nuestro mensaje es: *no* trate de seguir una dieta muy baja en carbohidratos. Este tipo de dieta podría tener una CG baja pero al mismo tiempo podría tener un contenido alto de grasa saturada y una densidad calórica alta. Utilice el IG para comparar alimentos similares (un tipo de pan con otro tipo de pan, un cereal de desayuno con otro cereal de desayuno). Utilice la CG cuando note que un alimento tiene un valor alto en el IG pero un contenido bajo de carbohidratos por porción (por ejemplo, la calabaza).

Para más información sobre cómo utilizar la CG vea la página 337.

(*Nota*: si encuentra en este capítulo nombres de alimentos que no entiende o que jamás ha visto, favor de remitirse al glosario en la página 407).

Parte

Cómo alimentarse para adelgazar con azúcar

Consejos sencillos para cambiar su dieta de acuerdo con el IG y 50 recetas deliciosas que le facilitarán la transición.

—

6

ADAPTE SU DIETA AL IG

ES FÁCIL APRENDER A COMER SEGÚN EL ÍNDICE GLUCÉMICO. La técnica básica consiste en sustituir los alimentos con valores altos en el índice glucémico (IG) por los que cuentan con valores bajos. En la práctica, esto podría tratarse de desayunar *muesli* (un tipo de cereal que combina avena, bayas, frutos secos y semillas) en vez de *cornflakes*, comer pan integral en vez de pan blanco o bien sustituir galletas por frutas. En nuestro trabajo ayudando a las personas a modificar los valores en el IG de su dieta, hemos identificado algunos otros puntos importantes que resultan cruciales a la hora de aplicar esta escala a su dieta. Recuerde:

▶ *El IG tiene que ver solamente con los alimentos ricos en carbohidratos*

Los alimentos que comemos contienen tres nutrientes principales: proteínas, carbohidratos y grasa. Algunos alimentos, como la carne, son altos en proteínas, mientras que el pan es alto en carbohidratos y la mantequilla es alta en grasa. Es necesario que consumamos una variedad de alimentos en proporciones variadas para obtener estos tres nutrientes.

Sin embargo, el IG sólo se aplica a los alimentos altos en carbohidratos. Nos resulta imposible medir el valor en el IG de los alimentos que contienen muy pocos carbohidratos, como la carne, el pescado, el pollo, los huevos, el queso, los frutos secos, el aceite, la crema, la mantequilla y la mayoría de las verduras. Existen otros aspectos nutricionales que usted debería considerar a la hora de optar por estos alimentos. Por ejemplo, la cantidad y el tipo de grasas que contienen es significativa y variada.

▶ *El IG no se creó para utilizarse de forma aislada; hay que tomar en cuenta otros factores nutricionales*

El valor de un alimento dado en el IG no indica que sea bueno o malo para nosotros. Hay alimentos que tienen valores altos en el IG —como la papa y el pan— que aún hacen aportaciones nutricionales valiosas a nuestra dieta. Y hay otros alimentos con valores bajos en el IG que contienen mucha grasa saturada, como es el caso de las salchichas, que no son más nutritivas simplemente porque tienen un valor bajo en el IG. Los beneficios nutricionales de los alimentos son muchos y también variados; por lo tanto, es aconsejable basar las elecciones alimenticias en su contenido nutricional, en particular teniendo en cuenta la grasa saturada, la sal, la fibra y el valor que tienen en el IG.

▶ *No hay necesidad de comer sólo los alimentos con valores bajos en el IG*

Aunque beneficiará a la mayoría de nosotros el consumo de carbohidratos con valores bajos en el IG en cada comida, esto no significa que debemos ingerir sólo esos y evitar el resto de los carbohidratos. Cuando comemos una combinación de alimentos con valores bajos y altos en el IG —como por ejemplo, frijoles (habichuelas) horneados en pan tostado, frutas y sándwiches (emparedados), lentejas y arroz, papas y maíz— el valor final en el IG de la comida es intermedio. El valor alto en el IG de un alimento como la papa se modera al combinarlo con un alimento con un valor bajo en el IG en la misma comida. Por ejemplo, si su comida principal del día contiene papas —con un valor de 90 en el IG— entonces opte por un postre con un valor bajo en el IG, como por ejemplo un yogur bajo en grasa, cuyo valor en el IG es de 33. Supongamos que la mitad de los carbohidratos proviene de la papa y la otra mitad del yogur. El valor total en el IG de la comida entonces se convierte en $(50\% \times 90) + (50\% \times 33) = 62$.

▸ *Hay que considerar tanto el valor en el IG del alimento y la cantidad de los carbohidratos que contiene, es decir, su carga glucémica*

En algunos alimentos, el tamaño normal de la porción contiene tan pocos carbohidratos que el valor en el IG del carbohidrato es nulo. Este es, casi siempre, el caso de las legumbres como las zanahorias (47), los chícharos/guisantes (48), y la calabaza (75), todas las cuales suministran alrededor de seis gramos de carbohidrato por porción. Cantidades pequeñas de mermelada (51) o de miel (55) también tienen poco impacto glucémico. Usted puede calcular la carga glucémica al multiplicar el valor en el IG del alimento por la cantidad de carbohidratos que contiene ese alimento en una porción típica. Después divida el resultado por 100. (Vea las páginas 45 y 105 para más información al respecto). Hemos incluido la carga glucémica de los alimentos en las tablas que aparecen en la Cuarta Parte de este libro. Ahí puede ver cómo la carga glucémica de un alimento difiere de su valor en el IG.

DOS PIRÁMIDES ALIMENTICIAS SEGÚN EL IG, DOS PASOS SENCILLOS PARA FACILITAR LA TRANSICIÓN

1. Empiece con una dieta saludable y equilibrada que se base en una gran variedad de alimentos.

El primer paso a dar para crear una dieta saludable y baja en el IG es empezar con un plan de comidas basada en principios nutricionales sólidos. Debería ser baja en grasa saturada, tener un contenido de carbohidratos que oscile entre moderado y alto, ser alta en fibra y tener suficientes alimentos como para satisfacer los requerimientos de vitaminas y minerales.

A fin de guiar sus opciones diarias de alimentos, hemos creado dos pirámides del IG de los alimentos, una para los que consumen carbohidratos con moderación y otra para los que consumen muchos de estos. Las porciones recomendadas de cada grupo alimenticio se indican en cada pirámide. Si le gusta comer mucho pan y cereal, la pirámide de IG para los que consumen muchos carbohidratos será la que más le conviene a su estilo de vida. De cualquier manera, la información que se brinda a continuación, que ilustra los ejemplos básicos de los tamaños de la porción, se aplica por igual a cada pirámide.

Si quiere saber más información acerca de las diferentes necesidades nutricionales de los adultos, las mujeres embarazadas, las madres que están amamantando a sus hijos, así como de los niños y los adolescentes, visite el sitio *web* del Centro para la Política de Nutrición y Promoción del Departamento de Agricultura de los Estados Unidos en la siguiente dirección: www.usda.gov/cnpp.

(*Nota*: en las siguientes pirámides "rac." es la abreviatura de "ración").

¿Cuánto es una "ración"?

▸ **Gustos**

1 onza (28 g) de mantequilla, margarina o aceite

2 onzas (56 g) de crema o mayonesa

1½ onzas (42 g) de chocolate

2 onzas de pastel

1½ onzas de papas fritas

Alcohol: 12 onzas (355 ml) de cerveza, 5 onzas (142 ml) de vino, 1½ onzas (45 ml) de licor

▸ **Pescado y mariscos, carne magra, aves y huevos**

2–3 onzas (56–84 g) de pescado cocido

2–3 onzas de carne magra o ave cocida

1 huevo

▸ **Lácteos bajos en grasa**

8 onzas (240 ml) de leche o yogur bajos en grasa

1½ onzas de queso reducido en grasa

▶ **Pan, cereales para desayunar, granos, etc.**

1 rebanada de pan

1 onza de cereal

½ taza de arroz, pasta o fideos
  cocidos

▶ **Verduras y ensaladas**

½ taza de verduras cocidas

1 taza de verduras crudas para
  ensaladas

▶ **Frijoles, legumbres y frutos
secos**

1 taza de frijoles secos, chícharos o lentejas cocidos

1 onza de frutos secos

▶ **Frutas y jugos**

1 pieza mediana de fruta

1 taza de piezas pequeñas de
  fruta

½ taza de jugo

La pirámide del índice glucémico
para los que tienen un consumo ALTO de carbohidratos

1-2 rac.
Gustos

BEBIDAS DIARIAS:
Un vaso de agua
cada 2 horas
Alcohol: 0-3 tragos

Carne magra,
aves
o huevos

Siempre opte por aceites
y pastas untables insaturadas
(p. ej., de aceite de oliva,
de *canola* y de girasol)

2-3 rac.

Pescados y mariscos

2-3 rac.
**Lácteos
bajos en grasa**

4-6 rac.
Verduras y ensaladas
(↓ papas)

1 rac.
Frijoles,
legumbres
y frutos secos

3-4 rac.
Frutas y jugos
de frutas y verduras

6-8 rac.

BAJO
en el IG

Pan, cereal para desayunar, pasta,
arroz, *sushi*, fideos, cúscus
(los cereales integrales son los mejores)

ALTO
en el IG

60 minutos de actividad física acumulada

A DIARIO

La pirámide del índice glucémico para los que tienen
un consumo **MODERADO** de carbohidratos

1-2 rac.
Gustos

BEBIDAS DIARIAS:
Un vaso de agua
cada 2 horas
Alcohol: 0-3 tragos

Carne magra,
aves
o huevos

Siempre opte por aceites
y pastas untables insaturados
(p. ej., de aceite de oliva,
de *canola* y de girasol)

2-3 rac.

2-3 rac.
Lácteos
bajos en grasa

Pescados y mariscos

4-6 rac.

BAJO
en el IG

Pan, cereal para desayunar, pasta,
arroz, *sushi*, fideos, cúscus
(los cereales integrales son los mejores)

ALTO
en el IG

4-6 rac.
Verduras y ensaladas
(↓papas)

1 rac.
Frijoles,
legumbres
y frutos secos

2-3 rac.
Frutas y jugos
de frutas y verduras

60 minutos de actividad física acumulada

A DIARIO

2. Sustituya alternativas con valores altos en el IG por alimentos con carbohidratos con valores bajos.

El próximo paso hacia una dieta baja en el IG es analizar el tipo de carbohidratos que contienen los alimentos que come. Fíjese en los que usted come más frecuentemente, ya que son estos los que tienen el mayor impacto glucémico. Considere los alimentos altos en carbohidratos que consume en cada comida y sustituya al menos uno de estos por un alimento que tenga un valor bajo en el IG: por ejemplo, sustituya las papas por las batatas dulces (camotes); sustituya un cereal para desayunar que tenga un valor alto en el IG por avena; consuma fideos o arroz *basmati* en vez de arroz instantáneo. Sustituir la mitad de los alimentos con un IG alto que uno come por alimentos con valores bajos dará por resultado una reducción notable en el valor total en el IG de la dieta.

Compare los siguientes menús para ver cómo el valor en el IG de una dieta puede disminuir sólo con hacer algunos cambios sencillos en las elecciones de carbohidratos.

MENÚ DE VALOR ALTO	MENÚ DE VALOR BAJO
VALOR EN EL IG: 74	**VALOR EN EL IG: 51**
Desayuno	**Desayuno**
1 taza de *cornflakes* con leche	¾ de taza de cereal de la marca *All-Bran*™ con leche baja en grasa
2 rebanadas de pan integral tostado con margarina	2 rebanadas de pan integral de centeno con margarina
Merienda	**Merienda**
5 barquillos de vainilla	2 galletitas de avena pequeñas
Almuerzo	**Almuerzo**
1 panecillo integral con jamón y una ensalada	1 panecillo hecho de masa fermentada con jamón y una ensalada
1 manzana	Yogur de vainilla (tipo helado) con fresas
Merienda	**Merienda**
4 rebanadas de pan de agua con requesón y cebollinos	1 plátano
Platos fuertes	**Platos fuertes**
Pollo asado	Pollo asado
1 papa grande asada	1 papa pequeña asada
Calabaza horneada	1 tajada de batata dulce horneada
Chícharos	Chícharos
Un pastel esponjoso de dos pulgadas cuadradas con glaseado de chocolate	2 bolas de helado bajo en grasa y ½ taza de melocotones enlatados (sin edulcorantes)
VALOR CALÓRICO	**VALOR CALÓRICO**
1.800 calorías	1.800 calorías
Carbohidratos: 50 por ciento de las calorías	Carbohidratos: 50 por ciento de las calorías
Grasa: 30 por ciento de las calorías	Grasa: 30 por ciento de las calorías

Estos menús son idénticos en todo salvo en los alimentos con carbohidratos que contienen. Una selección cuidadosa de alimentos con carbohidratos con valores bajos en el IG y cantidades menores de carbohidratos con valores altos en el IG en el menú de la derecha dan como resultado una reducción de cerca de un 40 por ciento en el valor general del IG.

■

Cómo reducir los valores en el IG de su dieta

Arroz: pruebe el arroz *basmati* o la marca *Uncle Ben's®Converted Rice*, un excelente arroz de grano largo®, así como la cebada perlada, el trigo de cocción rápida, el alforfón (trigo sarraceno), el trigo *bulgur*, la sémola o los fideos.

Azúcar: disfrute del azúcar con moderación. El azúcar tiene un valor intermedio en el IG. Entre las alternativas dulces con valores bajos en el IG están el jugo de manzana, la compota de manzanas o las frutas secas. Todas sirven para endulzar los platos. La miel —particularmente la floral— también tiene un valor más bajo en el IG.

Cacerolas: trate de sustituir una porción de la carne por frijoles (habichuelas) colorados, frijoles pintos o lentejas. Esto aumenta la cantidad de fibra y disminuye la de la grasa.

Cereales para el desayuno: muchos cereales procesados tienen un valor alto en el IG. Fíjese en las tablas en la Cuarta Parte de este libro para saber cuáles son las variedades que tienen un valor bajo en el IG para así consumirlas más a menudo.

Frutas: la mayoría de las frutas tienen un valor bajo en el IG. Las frutas tropicales, como mango, papaya (lechosa, fruta bomba), piña (ananá) y cantaloup (melón chino), tienden a tener valores más altos que otras frutas que crecen en lugares más fríos como la manzana y la naranja. De cualquier modo, todas las frutas son saludables.

Hamburguesa o pan de carne: agréguele a la carne molida lentejas cocidas, frijoles enlatados o copos de avena.

Harina: los productos panificados como *muffins*, tortas, galletitas y *donuts* se confeccionan con harina altamente refinada, la cual se digiere y se absorbe con gran rapidez. Cuando es usted quien cocina, trate de aumentar el contenido de la fibra soluble sustituyendo parcialmente la harina por salvado de avena, salvado de arroz o copos de avena. Aumente el volumen del producto con frutas secas, frutos secos, *muesli*, cereal de la marca *All-Bran*™ o salvado sin procesar.

Pan: incluya más variedades integrales y panes hechos con masa fermentada (*sourdough*). Si le gusta hornear su propio pan, sustituya alrededor del 50 por ciento de la harina con harina integral molida en piedra (*stoneground whole-wheat flour*) o con hojuelas de cebada, salvado de avena o semillas de lino (linaza).

Papas: su impacto glucémico es disminuido cuando se comen pequeñas porciones y se varía la dieta con alternativas como la batata dulce (camote) o las habas blancas. Las papas muy pequeñas tienen un valor más bajo en el IG que el de las variedades normales.

Sopas: estas le brindan una gran oportunidad de incorporar legumbres a su dieta. Cocine lentejas, cebada, arvejas secas, frijoles *cannellini* y fideos y así tendrá un minestrón al momento. Por cierto, la sopa es una comida que llena mucho.

■

¿Cómo se calcula el valor en el IG de una comida, de un menú o de una receta?

Es difícil calcular el valor preciso en el IG de una combinación de alimentos a menos que usted tenga acceso a tablas de composición de alimentos o a un programa de computadora para analizar los nutrientes, pero rara vez es necesario hacer esto. Sin embargo, es una de las preguntas que más a menudo nos hacen nuestros lectores, de modo que a continuación le explicaremos cómo se hace.

Empecemos aclarando que el valor de una comida en el IG no es la suma de los valores de cada alimento en la comida, ni tampoco tan sólo un promedio de dichos valores. El valor en el IG de una comida, menú o receta consistiendo en varios alimentos con carbohidratos es el promedio ponderado de los valores que tiene cada alimento. La ponderación estadística se basa en la proporción del total de carbohidratos que cada alimento aporta a la combinación.

Por ejemplo, supongamos que tomamos una merienda de melocotones (42) y helado (61). Dependiendo de la cantidad de cada alimento, podríamos calcular el contenido total de estos carbohidratos a través de las tablas de composición alimenticia. Digamos que la comida contiene 60 gramos de carbohidratos, con 20 gramos aportados por los melocotones (duraznos) y los otros 40 proporcionados por el helado.

Para poder calcular el valor en el IG de este plato, multiplicamos el valor en el IG de los melocotones por su proporción del total de carbohidratos:

$$42 \times 20/60 = 14$$

y luego multiplicamos el valor en el IG del helado por su proporción del total de carbohidratos:

$$61 \times 40/60 = 41$$

Entonces sumamos estas dos cifras y así tenemos un valor de 55 en el IG para este plato.

En este libro, hemos hecho un cálculo aproximado del valor en el IG de las recetas que aparecen a partir de la pagina 160. Sin embargo, dado que procesar un alimento —ya sea calentarlo, majarlo, fermentarlo o acidificarlo— cambia la naturaleza de sus carbohidratos, no es posible saber de forma precisa cuál es el valor de las recetas en el IG.

UN ENFOQUE SENSATO PARA CAMBIAR SU FORMA DE COMER

Algunas personas pueden cambiar su dieta con gran facilidad, pero para la mayoría de nosotros, es difícil. A diferencia de dejar un vicio como fumar, cambiar nuestra dieta no se trata simplemente de renunciar a algo. Una dieta saludable contiene una amplia variedad de alimentos, pero necesitamos comerlos en las proporciones apropiadas. Las decisiones que nos llevan a comer determinados alimentos son muchas y complejas, y con frecuencia hace falta alguna ayuda profesional para poder hacer estos cambios. Todos los días los dietistas ayudan a las personas a mejorar su dieta, así considere consultar a uno si piensa que le ayudaría. (Vea "Cómo encontrar un dietista" en la página 24). Tenga presentes los siguientes consejos si está considerando cambiar su dieta actual:

1. Haga cambios de manera gradual.

Los cambios grandes que se le hacen a la dieta, como por ejemplo seguir una dieta de moda de una revista o de un libro bestséller, por lo general no duran mucho tiempo. Identifique un aspecto de su dieta que quisiera cambiar (como comer más verduras, por ejemplo) y sólo propóngase ese.

2. Primero haga los cambios más sencillos.

No hay nada que anime a uno como el éxito, por lo que debe primero tratar de hacer los cambios más fáciles, como por ejemplo comer una merienda (refrigerio, tentempié) de fruta todos los días.

3. Divida las metas grandes en un grupo de metas más pequeñas que realmente sean alcanzables.

Querer perder peso podría ser una meta grande. Es poco probable que esto suceda rápidamente, pero sí se puede lograr a través de cambios graduales y consistentes. Un ejemplo de una meta pequeña sería hacer ejercicio durante 30 minutos diariamente y reducir el contenido de grasa saturada en su dieta. También podría proponerse metas incluso más pequeñas (que son la forma de comenzar) como dar una caminata de 15 minutos dos veces a la semana y limitar las comidas "para llevar" de los restaurantes a sólo una a la semana.

4. Acepte los deslices.

Nadie es perfecto y los deslices realmente no son fracasos. En cambio, simplemente son etapas naturales por las que uno pasa en su camino hacia adoptar nuevas costumbres. Recuerde que normalmente toma unos tres meses para que un cambio nuevo se convierta en un hábito.

APLIQUE EL IG A SU RUTINA DIARIA

Desayuno: la comida más clave del día

Muchos estadounidenses se saltan el desayuno. Esta es una costumbre inquietante, dadas las pruebas que demuestran que las personas que desayunan todos los días son más calmadas, más felices y más sociables. Los estudios indican que desayunar mejora el ánimo, la alerta mental, la concentración y la memoria. Los nutriólogos saben que tomar regularmente el desayuno ayuda a las personas a perder peso y hasta puede reducir los niveles de colesterol. Sabemos también que ayuda a estabilizar los niveles de glucosa en la sangre.

Saltar el desayuno puede causar síntomas de fatiga, deshidratación y pérdida de energía. Ahora bien, desayunar alimentos con valores altos en el IG no es la solución al problema, ya que esto puede dejarlo con tremenda hambre a media mañana. Muchos cereales para el desayuno y panes tienen un valor alto en el IG, lo que significa que si bien le darán un arranque de energía al principio, este efecto no durará mucho tiempo. Cuando se agote la energía y su nivel de glucosa en la sangre empiece a disminuir, tendrá hambre de nuevo. Por lo tanto, pruebe a desayunar alimentos con valores bajos en el IG y observará lo fácil que es llegar a la hora del almuerzo sin tener mucha hambre.

El 75 por ciento de las personas que se saltan el desayuno dicen que lo hacen porque "no tienen tiempo para sentarse a comer", de modo que hemos incluido muchas sugerencias rápidas y saludables para desayunar alimentos con valores bajos en el IG. Sea que prefiera un desayuno líquido para llevarse, uno sustancioso y caliente o simplemente algo tan sencillo como una barra de *granola* baja en grasa y una manzana en el camino al trabajo, le garantizamos que encontrará algo entre nuestras opciones que lo sostendrá durante el día.

■

¿Sabía usted. . .

que saltarse el desayuno no es la mejor manera de reducir su consumo de alimentos? Los que se saltan el desayuno tienden a compensar los alimentos que les faltan al comer más meriendas durante el día y a comer más en general.

■

Desayunos para adelgazar con azúcar

1. Empiece con alguna fruta o jugo.

Las frutas contienen fibra y, lo que es más importante, vitamina C, la cual ayuda al cuerpo a absorber el hierro, un nutriente esencial.

LAS FRUTAS Y JUGOS CON VALORES MÁS BAJOS EN EL IG

Cereza	22	Mango	51
Ciruelas	39	Manzana	38
Jugo de manzana	40	Melocotón	42
Jugo de piña	46	Naranja	42
Jugo de tomate	38	Pera	38
Jugo de toronja	48	Plátano	52
Jugo de zanahorias	43	Toronja	25
Kiwi	58	Uvas	46

---

2. Pruebe tomar un cereal para el desayuno que tenga un valor bajo en el IG.

Los cereales son importantes como fuente de fibra y de vitaminas del complejo B. Al elegir cereales procesados para el desayuno, busque los que tengan un contenido alto de fibra.

LOS CEREALES PARA EL DESAYUNO CON VALORES MÁS BAJOS EN EL IG

Kellogg's Bran Buds™ con *psyllium*	45
Avena tradicional (hecha con agua)	49 (pdo.)
Salvado de avena de la marca *Quaker Oats*™	50
Kellogg's All-Bran™ con fibra adicional	51
Cereal de manzana caliente y canela de la marca *Con Agra*	37

Conocemos los valores en el IG de unos 90 cereales diferentes que se consumen en todo el mundo y cada vez hay más que se están analizando. Vea las tablas en la Cuarta Parte para ver valores para aún más cereales.

3. Agregue leche o yogur.

La leche y el yogur bajo en grasa dan una aportación valiosa a su consumo diario de calcio y ambos tienen valores bajos en el IG. Las variedades bajas en grasa tienen tanto calcio, o más, que las regulares.

4. Añada pan o tostadas si todavía sigue con hambre.

LOS PANES CON LOS VALORES MÁS BAJOS

Pan integral de centeno	51
Pan de masa fermentada (*sourdough bread*)	52
100 por ciento integral y molido por piedra	53
Pan árabe de trigo integral	57
Pan de centeno hecho de masa fermentada	57

---

10 DELICIOSOS DESAYUNOS PARA ADELGAZAR CON AZÚCAR

1. Tueste pan integral de centeno, úntele un poco de margarina y acompáñelo con una bebida caliente de chocolate preparada con leche baja en grasa.
2. Tueste ligeramente algunos *muffins* ingleses hechos con masa fermentada (*sourdough bread*). Úntelos con mantequilla de cacahuate (maní) natural y mermelada de frutas.
3. Agregue melocotones (duraznos) enlatados sin azúcar o compota de manzana a la avena (hecha con leche sin grasa o baja en grasa), después espolvoréele canela y agréguele una cucharadita de miel.
4. Fría o tueste un sándwich (emparedado) de jamón y queso parcialmente descremado preparado con pan 100 por ciento integral y molido por piedra.

5. Agregue peras y fresas picadas a un tazón (recipiente) de un yogur bajo en grasa con sabor a vainilla, después espolvoréelo con *granola* baja en grasa.

6. Combine 8 onzas (226 g) de yogur bajo en grasa con sabor a frutas con 2 cucharadas de almendras picadas, 1 plátano amarillo (guineo, banana) o una pera picada en cubitos y una taza del cereal de la marca *Bran Buds*™. Dividalo en dos tazones (recipientes) y sírvalo.

7. Unte una capa generosa de pasta de la marca *Nutella*® o de crema de cacahuate (maní) natural en unas galletas de trigo integral de la marca *Ryvita*® y acompáñelas con una taza de leche o de café *latte* bajo en grasa.

8. Bata dos huevos, ¼ de taza de leche descremada y una cucharadita de extracto de vainilla puro. Moje cuatro rebanadas gruesas de pan hecho con masa fermentada en la mezcla del huevo. Fríalo a fuego mediano en un sartén antiadherente durante dos o tres minutos hasta que se doren por ambos lados. Remátelos con rodajas de pera o manzanas fritas y espolvoréeles una pizca de canela.

9. Tueste pan árabe (pan de *pita*) y úntele queso *ricotta* bajo en grasa y una cucharada de mermelada de zarzamora.

10. Prepare un tazón grande de avena caliente, luego incorpórele unos cuantos arándanos o frambuesas. Remátelo con una cucharada de yogur bajo en grasa y espolvoréelo con azúcar morena (mascabada).

ALMUERZOS EN ACORDE CON EL IG

Aunque con frecuencia el almuerzo es una comida que se come con mucha rapidez, no debe olvidarse lo importante que es volver a cargarse de calorías cuatro o cinco horas después del desayuno. No tiene que comerse un almuerzo grande y de hecho, si usted se siente levemente soñoliento después del almuerzo, quizás le convendría comer alimentos ligeros a base de proteínas y verduras con una porción pequeña de carbohidratos. (¡Claro está que una taza de café también ayuda a uno espabilarse un poco!)

Conceptos clave para almorzar según el IG

1. Alimentos ricos en carbohidratos con valores bajos en el IG, como pan integral, pasta, fideos, cereales o legumbres.
2. Proteínas como pescado, carne magra, pollo, queso o huevos.
3. Verduras para llenarse. Una ensalada grande con una gran variedad de verduras sería ideal.
4. Culmine la comida con frutas.

SI ALMUERZA EN UN RESTAURANTE

¿QUIERE PODER almorzar en un restaurante y aún respetar el IG? La siguiente lista le ofrece algunos ejemplos de alimentos bajos en IG que usted puede ordenar como almuerzo. Muchos de los platos tradicionales en los menús de restaurantes de comidas étnicas tendrán un valor bajo en el IG, ya que algunos de sus ingredientes principales son las legumbres.

Sushi	48	Hojas de uva rellenas	30
Plato de sémola marroquí		Ravioli	39
(con garbanzos)	58	*Tabbouleh*	30
Sopa de arroz y fideos	40	Lentejas y arroz	24
Tortilla con frijoles y		Sopa de lentejas	44
salsa de tomate	39	Pasta marinara	40
Fideos tailandeses con		*Hummus*	6
verduras	40		

10 ALMUERZOS PARA ADELGAZAR CON AZÚCAR

Nota: quizás le parezca que las siguientes recetas tomarán demasiado tiempo para preparar. (Y por supuesto, no hay almuerzo más rápido que el que se le entrega desde un restaurante o el que se consigue al pasar por una tienda 7-11). Sin embargo, si realmente quiere almorzar de manera más saludable y sentirse con energía toda la tarde, a continuación le ofrecemos algunas ideas estupendas. Prepare cantidades adicionales para tener porciones que se puede servir en otros días.

1. Unte *hummus* a un pan árabe (pan de *pita*), agréguele algunas lonjas (lascas) finas de rosbif y *tabbouleh* y enróllelo.

2. Prepárese una sopa de lentejas y batatas dulces (camotes). Para hacer la sopa, primero haga un sofrito con una cebolla y dos dientes de ajo machacado. Después agregue 1 libra (454 g) de rodajas de batata dulce, ½ taza de lentejas rojas y 3½ tazas de caldo de verduras. Hierva todo a fuego lento durante 25 minutos y agregue una taza de *zucchini* picado después de haber cocinado la sopa unos 20 minutos.

3. Pique una batata dulce en rodajas muy finas. Pique un *zucchini* a la mitad y una cebolla roja en seis pedazos. Coloque las verduras en una bolsa para congelar con un diente de ajo machacado y una cucharada de aceite de oliva. Mezcle bien. Después extienda la mezcla de verduras en una bandeja para hornear y hornee de 20 a 30 minutos, o hasta que las verduras estén tiernas. Combine las verduras asadas con pasta previamente cocida, junto con perejil, orégano o albahaca y un chorrito de aceite de oliva. Revuelva bien y sirva.

4. Divida un paquete pequeño (8 onzas) de totopos (tostaditas, nachos) en cuatro platos que pueden usarse en el horno. (*Nota:* se recomienda usar una variedad de totopos que contenga poca sal y que sea baja en grasa; estas normalmente se consiguen en la sección de alimentos saludables del supermercado). Póngales por encima una lata de 16 onzas de frijoles (habichuelas) colorados al estilo mexicano y agréguele queso rallado bajo en grasa del tipo *Monterey Jack* o de *Cheddar*. Ase los totopos en el horno durante 2 a 3 minutos y después agrégueles puré de aguacate.

5. Mezcle en un tazón una lata pequeña (3 onzas) de atún, ¼ de taza de frijoles *cannellini* y la mitad de un pepino en rodajas, un tomate cortado en cubitos, un puñado de espinacas (u otras verduras de hojas verdes) y perejil picado. Alíñelo (aderécelo) con una cucharada de aceite de oliva y jugo de limón y una pizquita de pimienta negra.

6. Unte una rebanada de pan integral con mostaza marrón. Agréguele tomates secados al sol, berenjena a la parrilla y una rebanada de queso *mozzarella*. Derrita el queso en la parrilla, luego agregue verduras de ensalada y otra rebanada de pan. Corte en dos mitades y sirva.

7. Hágase un sándwich (emparedado) de salmón enlatado, una manzana verde finamente picada, rodajas de cebolla roja y brotes de comelotodo usando pan hecho con masa fermentada (*sourdough bread*).

8. Haga un sofrito con dos cebollas verdes, una cucharadita de ajo machacado y jengibre, calentándolo todo hasta que se suavice (no los dore). Agregue dos o tres hongos cortados en rebanadas, una cucharadita de chile jalapeño finamente picado, una cucharada de salsa de soya y una cucharadita de aceite de sésamo (ajonjolí). Cocine hasta que los hongos se suavicen. Después agregue una taza de caldo de verduras y haga que rompa a hervir. Luego incorpore un paquete de fideos japoneses, cubitos de pollo cocido o de *tofu* y un puñado de espinacas cortadas. Revuelva bien y sirva.

9. Cocine ½ taza de lentejas rojas en agua hirviendo hasta que se pongan tiernas (unos 10 minutos). Escurra. En cuanto se enfríen, agregue 2 cucharadas de mayonesa, 2 cebollas verdes finamente picadas y un diente de ajo machacado. Revuelva y machaque la mezcla muy bien y sazónela con pimienta negra. En combinación con verduras para ensalada, esta mezcla sirve para hacer sándwiches (emparedados).

10. Prepare una hamburguesa vegetariana de garbanzos al combinar una lata de garbanzos escurridos con migajas frescas de pan integral, perejil, ajo y un huevo en un procesador de alimentos. Procese, déle la forma de una hamburguesa y fríala en un sartén. Sirva con verduras a la parrilla en un panecillo de trigo integral. También podría probar las hamburguesas congeladas vegetarianas que se venden en el supermercado.

■

Cómo escoger los alimentos con carbohidratos de su plato fuerte

Papas: las papas horneadas o en puré tienen valores altos en el IG (vea las tablas en la Cuarta Parte). Las papas blancas jóvenes (enlatadas o frescas) y las batatas dulces (camotes) son opciones con valores menores en el IG. A pesar de su valor alto en el IG, las papas son un alimento saludable que a su vez son una fuente sin grasa de carbohidratos, además de que aportan cantidades significativas de vitamina C, potasio y fibra. Su impacto glucémico se disminuye si uno come cantidades moderadas de ellas y si come otros alimentos con valores bajos en el IG en la misma comida.

Arroz: el arroz blanco tiene un sabor soso, por lo que es el acompañante ideal de muchos alimentos. Cuando se muele el arroz se eliminan el salvado y el germen, lo que da por resultado una pérdida considerable de nutrientes. Debido a esto, el arroz integral es una fuente mucho mejor de vitaminas del complejo B, minerales y fibra. Trate de variar su dieta para incluir tanto el arroz blanco como el integral. Entre los arroces con valores bajos en el IG están el arroz *basmati* (58) y el arroz de grano largo de la marca *Uncle Ben's® Converted® Rice* (50).

Batata dulce (camote): la batata dulce, con un valor de 44 en el IG, es una fuente excelente del betacaroteno (un nutriente precursor de la vitamina A). Además, es rica en vitamina C, es una buena fuente de fibra y es una guarnición colorida que complementa cualquier tipo de cena.

Maíz dulce: tanto el maíz (elote, choclo) en mazorca como en granos es una verdura popular entre los niños, además de ser alto en fibra. El maíz cuenta con un valor de 54 en el IG y es una fuente de vitaminas del complejo B.

Legumbres: los garbanzos, las lentejas y los frijoles (habichuelas) son altos en proteínas, por lo que pueden servir de alternativas nutritivas a la carne. Además, cuentan con un contenido alto de minerales como niacina, potasio, fósforo, hierro y zinc. Por último, su contenido de fibra es mayor que cualquier otro alimento

(continúa)

rico en carbohidratos que hemos mencionado en esta sección. Sus valores en el IG varían pero puede comprobarlos al consultar las tablas en la Cuarta Parte.

Pasta: la pasta es más alta en proteínas que el arroz o la papa y muchas veces se disfruta como una comida completa sin agregarle carne. Llena mucho y es fácil de preparar; se le puede agregar verduras o una salsa vegetal y un poco de queso parmesano. Su valor en el IG oscila entre 37 y 55.

Trigo partido: el trigo *bulgur* es un tipo de trigo que consiste en granos partidos o enteros que se hierven. A diferencia de los trigos refinados, el trigo *bulgur* consiste en granos que prácticamente están intactos, es decir, integrales. Por lo tanto, este tipo de trigo, que cuenta con un valor de 48 en el IG, aporta mucha fibra, tiamina, niacina, vitamina E y minerales.

■

CÓMO PREPARAR PLATOS FUERTES SEGÚN EL IG

"¿Qué debo cocinar para la cena?" es la eterna pregunta que todos nos hacemos. Cuando organice en su mente los ingredientes que piensa utilizar en sus platos fuertes, piense en ellos en el orden siguiente:

1. Escoja el alimento con carbohidratos.

¿Cuál será? ¿Papa, arroz, pasta, fideos, granos, legumbres o una combinación de todos? ¿Podría añadirles un poco de pan o de maíz? No se trata sólo de escoger el alimento con el valor más bajo en el IG, sino de incluir una amplia variedad de alimentos en su dieta para optimizar su consumo de nutrientes. Compare las propiedades nutricionales de los alimentos en las páginas 115–116 para ver por qué la variedad es tan importante.

2. Agregue muchas verduras.

Sean frescas, congeladas o enlatadas a la mano, mientras más agregue, mejor. La comida principal del día tiende a ofrecer la mejor oportunidad para comer verduras, así que si no se encuentran en su plato, es probable que no las esté comiendo en cantidades suficientes.

3. **Incluya las proteínas para aprovechar sus nutrientes, sabor y capacidad para dejarlo sintiéndose lleno.**

   Las proteínas se encuentran en muchísimos alimentos pero le aconsejamos asegurar que las consiga de una fuente alimenticia baja en grasa saturada.

   He aquí algunas ideas "proteínicas": rebanadas de bistec de falda sofritas (salteadas), un filete de pescado fresco, lonjas (lascas) de jamón magro hervido, una cucharada de queso *ricotta light*, una pechuga de pollo tierna y sin pellejo, rebanadas de salmón, unos cuantos huevos, un puñado de frutos secos, un poco de queso rallado o bien puede aprovechar las proteínas encontradas en los cereales o legumbres que opte por comer.

4. **Considere bien el tipo de grasa que utilice.**

   Asegure que esté utilizando un aceite saludable, como el de oliva, *canola*, semilla de mostaza, soya o algún otro tipo que cuente con grasas monoinsaturadas o bien poliinsaturadas. También debe procurar que no se le vaya la mano: usted debe utilizar sólo la cantidad que realmente necesita para cocinar.

10 PLATOS FUERTES PARA ADELGAZAR CON AZÚCAR

1. ***Curry* rápido de fideos a lo tailandés**

   En un sartén, saltee (sofría) tiras de cebolla, pimiento (ají, pimiento morrón), maíz tierno y comelotodos. (También podría sustituir estos por una mezcla comercial para sofritos ya preparada que encontrará en los supermercados). Agregue una cucharada de pasta de *curry* rojo al sofrito. (El *curry* es un condimento picante asiático que se consigue en algunos supermercados, en las tiendas de productos naturales y en tiendas que venden alimentos asiáticos o hindúes). Después prepare fideos asiáticos instantáneos según las indicaciones en el paquete. Agregue los fideos al sofrito de verduras con suficiente caldo vegetal para convertir el sofrito en una salsa. Incorpore una cucharada de leche de coco *light*, revuelva bien y sirva.

   Consejo: la leche o crema de coco en lata (la cual es alta en grasa saturada) puede verterse en moldes de cubos de hielo, congelarse y guardarse en una bolsa plástica. De tal forma es más facil agregar sólo una cucharada a un plato dado. Otra opción sería tener leche de coco en polvo en la despensa (alacena) y prepararla según sea necesario. Siempre trate de comprar las variedades bajas en grasa (*light*).

2. Espaguetis rápidos

Ponga a hervir agua en una cacerola. Cuando esté lista, agréguele los espaguetis y cocine según las instrucciones del paquete. Mientras hierva la pasta, abra un tarro (bote) de salsa de tomate marinara y caliéntela. Haga una ensalada con lechuga, cebollas de primavera y pepino o bien use una bolsa de lechuga mixta. Sirva los espaguetis con la salsa, un poco de queso parmesano y sirva de guarnición la ensalada con una vinagreta. Se pueden añadir a la salsa verduras frescas o congeladas (por ejemplo, hongos, cebollas, berenjena, *zucchini*, etc.) para así aumentar su valor nutritivo.

3. Pescado rápido y papas pequeñas

Espolvoree un filete de pescado fresco y sin espinas con una capa fina de harina. Caliente en un sartén antiadherente un poco de aceite. Agregue el filete y fría por ambos lados. Lave un puñado de papas pequeñas y hiérvalas hasta que estén suaves y tiernas. Después de cocinar bien el filete por ambos lados, échele un chorrito de jugo de limón y espolvoréelo con pimienta negra. Sírvalo inmediatamente con las papas y una ensalada o bien con verduras mixtas cocidas.

4. Pizza rápida de pan árabe

Unte un pan árabe (pan de *pita*) con *pesto* —un tipo de salsa italiana que lleva albahaca y queso— o con salsa de tomate. Póngale tomate (jitomate) en rebanadas, hongos, pimientos (ajíes, pimientos morrones) asados, aceitunas negras, cebollines picados, orégano y un poco de queso parmesano rallado. Cocine la pizza en una parrilla o en un horno.

5. Fideos asiáticos y verduras sofritas

Pique en cubitos dos lonjas (lascas) de tocino o de jamón, quitándole todo el pellejo grasoso visible. Saltee (sofría) los cubitos en un sartén, luego agregue una mezcla comercial de verduras para sofritos al estilo asiático, cocinándolas según las indicaciones en el paquete. Incorpore algunos fideos de huevos o bien prepare fideos instantáneos antes de que termine de cocer las verduras para sofritos y agréguelos, revolviendo todo bien. Cuézalo todo bien antes de servirlo.

Consejo: busque los paquetes de verduras asiáticas congeladas listas para sofreír que incluyen fideos y un sobre de salsa asiática.

6. *Tortellini* en un dos por tres

Ponga a hervir un paquete de *tortellini* rellenos con espinaca y queso (o su relleno favorito), siguiendo las instrucciones del paquete. Caliente salsa de tomate de tarro y sírvala encima de la pasta con un poco de queso parmesano rallado. Sirva el *tortellini* con una ensalada grande aliñada (aderezada) con una vinagreta.

7. Arroz aromático con lentejas

Ponga a cocinar un poco de arroz *basmati*. Caliente un poco de aceite en un sartén, agregándole después una cebolla finamente picada, ajo machacado y dos cucharaditas de hojuelas secas de pimiento rojo. Saltee (sofría) hasta que la cebolla se suavice. Mientras tanto, pique un tomate en cubitos y después abra una lata de lentejas. Agregue ambos al sofrito de la cebolla. Por último, agregue comino, sal y pimienta al gusto, caliéntelo bien y sírvalo con arroz.

8. Pollo con pasta fácil de preparar

Cocine 4 onzas (113 g) de pasta con forma de concha. Pique finamente la mitad de un pimiento (ají, pimiento morrón) rojo, un puñado de hongos y un tallo de apio. Pique en cubitos algún pollo que le haya sobrado. Escurra la pasta y agregue las verduras y el pollo. Aliñe (aderece) la pasta y las verduras con un aliño (aderezo) cremoso para ensalada bajo en grasa. Remátelo con cebollines (cebollas de cambray) picados y ya está listo para servir.

9. Tomate y pasta de atún

Ponga a hervir un poco de espaguetis, *linguini* o fideos cabellos de ángel. En una cacerola pequeña, saltee (sofría) una cucharada de aceite, perejil picado y ajo hasta que todo se suavice. Agregue una lata de tomates picados en cubitos (sin escurrir) y una lata pequeña de atún. Sazone con pimienta y caliente bien. Sirva la salsa de tomate y el atún por encima de la pasta.

10. Sabor al estilo mexicano en un minuto

Dore un puñado de carne molida que sea un 90 por ciento magra y una cebolla bien picada en un sartén. Después agregue una lata pequeña de frijoles (habichuelas) blancos y sazón para tacos si prefiere. Caliéntelo todo bien. Sirva con salsa de tomate, lechuga picada, aguacate (palta) y queso rallado en envolturas para taco, en tortillas mexicanas o en pan árabe (pan de *pita*).

POSTRES: CIERRE CON UN BROCHE BAJO EN EL IG

Es bastante fácil darle a una comida un giro bajo en el IG mediante el postre. Esto sucede porque los componentes básicos de los postres, como la fruta y los lácteos, tienen valores bajos en el IG.

Los postres pueden hacer aportaciones muy valiosas a nuestro consumo diario de frutas y lácteos, de los cuales muchas personas tienden a no comer en cantidades suficientes. Además, los postres casi siempre son ricos en carbohidratos, por lo que llenan bastante y ayudan a señalar a nuestro cuerpo que ya hemos terminado de comer.

Un toque dulce

El azúcar, un ingrediente común en los postres tradicionales, tiene un valor de 68 en el IG. La mayoría de los alimentos azucarados tienen valores en el IG entre moderados y bajos. Los pasteles (bizcochos, tortas, *cakes*) y las galletitas hechas con o sin azúcar tienen valores similares en el IG. Las recetas que incluyen frutas por su dulzura en vez de azúcar tal vez contengan más fibra y tengan valores más bajos en el IG. Recuerde que las frutas como las manzanas, las peras, los melocotones (duraznos), las mandarinas, las cerezas y las bayas suelen tener los valores más bajos en el IG.

■

Postres con valores bajos en el IG

Cítricos: las frutas invernales son una excelente fuente de vitamina C. Remoje pedazos de varias frutas cítricas en un vaso de jugo de naranja (china) combinado con un poquito de brandy, rocíelo con pasas y sírvalo como una ensalada de frutas invernales.

Cerezas: una fruta clásica de verano. Sirva las cerezas alrededor de una cucharada de yogur sin sabor y bajo en grasa, y échele por encima un chorrito de miel. Además, agregue unas cuantas semillas de lino (linazas) a la combinación para de este modo aumentar su consumo diario de los beneficiosos ácidos grasos omega-3.

Frutas con huesos (cuescos): si usted empieza a ver albaricoques (chabacanos, damascos), melocotones (duraznos) y mandarinas en los mercados agrícolas y en los supermercados, entonces ya sabrá que se acercan los meses cálidos. Melocotones y mandarinas picados en rodajas y mezclados con helado o yogur hacen una combinación deliciosa. O bien espolvoree un poco de canela o nuez moscada encima de rodajas de melocotón y áselos ligeramente a la parrilla.

Peras y manzanas: estas frutas están en su mejor momento durante el otoño y el invierno. Sin embargo, se encuentran todo el año en los supermercados. Para prepararlas, basta con lavarlas y cortarlas. Si usted prefiere, también puede asarlas a la parrilla o bien hornearlas. Como quiera que se sirvan, sin duda las peras y las manzanas son el toque final perfecto para una comida.

Uvas: son muy populares entre los niños porque son muy dulces y fáciles de comer (sobre todo las variedades sin semilla). Después de una comida, ponga un tazón de uvas en la mesa, inclúyalas en una ensalada de frutas o simplemente congélelas para siempre tener a la mano una merienda (refrigerio, tentempié) sabrosa.

Flan, pudín, helado y yogur: procure buscar principalmente las variedades bajas en grasa de estos alimentos para que sirvan de acompañantes a las frutas.

■

OCHO POSTRES PARA ADELGAZAR CON AZÚCAR

1. Combine una pinta de fresas lavadas, limpias y cortadas a la mitad con una cucharada de azúcar en una cacerola pequeña. Revuelva sobre fuego mediano durante unos cinco minutos hasta que las fresas se suavicen y adquieran una consistencia de sirope. Sirva el sirope tibio o enfriado sobre helado de vainilla bajo en grasa.

2. Sáqueles el corazón a manzanas verdes grandes y rellénelas con una combinación de pasas, albaricoques secos, canela y una cucharadita de azúcar morena. Sirva con yogur sin sabor bajo en grasa o con un pudín de vainilla.

3. Escurra una lata de melocotones (duraznos) para eliminar todo el sirope y póngalos en tazones. Mézclelos con un poco de pudín bajo en grasa y agregue unas galletitas de coco desmenuzadas y revueltas.

4. Prepare un dulce de frutas al agregar a frutas cocidas lo siguiente: una mezcla de avena tostada, hojuelas de trigo, un poco de mantequilla o margarina derretida y miel.

5. Pique un plátano amarillo (guineo, banana) a la mitad a lo largo. Remate con dos bolas de helado *light* de vainilla. Haga un puré de frutas frescas en un procesador de alimentos y agregue el puré junto con algunas almendras tostadas.

6. A las mitades de fruta que vienen enlatadas puede agregarles una combinación de coco rallado, azúcar morena y canela. Rocíelas con un poco del jugo de la lata y hornéela durante 10 minutos hasta que se doren.

7. Con una brocha de alimentos unte 4–5 capas de masa de hojaldre (*phyllo pastry*) con leche baja en grasa (en vez de usar mantequilla o margarina). En el centro de las capas coloque manzana hervida o enlatada, pasas, pasas de Corinto y especias mixtas. Envuelva las capas alrededor de la fruta. Unte la parte de arriba de la envoltura de hojaldre con leche y hornee durante 15 minutos.

8. Extienda una selección de frutas picadas (por ejemplo, mango, piña/ananá, fresas, kiwi y cantaloup/melon chino) en un platón y sírvalas con una taza de yogur sin sabor combinado con una cucharada de miel.

MERIENDAS: EL PODER DE PICAR

Durante años se pensó que lo sano era comer tres veces al día. Sin embargo, nuevas pruebas sugieren que las personas que saben picar, es decir, comer pequeñas cantidades de alimentos saludables en intervalos frecuentes a lo largo del día, podrían estar beneficiándose. Las investigaciones recientes indican que comidas pequeñas y frecuentes estimulan el ritmo metabólico (el ritmo al que el cuerpo quema calorías al estar descansando).

En un estudio realizado, se comparó un grupo de personas que consumían tres comidas al día con otro grupo que ingería tres comidas al día junto con tres meriendas (refrigerios, tentempiés). Ambos grupos comieron la misma cantidad de comida. Se demostró que merendar (botanear) estimulaba al cuerpo a utilizar más calorías para el metabolismo que cuando uno come tres comidas completas al día. Es como si el cuerpo quemará más calorías mientras más de estas se le da.

Ahora bien, hay que saber picar. El problema que muchos de nosotros tenemos es que picamos con alimentos altos en grasa como pasteles (bizcochos, tortas, *cakes*), chocolate, papitas fritas y otros dulces, los cuales sólo aportan calorías "vacías" (sin valor nutricional) a nuestra dieta.

Además, si uno tiende a comer en exceso, aumentar la cantidad de veces que come al picar puede invitar a un desastre dietético. La clave está en optar por alimentos para picar que sean ricos en carbohidratos pero que también tengan un valor bajo en el IG; estos disminuirán las posibilidades de que uno coma en exceso. Al usar nuestras sugerencias para meriendas usted enriquecerá su variedad dietética y se sentirá lleno antes de que coma demasiado. Recuerde medir bien sus porciones y comer lentamente.

Meriendas para adelgazar con azúcar

Un tipo de merienda que bien pueda llenarlo sería un licuado (batido) de yogur bajo en grasa, leche y una fruta blanda como fresas, cantaloup (melón chino) o plátanos amarillos (guineos, bananas). También podría probar las siguientes opciones:

- pan tostado con pasitas y sabor a canela
- una naranja (china) jugosa
- un ramo de uvas
- un *muffin* inglés de masa fermentada (*sourdough English muffin*) untado con mermelada
- un bote de 8 onzas de yogur bajo en grasa
- una lata de compota de manzana o de melocotones picados en cubitos sin edulcorantes
- un vaso de leche
- albaricoques (chabacanos, damascos) secos
- un puñado de pasas
- una manzana verde grande
- una bola de helado *light* en un cono (barquillo)

Ahora bien, si quiere algo salado o de sabor fuerte, puede probar:

- totopos (nachos, tostaditas) horneados acompañados de salsa
- *hummus* (para hacerlo, en un procesador de alimentos, procese una lata de garbanzos con 2 dientes de ajo, 2 cucharadas de *tahini* y 2 cucharadas de jugo de limón) untado en pan integral de centeno
- verduras crudas (zanahorias cambray, habichuelas verdes, tiras de pimiento, rábanos, apio o pepino) con un *dip* bajo en grasa como el *hummus*
- una lata pequeña de frijoles horneados
- verduras adobadas (marinadas) —como los corazones de alcachofa, los pimientos asados o berenjena— enrolladas en pan árabe tostado; utilice una toalla de papel para quitarles el aceite excedente

(*Nota*: si encuentra en este capítulo nombres de alimentos que no entiende o que jamás ha visto, favor de remitirse al glosario en la página 407).

7

CÓMO PREPARAR PLATOS PARA ADELGAZAR CON AZÚCAR

*E*N ESTE CAPÍTULO le enseñaremos cómo utilizar la glucosa para bajar de peso, combinando alimentos con carbohidratos de valores bajos en el índice glucémico (IG) y los que cuentan con grasas saludables y proteínas nutritivas. También incorporará frutas y verduras ricas en nutrientes a su dieta. Recuerde que una dieta saludable consiste en una amplia variedad de alimentos, *no* una gran variedad de comida rápida y alimentos que sólo aportan calorías y nada de valor nutricional. Para adelgazar con azúcar, el primer paso es comer los siguientes alimentos todos los días:

- Verduras frescas, tanto cocidas como crudas
- Fruta fresca
- Pan integral y cereales
- Leche descremada o baja en grasa y queso hecho de leche parcialmente descremada (busque las palabras *"part skim"* en la etiqueta)
- Pescado, carne magra, pollo, legumbres y soya

Además, usted debería comer los siguientes alimentos de forma regular (aunque no necesariamente a diario) y con moderación. Estos alimentos son ricos en antioxidantes, vitaminas y minerales, y algunos, como el vinagre, tienen un efecto específico para reducir la respuesta glucémica a los carbohidratos. Otros, como los frutos secos, el aceite de oliva y el aguacate (palta), son ricos en grasas saludables para el corazón:

- Frutos secos y semillas
- Aceite de oliva, de *canola* y de cacahuate (maní)
- Aguacate y aceitunas
- Frutas secas
- Vinagre (vinagreta para las ensaladas)
- Vino tinto
- Hierbas y especias frescas
- Mariscos y pescados
- Productos de soya

Le recomendamos que incluya pescado en su plato una o dos veces por semana y legumbres al menos dos veces a la semana. Incluimos verduras cocinadas o ensalada en todas las comidas que sugerimos y recomendamos que coma frutas como postre.

■

Las seis pautas dietéticas principales para adelgazar con azúcar

1. Coma diariamente tres porciones o más de frutas con valores bajos en el índice glucémico (IG) y cuatro porciones o más de verduras. También es preferible consumir las frutas en su estado natural en vez de jugos de estas.
2. Coma más pan y cereales integrales con valores bajos en el IG.
3. Coma más legumbres —frijoles (habichuelas), chícharos (guisantes) y lentejas— y coma frutos secos en pequeñas cantidades con mayor frecuencia.
4. Coma más pescado y mariscos.
5. Coma carnes magras y lácteos bajos en grasa.
6. Use aceites monoinsaturados con un alto nivel de ácidos grasos omega-3 como aceite de oliva, de cacahuate y de *canola*.

1. COMA TRES PORCIONES O MÁS DE FRUTAS Y CUATRO O MÁS DE VERDURAS TODOS LOS DÍAS.

Las frutas y las verduras son una parte importante de una dieta de valor bajo en el IG. Mientras mayor sea la variedad que usted coma, mejor. Olvídese de platos llenos de verduras hervidas, ensaladas de lechuga y tomate, así como de la típica manzana y la naranja diaria: ¡la variedad de frutas y verduras de que hablamos va mucho más allá de esto!

Específicamente, trate de comer cuatro porciones o más de verduras y tres porciones de fruta todos los días. Incluya verduras verdes, sobre todo verduras de muchas hojas. Puede escoger entre brócoli, espinaca, habichuelas verdes (ejotes), coliflor, repollitos de Bruselas, puerros, repollo (col), pimientos (ajíes, pimientos morrones), berza y *bok choy*, que es un tipo de repollo chino. Usted puede comer verduras cocidas al vapor con hierbas frescas o secas, o con un aliño (aderezo) hecho a base de aceite de oliva, jugo de limón, vinagre balsámico y ajo.

Coma diariamente una ensalada. Si a usted o a sus hijos no le gustan mucho las ensaladas, sírvalas primero en una comida para aprovechar el momento en que tengan más hambre. Prepare una ensalada mixta con lechuga, tomate, pepino, cebolla roja, garbanzos y hongos en rebanadas. Si desea, incluso puede agregarle frutas o frutos secos. Prepare una ensalada grande al inicio del fin de semana, de modo que le resulte más fácil tenerla lista para las comidas.

Los estadounidenses solemos pasar por alto la dulzura natural de la fruta como una forma perfecta de terminar nuestras tres comidas principales del día o para servirnos como una merienda rápida. La fruta es muy fácil de obtener, económica y se come con facilidad —al igual que los otros alimentos para merendar (botanear)— pero no cuenta con la grasa y azúcar adicionales de estos.

De manera consistente los estudios realizados han vinculado las frutas y las verduras con una mayor protección contra ciertos tipos de cáncer. También contienen nutrientes (entre ellos el aceite insaturado, la fibra, la vitamina B_6, el folato y la vitamina E), que son saludables para el corazón y reducen los riesgos de sufrir las enfermedades cardíacas. Comer más verduras, sobre todo ensaladas y tomate, disminuye el riesgo de padecer cáncer de próstata.

¿EN QUÉ CONSISTE UNA PORCIÓN?

PANES/CEREALES

1 rebanada de pan

1 tortilla de maíz

½ taza de arroz, pasta o cereal cocido

1 onza de cereal para desayunar

2 galletitas medianas

3 ó 4 galletas pequeñas

1 panqueque de 4 pulgadas (10 cm)

VERDURAS

½ taza de verduras cortadas, lo mismo crudas que cocidas

1 taza de verduras de hojas grandes crudas

¾ taza (6 onzas/177 ml) de jugo de verduras

½ taza de papas cocidas

10 papas a la francesa

FRUTAS

1 pieza de tamaño mediano de fruta

½ taza de fruta picada, lo mismo cocida que enlatada

1 rodaja de melón

¼ taza de fruta seca

LÁCTEOS

1 taza (8 onzas/240 ml) de leche o yogur

1½ onzas (42 g) de queso natural

2 onzas (56 g) de queso procesado

1½ taza de helado (regular o reducido en grasa)

1 taza de yogur congelado

PROTEÍNAS

De 2½ a 3 onzas (71 a 85 g) de carne de res, de ave o de pescado cocido

½ taza de frijoles cocidos

1 huevo (igual a 1 onza de carne)

2 cucharadas de crema de cacahuate (maní); esto equivale a 1 onza de carne

⅓ taza de frutos secos; esto equivale a una 1 onza de carne

GRASAS, ACEITE Y DULCES

Consuma en pequeñas cantidades.

Adaptada de la Pirámide Alimenticia confeccionada por los Servicios de Información del Departamento de Agricultura y Nutrición Humana de los Estados Unidos.

FORMAS FÁCILES DE COMER MÁS VERDURAS

Incorporar más verduras a su dieta es más fácil de lo que piensa. A continuación ofrecemos algunas ideas para que sus comidas y meriendas sean todavía más nutritivas:

- Agregue verduras adicionales a un sofrito de carne, pollo, camarones, pescado o *tofu*.
- Pique las verduras que sobren, caliéntelas y úselas para rellenar un *omelette*.
- Pruebe un día verduras rellenas. Son extraordinarias.
- Incluya los ingredientes de una ensalada en un sándwich (emparedado) o dentro de una tortilla mexicana. Enróllela ¡y listo!
- Cuando vaya a asar carne a la parrilla, también ase unas cuantas verduras junto con la carne. Utilice, por ejemplo, *zucchini*, maíz (elote, choclo), pimientos (ajíes, pimientos morrones), hongos, berenjena o rebanadas gruesas de batata dulce (camote) precocida o cebollas. (Use un aerosol vegetal en una parrilla o un poquito de aceite de oliva para así evitar que se peguen).
- Beba jugo de verduras bajo en sodio.
- Pruebe un plato fuerte vegetariano por lo menos una vez a la semana. (Esto es lo que recomienda la Asociación del Corazón de los Estados Unidos).
- Agregue zanahoria rallada y *zucchini* a los panes sin levadura y a los *muffins*.
- Escoja comidas "para llevar" que incluyan verduras. A continuación ofrecemos algunas opciones:
    - hamburguesa regular con ensalada
    - *chili* vegetariano
    - sofrito de verduras al estilo asiático
    - sándwich (emparedado) de ensalada
    - pasta con salsa de tomate (jitomate)
    - pizza de verduras
    - papa rellena con frijoles (habichuelas), salsa y queso
    - una ensalada pequeña
    - carne y fajitas de verduras

- Si quiere una merienda que pueda preparar al momento, trate de tener a la mano tallos de apio, pimientos, zanahorias cambray, pepinos, jícama, brócoli, o tallos de coliflor, al igual que cerezas o tomates. Mójelos en un *dip* o en una salsa que sea baja en grasa.
- Pruebe una lasaña vegetariana.
- Todas las semanas, pruebe una verdura que nunca antes ha comido.

FORMAS FÁCILES DE COMER MÁS FRUTAS

La mayoría de las personas encuentran que las frutas son suficientemente dulces como para recomendárselas a sí mismos. Si usted tiene dificultad para consumir las porciones que debe consumir diariamente, siga estos consejos.

- Siempre incluya frutas (frescas, enlatadas, en jugo o secas) o con cereales para el desayuno con un valor bajo en el IG.
- Ponga fruta fresca por encima del yogur.
- Haga licuados o batidos de frutas frescas con leche.
- Agregue fruta a ensaladas frescas (ejemplos: manzanas, cítricos, uvas, fresas, peras).
- Use salsas de frutas en *omelettes*, así como con pescado o puerco, como aliño (aderezo) para una ensalada o como un *dip*.
- Cocine a fuego lento frutas frescas para hacer compota o para echarles a los panqueques o a los *waffles*.
- Para un almuerzo rápido, pruebe una manzana o una pera con un poco de queso y galletas integrales.
- Haga su propia mermelada con su fruta favorita que esté en temporada.
- Hornee, cocine en la parrilla o en el microondas frutas carnosas como manzanas o peras para preparar una merienda tibia.
- Para tener una merienda (refrigerio, tentempié) a la mano que es nutritiva y de valor bajo en el IG, lleve consigo al trabajo o en un viaje de negocios un poco de fruta fresca o bien unos cuantos albaricoques (damascos, chabacanos) secos.

■

Un caleidoscopio de colores y sabores

EL MUNDO de las frutas y las verduras es muy colorido. A continuación le damos algunos ejemplos de la amplia variedad de estos productos que usted puede disfrutar todos los días.

■

Verdes: verduras de ensalada, espárragos, brócoli, apio, pepino, habichuelas verdes (ejotes), col rizada, chícharos (guisantes), pimientos (ajíes, pimientos morrones), cebollines, espinacas, manzanas, higos, melón ambrosía, peras

Rojos: frijoles (habichuelas) colorados, pimientos, frijoles pintos, rabanitos, tomates (jitomates), manzanas, cerezas, peras, ciruelas, frambuesas, fresas

Blancos: coliflor, frijoles *cannellini*, cebollas

Anaranjados: zanahorias, pimientos, batata dulce, *squash*, albaricoques, cantaloup, mandarinas, naranjas (chinas), melocotones (duraznos)

Amarillos: maíz, *spaghetti squash*, plátanos amarillos (guineos, bananas), toronjas (pomelos), peras

Marrones: garbanzos, hongos, peras

Púrpuras: remolacha (betabel), zarzamoras, arándanos azules, higos, ciruelas

2. COMA PANES Y CEREALES INTEGRALES CON VALORES BAJOS EN EL IG

Los cereales, entre ellos arroz, trigo, avena, cebada y centeno, así como los productos que se confeccionan a partir de ellos (como por ejemplo, pan, pasta, cereal para el desayuno y distintos tipos de harinas) son las fuentes más concentradas de carbohidratos en nuestra dieta. De hecho, los carbohidratos constituyen entre un 50 y un 80 por ciento del peso de estos alimentos. (Compare esto con el contenido en carbohidratos de la fruta —aproximadamente de un 10 a un 15 por ciento— y de tubérculos como papas, que es aproximadamente de un 15 a un 20 por ciento). Debido a la cantidad notable de carbohidratos que hay en los cereales, lógicamente tienen un impacto importante en el valor de nuestra dieta en el IG.

Algunas personas quizás argumenten que la dieta humana empezó a decaer drásticamente a nivel nutricional durante la Revolución Industrial que dio lugar al refinamiento de los cereales y granos. Hasta ese tiempo, preparar cereales era bastante sencillo: simplemente se molían con piedras. Con este método, la mayoría de las veces los granos de los cereales permanecían intactos, lo que significa que se digerían y se absorbían lentamente. Nuestros ancestros ingerían la mayoría de los alimentos ricos en carbohidratos —entre ellos frutas, verduras, frijoles y cereales integrales, todos los cuales tienen valores bajos en el IG— en su estado natural con poco procesamiento.

En el siglo XIX la llegada de los molinos con rodillos de acero de gran velocidad hizo posible la confección de harinas blancas y sus derivados: panes tiernos, *donuts* y pasteles (bizcochos, tortas, *cakes*). Nuestra dieta occidental moderna tiende a basarse en estos carbohidratos que se digieren rápidamente, lo que da por resultado aumentos significativos en los niveles de glucosa y de insulina en nuestro cuerpo. Y la verdad es que la mayoría de nuestros cuerpos no han evolucionado con la capacidad de lidiar con estos aumentos. Por lo tanto, hoy en día muchos de nosotros padecemos afecciones como diabetes, enfermedades cardíacas y obesidad en proporciones epidémicas.

El impacto del IG en la salud es tan importante que tanto la Organización Mundial de la Salud como la Organización de Alimentos y Agricultura de las Naciones Unidas recomiendan que optemos por alimentos con valores bajos en el IG. Por este motivo, pensamos que los panes y los cereales con valores bajos en el IG son una parte crucial de una dieta realmente saludable.

Escoja panes y cereales que tengan valores bajos en el IG como:

- cereales para desayunar con valores bajos en el IG (basado en el salvado de trigo, el *psyllium* y la avena)

- panes integrales hechos de cebada, centeno, semillas de linaza, triti-cal (un híbrido de trigo y centeno), semillas de girasol, avena, soya y trigo molido
- productos de pasta en lugar de papas
- arroces con un valor bajo en el IG, como arroz blanco de grano largo y arroz integral

Aparte de tener un valor más bajo en el IG que los cereales refinados, los cereales integrales también son superiores a nivel nutricional, ofreciendo niveles más altos de fibra, vitaminas, minerales y fitoquímicos. Los estudios realizados indican que un consumo más alto de cereales integrales está relacionado con una incidencia reducida de sufrir cáncer y enfermedades cardíacas. Además, una encuesta a gran escala de mujeres posmenopáusicas mostró una relación clara entre su consumo de cereales integrales y su riesgo de morir de algunos tipos de enfermedades cardíacas. De hecho, el riesgo de morir de enfermedades cardíacas fue reducido en un tercio entre las mujeres que comían una porción o más de cereales integrales al día.

3. COMA MÁS LEGUMBRES (FRIJOLES, GUISANTES Y LENTEJAS) Y CONSUMA FRUTOS SECOS (EN PEQUEÑAS CANTIDADES) CON MÁS FRECUENCIA

Las legumbres, entre ellas las lentejas, los garbanzos, los frijoles *cannellini*, los frijoles de soya y los frijoles colorados, forman una parte importante de una dieta de valor bajo en el IG; le recomendamos que los coma por lo menos dos veces a la semana. También puede comer más legumbres si las incluye en las sopas, las ensaladas y las salsas.

Las legumbres cuentan con una concentración alta de nutrientes y aportan proteínas, hierro, zinc, calcio, folato y fibra soluble. También son una fuente excelente de fitoestrógenos como lignanos e isoflavonas. Estudios realizados indican que comer grandes cantidades de alimentos ricos en fitoestrógenos puede reducir el riesgo de sufrir varias enfermedades. Por ejemplo, la actividad de los lignanos y las isoflavonas pueden controlar algunos síntomas menopáusicos. Además, los lignanos y las isoflavonas cuentan con propiedades antivirales, antifúngicas, antibacterianas y anticancerígenas. Las flavonas también tienen propiedades antihipertensivas, antiinflamatorias y antioxidantes. Por su parte, los frijoles son ricos en folato, el cual disminuye el nivel de homocisteína en la sangre y reduce el riesgo de sufrir enfermedades cardíacas.

Además, las legumbres:

- son económicas
- son bajas en calorías
- están libres de grasa saturada y colesterol
- llenan

Los frijoles de soya son particularmente ricos en el ácido alfalinoleico o ALA (el precursor de los ácidos grasos omega-3 proveniente de las plantas), y también contienen genisteína, un fitoquímico anticancerígeno. Utilizar el *tofu* (un alimento hecho a base de frijoles de soya) es una forma fácil de incorporar la soya a su dieta. Tiene un sabor suave y tiende a absorber los sabores de otros alimentos, por lo que es delicioso cuando se adoba (marina) en salsa de soya, jengibre y ajo y se agrega a los sofritos al estilo asiático.

Las legumbres aportan carbohidratos y proteínas pero muy poca grasa. Son altas en fibra —tanto soluble como insoluble— y son una magnífica fuente de vitaminas. Aunque pueden durar mucho tiempo en sus paquetes, es mejor utilizar legumbres secas dentro de un año después de haberlas comprado. Los frijoles jóvenes se cocinan con más rapidez que los otros y tienen también colores más vivos.

Favorézcase con frutos secos

En una dieta mediterránea, se come frutos secos y semillas (almendras, nueces, semillas de calabaza y de girasol, *tahini* y garbanzos asados) una o dos veces a la semana. Las investigaciones indican que comer un puñado pequeño de frutos secos (1 onza/28 g) varias veces a la semana puede ayudar a reducir el colesterol y a disminuir los riesgos de sufrir un ataque al corazón. Los frutos secos son saludables porque:

- contienen muy poca grasa saturada (las grasas que contienen son mayormente mono o poliinsaturadas)
- aportan fibra dietética
- ofrecen vitamina E, un antioxidante que, según creen ciertos investigadores médicos, ayuda a prevenir enfermedades cardíacas

Las nueces y las pacanas también contienen algunas grasas omega-3, mientras que las semillas de lino (linaza) son muy ricas en lignanos, grasas omega-3 y estrógenos de plantas. Acabadas de moler las semillas de lino tienen un sutil sabor a frutos secos y son muy buenas para agregar al pan, a los *muffins*, a los *biscuits* y a los cereales.

Formas fáciles de comer frutos secos con mayor frecuencia

- Use frutos secos y semillas en la preparación de los alimentos: por ejemplo, use nueces de la India (anacardos, semillas de cajuil, castañas de cajú) tostadas o semillas de sésamo (ajonjolí) cuando sofría el pollo. Además, puede espolvorear frutos secos o nueces de pino por encima de una ensalada o agregar almendras a postres de frutas o al *granola*.
- Úntele al pan crema de cacahuate (maní), de almendra o de nueces de la India, en lugar de mantequilla o margarina.
- Espolvoree una mezcla de frutos secos molidos y semillas de lino en los cereales o en las ensaladas, o bien agréguelas a algunos alimentos horneados como los *muffins*.
- Coma frutos secos como merienda (refrigerio, tentempié). Aunque son altos en grasa, los frutos secos son un sustituto muy saludable para otras meriendas menos nutritivas y muy altas en grasa como las papitas fritas, el chocolate y las galletitas.

4. COMA MÁS PESCADO Y MARISCOS

Los estudios realizados vinculan el consumo semanal del pescado con un riesgo reducido de sufrir enfermedades coronarias. De hecho, tan sólo una porción de pescado a la semana puede disminuir el riesgo de sufrir un ataque al corazón en un 40 por ciento. Se teoriza que los componentes protectores del pescado sean ciertos ácidos grasos omega-3 que cuentan con cadenas moleculares largas: ácido eicosapentanoico (*EPA* por sus siglas en inglés) y ácido docosahexanoico (*DHA* por sus siglas en inglés). Ahora bien, nuestro cuerpo fabrica sólo pequeñas cantidades de estos ácidos, por lo que dependemos de fuentes dietéticas, en particular del pescado y de los mariscos, para obtenerlos. (Vea el Capítulo 4 para más información acerca de los beneficios de los ácidos grasos omega-3). La Asociación del Corazón de los Estados Unidos recomienda que los adultos estadounidenses coman pescado por lo menos dos veces a la semana.

Sin embargo, procure no cocer el pescado con un aceite que contenga grasa saturada. Es por esta misma razón que uno no puede contar el pescado de un restaurante de comida rápida como su porción semanal de este alimento: en tales lugares se tiende a freír los alimentos en aceites poco saludables. Lo mismo aplica al pescado congelado empanizado (empanado) que vende en el supermercado: este también se prepara con aceites de grasa saturada.

Últimamente ha habido cierta preocupación por los contenidos altos de mercurio en ciertos tipos de pescados y mariscos, entre ellos el pez espada, el tiburón, la langosta y el atún blanco (albacora). Nosotros estamos de acuerdo con la recomendación de la Dirección de Alimentación y Fármacos de los Estados Unidos: evite el consumo frecuente de estos pescados si está embarazada, piensa embarazarse o bien si está amamantando a un bebé.

¿Cuál tipo de pescado conviene más?

Las fuentes más ricas de ácidos grasos omega-3 son los pescados grasos, los cuales tienden a tener una carne más oscura y un sabor más fuerte a pescado. (No se preocupe por la palabra "grasos" utilizada para describir a estos pescados: 4 onzas del pescado más graso tiene más o menos la misma cantidad de grasa que 4 onzas de carne de res muy magra).

Salmón enlatado, sardinas, caballa y —en un grado menor— el atún, son todas fuentes muy ricas de los ácidos grasos omega-3. Busque el pescado enlatado que haya sido enlatado en agua o bien en aceites de soya, de *canola* o de oliva.

Los pescados frescos con niveles más altos de los ácidos grasos omega-3 son: el salmón del Atlántico y el salmón ahumado; la caballa del Atlántico, la del Pacífico y la española; el mújol; el atún de aleta azul del Sur y el pez espada. Los ostiones del Oriente y los del Pacífico, así como los calamares, también son fuentes ricas.

"¡Pero a mí no me gustan los pescados y los mariscos!"

Si no es muy amigo del pescado o de los mariscos, puede obtener ácidos grasos omega-3 de la carne de res magra. Si no quiere comer carne, de las plantas puede obtener un precursor químico de estos ácidos grasos. Este precursor es otro tipo de ALA, el ácido graso omega-3 que mencionamos en la página 134. Nuestros cuerpos pueden convertir el ALA en EPA y DHA. Ahora bien, toma unos 10 gramos de ALA para producir 1 gramo de EPA y DHA. Puede obtener ALA de los aceites de semillas de lino (linaza), de nuez, de *canola* y de soya. También hay cantidades pequeñas en nueces, semillas de lino, pacanas, frijoles de soya, frijoles horneados, germen de trigo, carnes magras y verduras de muchas hojas.

También puede incluir más ácidos grasos omega-3 en su dieta al tomar suplementos de pescado. Sin embargo, es poco probable que obtenga el beneficio completo de un consumo aumentado de los omega-3 sin cambiar su estilo de vida en otras formas, entre ellas hacer más ejercicio, seguir una dieta equilibrada alta en fibra pero baja en grasa y dejar de fumar. Seleccione el suplemento que ofrezca la cantidad más grande de EPA y DHA. Pero tenga cuidado: en una cápsula de 1.000 miligramos las cantidades de EPA y DHA pueden variar bastante. Busque un suplemento que incluya vitamina E, la cual ayudará a evitar que se oxiden los aceites de pescado.

¿Es el aceite de hígado de bacalao una fuente de ácidos grasos omega-3?

Si bien el aceite de hígado de bacalao contiene algunos ácidos grasos omega-3, lo contiene en cantidades bastante pequeñas. Este tipo de

aceite sí contiene cantidades grandes de las vitaminas A y D, dos vitaminas solubles en grasa que nuestro cuerpo almacena. Si usted tomara
suficiente aceite de hígado de bacalao como para cumplir con sus
necesidades de las omega-3, también excedería el consumo recomendado de las vitaminas A y D.

5. COMA CARNES MAGRAS Y LÁCTEOS BAJOS EN GRASA

Comer carnes magras y lácteos bajos en grasa es una forma excelente de
reducir la cantidad de grasa saturada en su dieta. Durante años los científicos han sabido que la grasa saturada aumenta los niveles de colesterol e incrementa el riesgo de sufrir un ataque al corazón. En años
recientes las investigaciones también han implicado este tipo de grasa
tanto en la resistencia a la insulina como en la obesidad. Quemamos la
grasa saturada con menor eficiencia que los otros tipos de grasa, por lo
que esta se tiende a almacenar más fácilmente. Por contraste, es más
probable que nuestro cuerpo utilice las grasas omega-3 como fuente de
energía en vez de almacenarlas.

Las grasas saturadas deben formar menos del 10 por ciento de nuestro consumo calórico diario. Para el adulto promedio que ingiere entre
1.800 y 2.100 calorías al día, esto significa consumir aproximadamente
20 gramos de grasa saturada a diario. Por desgracia, para muchas personas, el mensaje "evite la grasa saturada" se convirtió en "evite la carne
de res y los lácteos", lo cual eliminó dos fuentes principales de hierro y
de calcio de sus dietas. Si bien es cierto que estos dos grupos alimenticios podrían contribuir grasa saturada a nuestras dietas, evitarlos no dará
por resultado una dieta más saludable.

Recomendamos comer carnes magras dos o tres veces a la semana y
que las acompañe con ensalada y verduras. Quite toda la grasa visible
de la carne, en particular de la carne de cerdo. También quite el pellejo
(y la grasa que se encuentra justo debajo de este) del pollo. La carne de
caza como el conejo y el venado no sólo son magras, sino que también
son buenas fuentes de ácidos grasos omega-3. También lo son las
vísceras como el hígado y los riñones. Además, sustituir los lácteos altos
en grasa con las variedades bajas en grasa lo ayudará a reducir su consumo de grasa saturada.

La mayoría de la grasa saturada que consumimos hoy en día proviene de los alimentos preempaquetados y de la comida rápida; de hecho, muchos restaurantes de comida rápida cocinan con aceites muy saturados. Hasta que estos restaurantes hagan un esfuerzo por reducir la cantidad de grasa saturada en sus productos, lo mejor es comer tan poca comida rápida como sea posible.

El lugar que ocupan los huevos y otros alimentos ricos en colesterol en una dieta saludable

Antes pensábamos que comer alimentos altos en colesterol como los huevos, los camarones y otros crustáceos aumentarían nuestros niveles de colesterol en la sangre. Ahora sabemos que el hígado compensa el aumento en el consumo del colesterol al reducir la producción de este. (Sin embargo, hay un pequeño porcentaje de personas que han heredado una enfermedad llamada hipercolesterolemia familiar que impide esta autorregulación del colesterol). Esto significa que usted podría comer un huevo a diario, por ejemplo, sin dañar su corazón. Para aumentar su consumo de ácidos grasos omega-3 le recomendamos que coma huevos enriquecidos con omega-3 (si acaso puede conseguirlos), los cuales tienen seis veces más ALA y DHA que los huevos regulares. Estos huevos enriquecidos se producen al alimentar a las gallinas con una dieta que es naturalmente rica en grasas omega-3, la cual incluye colza y semillas de lino (linaza).

6. USE ACEITES MONOINSATURADOS ALTOS EN ÁCIDOS GRASOS OMEGA-3 COMO ACEITE DE OLIVA, DE CACAHUATE Y DE *CANOLA*.

Los siguientes aceites son ricos en ácidos grasos monoinsaturados, los cuales deberían aportarnos la mayoría de la grasa en nuestra dieta.

El aceite de oliva ha formado durante miles de años una parte esencial de la dieta del Mediterráneo y del Medio Oriente, y es reconocido como una alternativa muy saludable a otras grasas y aceites, ya que es alto en grasas monoinsaturadas y bajo en las saturadas. Su mínimo contenido de grasas poliinsaturadas es también una ventaja, dado que le permite a nuestro cuerpo aprovechar las grasas omega-3 que obtenemos de otras fuentes dietéticas, sin ninguna competencia de las grasas poliinsaturadas omega-6. El aceite de oliva tiene también otras virtudes: es rico en antioxidantes y en una sustancia antiinflamatoria llamada *squalene*, además de que retrasa la formación de coágulos sanguíneos y reduce el colesterol.

El aceite de cacahuate es un aceite multiusos con un sabor suave. Se oxida lentamente y resiste altas temperaturas de cocción. Alrededor del 50 por ciento de la grasa en el aceite de cacahuate (maní) es grasa monoinsaturada, y el otro 30 por ciento es poliinsaturada. Este aceite tan saludable para el corazón se utiliza mucho en la cocina asiática.

El aceite de *canola*, además de ser alto en grasa monoinsaturada, contiene cantidades significativas de ALA, la forma de grasa poliinsaturada omega-3 proveniente de plantas. (El aceite de *canola* contiene aproximadamente 2 gramos de ALA por cucharada). Puede comprar margarinas hechas de aceite de *canola* y de oliva en los supermercados; entre las marcas de estas están *Take Control, Smart Beat, Benecol* y *Lee Iacocca's Olivio Premium Spread.*

El aceite de semillas de lino (linazas) es la fuente más rica de ALA (una cucharada contiene aproximadamente 9 gramos) y contiene muy poca grasa omega-6. Sin embargo, este aceite es muy propenso a oxidarse, lo que quiere decir que las grasas que contiene se vuelven rancias con gran rapidez. Por esta razón, sugerimos las semillas de lino como una fuente de ALA en lugar del aceite de estas.

Las semillas de lino (linazas), aunque no se utilizan comúnmente, son una fuente excelente de ácidos grasos omega-3. Cuando están frescas, su sabor es dulce y recuerda ligeramente a los frutos secos. No obstante, su sabor se deteriora y desaparece con gran rapidez, haciendo que sepan amargas y desagradables. Una cucharada de aceite de semillas de lino o dos cucharadas de semillas de lino, tomadas a diario, le aportan una dosis excelente de ácidos grasos omega-3. Tanto en forma de aceite como en su estado natural las semillas de lino aportan una pizca de sabor saludable cuando se agregan a los cereales, a las ensaladas, a los panes, a los *muffins* y a las galletitas.

Los aceites prensados en frío están entre los que han pasado por un procesamiento mínimo. Las últimas investigaciones realizadas sugieren que estos aceites quizás sean mejores para el corazón, ya que son más ricos en compuestos antioxidantes llamados polifenoles. "Prensado en frío" significa que el aceite se extrae de la semilla o del fruto seco sólo mediante presión mecánica, sin utilizar ni calor ni solventes. Los aceites prensados en frío tienen un color y un sabor más fuerte que sus homólogos prensados de otras maneras, y también son mucho más ricos en vitamina E (un conservante natural presente en los aceites) y en otros antioxidantes. Por ejemplo, el aceite de oliva extra virgen —el aceite de más calidad fabricado a partir del primer prensado en frío de las aceitunas— contiene de 30 a 40 antioxidantes. Es de color oscuro y tiene un sabor fuerte.

Aceites ligeros y extra ligeros son de color claro y tienen un sabor suave. Sin embargo, los términos *"light"* (ligero) y *"extra light"* (extra ligero) no significan que estos tipos de aceite sean más bajos en grasa que cualquier otro tipo.

Vinagre

Estudios recientes han demostrado que consumir vinagre o jugo de limón con la comida puede bajar notablemente el nivel de glucosa en la sangre. Una cantidad tan pequeña como una cucharada de vinagre en un aliño (aderezo) de vinagreta con una comida normal bajó el nivel de glucosa en la sangre hasta en un 30 por ciento. El efecto parece estar vinculado a la acidez del alimento, la cual puede extender el tiempo que los alimentos permanecen en el estómago y retrasar la digestión de los carbohidratos. Ciertos estudios mostraron el mayor efecto con vinagre de vino tinto y jugo de limón, pero hemos usado una variedad de vinagres en las recetas de este libro. Algunos de los tipos favoritos de vinagre son:

Vinagre balsámico: rico y oscuro, hecho de vino dulce añejado en barriles de madera. Tiene un sabor dulce y fuerte.

Vinagre de vino: hecho de uvas rojas o blancas con frecuencia se utiliza para preparar aliños (aderezos). A menudo se saboriza con hierbas como el estragón.

Vinagre de vino de arroz: un vinagre de sabor suave, destilado del arroz fermentado.

EL ABECEDARIO DE LOS ALIMENTOS

En esta sección destacamos una gran variedad de alimentos que pueden integrarse a una dieta cuando uno quiere adelgazar con azúcar. Estos alimentos tienen un sabor y un valor nutricional óptimos.

Aceite de oliva. El aceite de oliva extra virgen, rico en grasas monoinsaturadas y antioxidantes, es la base perfecta para un aliño de vinagreta, adobos (marinados) y platos mediterráneos.

Asar a la parrilla. Asar a la parrilla es un excelente método de cocinar con poca grasa (¡pero tenga cuidado de que no se le queme la carne!). Con este método se puede cocinar rápidamente cortes magros de carne, pollo y pescado. Adobar (marinar) la carne primero o rociar mientras se cocina aumentará el sabor y la humedad y hará que esta quede más suave.

Caldo. Haga un caldo de verduras, carne, pollo o pescado. Prepárelo con anticipación, guárdelo en el refrigerador y después quite la grasa acumulada en la superficie. Los supermercados venden caldos preparados en envases de cartón, en cubitos y en polvo. Busque las marcas de sodio reducido.

Carne. La carne magra es la mejor fuente de hierro (el nutriente que transporta el oxígeno en la sangre), por lo que sugerimos consumirla por lo menos dos o tres veces a la semana. Es importante que se le quite a la carne toda la grasa visible antes de cocinarla, y que las porciones sean moderadas.

Cereales integrales. Estos incluyen la cebada, el trigo *bulgur* (trigo quebrado), el maíz (elote, choclo), la avena, el arroz y el trigo. La mayor parte de los cereales integrales tiene un valor en el IG más bajo que los refinados, y también son superiores desde el punto de vista nutricional, ya que contienen niveles más altos de fibra, vitaminas, minerales y fitoestrógenos. Comer una o más raciones de cereales integrales al día está relacionado con mejorías en la sensibilidad a la insulina y un riesgo disminuido de padecer cáncer o enfermedades cardíacas.

Cero grasa. Esta cantidad no es saludable, de manera que debe aprender a consumir la cantidad exacta que necesita. El cuerpo necesita ácidos grasos esenciales que no se pueden sintetizar, y usted debe obtenerlos de la dieta. La grasa agrega sabor, así que al cocinar use grasas monoinsaturadas como el aceite de oliva, el aceite de *canola* y el aceite de semillas de lino (linazas).

Conserve frascos de ajo picado, chile (ají o pimiento picante) y jengibre en el refrigerador para sazonar su comida en un santiamén.

Crema y crema agria. Use sólo pequeñas cantidades de estas, ya que tienen un contenido alto de grasa saturada. Se puede echar un envase de 8 onzas (240 ml) de crema en bandejas para cubitos de hielo y congelarla, de modo que pueda usar una pequeña cantidad de crema cuando le haga falta. Agregar un cubito de hielo (alrededor de ⅔ de onza) de crema a un plato agrega 7 gramos de grasa. También puede probar una crema ligera o una crema agria de grasa reducida; incluso la leche evaporada baja en grasa es una maravillosa alternativa para preparar los platos de pasta con crema.

Frijoles (habichuelas) secos, chícharos (guisantes) y lentejas. Todos estos tienen valores bajos en el IG y son muy nutritivos. Agréguelos a una receta, quizá como una sustitución parcial de la carne, y pruebe un plato vegetariano (como *curry* con garbanzos, *hummus*, sopa de lentejas rojas, burritos mexicanos o una ensalada de frijoles) por lo menos una vez a la semana. Actualmente se puede conseguir una gran variedad de frijoles, garbanzos y lentejas enlatados. Son fáciles de usar y ahorran tiempo.

Frutos secos. Las investigaciones indican que las personas que comen frutos secos con frecuencia tienen un menor riesgo de sufrir un ataque cardíaco. Los frutos secos tienen un contenido alto de grasas poliinsaturadas y monoinsaturadas, vitamina E y fibra. Espolvoree frutos secos sobre el cereal del desayuno, la ensalada o un postre, y disfrute una merienda de frutos secos sin sal ocasionalmente. También agregue "nueces" de soya (frijoles de soya tostados) o Garbancitos picantitos (vea la receta en la página 228) a una combinación de frutos secos.

Grasas insaturadas. Son saludables, pero consúmalas con moderación. Evite las grasas saturadas que se encuentran en las comidas rápidas fritas y en los productos panificados. Disfrute las grasas monoinsaturadas en los aguacates (paltas) y en los aceites de oliva y de *canola*.

Helado. Una fuente de carbohidratos, calcio, riboflavina, retinol y proteínas. Las variedades altas en grasa tienen los menores valores en IG pero no vaya a pensar que debido a esto le conviene comerlas. Es mejor escoger una variedad baja en grasa.

Hierbas. Las hierbas frescas se cultivan con facilidad en la casa, en macetas o en jardines, y actualmente se venden en la mayoría de los supermercados, y en realidad no hay nada que pueda sustituir el sabor que dan.

Huevos. Aunque la yema tiene un contenido alto de colesterol, la grasa en los huevos es principalmente monoinsaturada y no le hará daño comerse un huevo a diario si intenta adelgazar con azúcar. Para aumentar su consumo de ácidos grasos omega-3, sugerimos que use huevos enriquecidos con estos.

Jugo de limón. Eche una rodaja con pimienta negra a las verduras en vez de mantequilla. El jugo de limón crea una acidez que extiende el tiempo que los alimentos permanecen en el estómago y baja el valor en el IG de una comida.

Manzanas. Las manzanas son una fruta muy popular entre los estadounidenses y, como todas las frutas, son una excelente merienda (refrigerio, tentempié) con un valor bajo en el IG. En un extenso estudio de personas con diabetes del tipo I, las que comieron la mayor cantidad de manzanas tuvieron los niveles más bajos de hemoglobina glucosilada (una de las mejores mediciones del control de la diabetes). Trate de comer por lo menos dos raciones de fruta todos los días.

Mermelada. Una cucharada de mermelada en una tostada contiene una cantidad mucho menor de calorías que untar ligeramente mantequilla o margarina a una tostada.

Pasta. Un alimento que se puede comer todas las veces que se desee; sólo recuerde que las porciones deben ser moderadas. Es fácil preparar la pasta, tanto fresca como seca. Sólo tiene que hervirla en agua hasta que esté suave o al punto, escurrirla, y agregarle *pesto*, salsa de tomate, queso parmesano, pimienta y aceite de oliva. La pasta es un carbohidrato rico en vitaminas del complejo B.

Pescado. El pescado y los mariscos son en general una opción saludable, pero el salmón, las anchoas, la caballa, la trucha, el arenque y las sardinas son los más ricos en los beneficiosos ácidos grasos omega-3. Coma pescado por lo menos una vez a la semana.

¿Preguntas? Pídale a su dietista más ideas para recetas. (Vea en la página 24 las indicaciones para buscar a un dietista).

Queso. Con un 30 por ciento de grasa (la mayor parte saturada), el queso puede agregar mucha grasa a una receta. Aunque hay varios quesos con un nivel reducido de grasa, algunos pueden perder mucho sabor a cambio de una pequeña reducción en el contenido de grasa. Vale la pena comparar el contenido de grasa por onza entre distintas marcas para encontrar la más sabrosa con el menor contenido de grasa. También se puede espolvorear un queso rallado de gran sabor, como el parmesano, en los platos.

El queso *ricotta* parcialmente descremado y el requesón al 2 por ciento tienen entre un 25 y un 50 por ciento menos de grasa. Pruébelos en un sándwich (emparedado). Sólo agregan un poquito de grasa. Vale la pena probar un queso *ricotta* fresco de una salchichonería (salsamentaria, charcutería, *delicatessen*): quizás su textura y sabor son más aceptables que los del tipo que se vende envasado en el supermercado. Pruebe el queso *ricotta* en la lasaña en vez de usar una salsa blanca cremosa. Por su parte, los requesones condimentados son ingredientes bajos en grasa ideales para untar a las galletas.

Tocino. El tocino es un ingrediente que aporta buen sabor a muchos platos. La mejor manera de usar el tocino es quitándole toda la grasa y cortándolo en tiras finas. El jamón magro es con frecuencia una alternativa más económica que cuenta con menos grasa. En las cacerolas (guisos) y sopas, un hueso de jamón o tocino agrega un sabor exquisito sin añadir mucha grasa.

Tomates. Los tomates (jitomates) y las salsas de tomate se pueden usar con gran versatilidad. Tienen un valor bajo en IG y son ricos en el licopeno, una forma de vitamina A que también sirve como antioxidante.

Vinagre. Un aliño (aderezo) de vinagreta (una cucharada de vinagre y dos cucharaditas de aceite) en la ensalada puede bajar la respuesta de glucosa en la sangre a la comida completa hasta en un 30 por ciento. Los mejores tipos de vinagre para este fin son los que se elaboran con vino tinto o vino blanco. O bien puede usar jugo de limón.

Vino tinto. Se ha descubierto que el vino tinto, parte tradicional de la dieta mediterránea, protege al corazón cuando se consume con moderación. Esto significa no más de 5 a 10 onzas (150 a 300 ml) al día, preferiblemente a la hora de comer. El vino también da un gran sabor a las comidas.

Yogur. El yogur es un alimento valioso en muchos sentidos. Es una fuente excelente de calcio, de bacterias beneficiosas para el intestino, de proteínas y de riboflavina. A diferencia de la leche, es adecuado para los que tienen intolerancia a la lactosa. El yogur natural bajo en grasa es un sustituto ideal para la crema agria. Si usa yogur en una salsa caliente o en una cacerola, agréguelo en el último momento y no lo deje hervir, para que no cuaje. Es mejor que el yogur esté a temperatura ambiente antes de agregarlo a un plato caliente. Para lograrlo, mezcle una pequeña cantidad de yogur con un poco de salsa del plato y revuelva la mezcla con el resto de la salsa.

■

Sugerencias para surtir su despensa

PARA facilitar sus elecciones alimenticias de acuerdo con el IG, debería surtirse de los alimentos adecuados. A continuación ofrecemos algunas sugerencias sobre lo que debe tener en la despensa (alacena), en el refrigerador y en el congelador.

➡ Lo que debe tener en la despensa

Copos de avena: además de usarla en la harina, puede agregar avena a postres, pasteles (bizcochos, tortas, *cakes*), panes y galletitas

Arroz: *basmati* o arroz de grano largo de la marca *Uncle Ben's® Converted® Long Grain Rice*

Pasta seca: tipo corto o largo, como espaguetis, *fettucine* y espirales o macarrones

Fideos secos

Cúscus: se preparan en cuestión de minutos; se sirve con cacerolas, guisos (estofados) o sofritos

Legumbres secas: lentejas rojas partidas, por ejemplo, que sólo tardan 20 minutos en cocinarse; otros ejemplos son lentejas pardas, chícharos o garbanzos

Legumbres enlatadas: frijoles colorados, frijoles mixtos, frijoles guisados en salsa de tomate, frijoles pintos, habas blancas y garbanzos

Verduras enlatadas: las habichuelas verdes (ejotes), los tomates (jitomates), los espárragos, las zanahorias y los hongos enlatados siempre vienen bien para aumentar el contenido de verduras de una comida

Pescado enlatado: atún, masa de cangrejo y sardinas en agua de manantial; salmón

Pasta de tomate: úsela en sopas, salsas y cacerolas, más salsas de pasta de tomate en tarros

Verduras embotelladas: conviene tener tomates secados al sol, berenjenas o pimientos asados, alcachofas aliñadas y hongos como sabrosas adiciones a pastas y panes

Caldo preparado: los caldos de carne, pollo o verduras vienen en forma líquida, en cubitos y en polvo, naturales o bajos en sodio

Frutas secas: albaricoques (chacabanos, damascos) secos, mezcla de frutas, pasas, ciruelas, cerezas y bayas

Frutas enlatadas sin edulcorante: melocotones (duraznos), peras, compota de manzana

Leche descremada evaporada enlatada: es excelente para preparar una salsa cremosa para pasta

Aceites: el de *canola* para uso general, el aceite de oliva extra virgen para aliños (aderezos) de ensaladas y el aceite de sésamo (ajonjolí) o de cacahuate (maní) para hacer sofritos al estilo asiático

Pimienta negra

Mostaza: la mostaza, con semillas o integral, es útil para pastas de sándwich (emparedado), aliños y salsas

Salsas asiáticas: la salsa *hoisin* (una salsa asiática picante), la de ostras (ostiones), de soya y de pescado

Vinagre: el vinagre de vino blanco, el de vino tinto y el balsámico son excelentes para las ensaladas

Pastas de *curry*: una cucharada crea una deliciosa base de *curry*

Miel: se puede usar en lugar del azúcar de mesa; mantiene húmedos los productos panificados

Hierbas y especias: el orégano, la albahaca, el tomillo, el perejil, el romero, la mejorana, el jengibre, el ajo y el chile se suelen usar frescos o secos; el comino, la cúrcuma (azafrán de las Indias), la canela y la nuez moscada en polvo deben comprarse en pequeñas cantidades, ya que pierden sabor con el tiempo y el almacenamiento indebido

Alcaparras, aceitunas y boquerones: se pueden comprar en frascos y guardarlas en el refrigerador después que se han abierto; son adiciones sabrosas (pero no saladas) a platos a base de pasta, ensaladas, salsas y pizzas

▶ *Lo que debe tener en el refrigerador*

Leche: descremada o al 1 por ciento

Yogur: sin grasa o bajo en grasa, natural y con frutas

Huevos: orgánicos certificados o enriquecidos con ácidos grasos omega-3

Queso: el *mozzarella* ligero rallado viene bien con un sándwich (emparedado) tostado o espolvoreado sobre un plato horneado; un queso parmesano es indispensable para rallar sobre pasta y durará meses en el refrigerador; el queso *ricotta* y el requesón de grasa reducida duran menos, así que es mejor comprarlos cuando se vayan a usar

Pasta o fideos frescos: son perfectos para preparar una comida en un dos por tres

▶ *Lo que debe tener en el congelador*

Helado bajo en grasa: siempre es ideal para un postre rápido, servido con frutas frescas

Espinacas: son excelentes para agregar a las pastas

Frijoles enlatados: se pueden agregar a platos de *curry* y sofritos

Chícharos y maíz: convenientes para agregar a una comida de preparación rápida

Bayas: le dan un toque especial a cualquier postre

■

GUÍA GLUCÉMICA DE ALIMENTOS QUE LO AYUDARÁN
A ADELGAZAR CON AZÚCAR

Use esta guía para identificar rápidamente alimentos con valores bajos en el IG y descubrir sus otros beneficios nutricionales.

Panes

Aunque ningunas de las siguientes marcas de panes integrales se han analizado específicamente para determinar sus valores en el IG, es probable que estos sean más bajos que el del pan común. También ofrecen los beneficios nutricionales de cualquier alimento integral.

Alvarado Farms 100% Sprouted Wheat
Arnold Stoneground 100% Whole Wheat
Martins Dutch Country 100% Stoneground Whole Wheat Sandwich Roll
Pepperidge Farm Sprouted Wheat™
Pritikin Whole Grain Whole Wheat Rye™
Shiloh Farms Cracked Wheat, 100% Whole Grain Wheat
Taystee 100% Stoneground Whole Wheat
Toufayan 100% Whole Wheat Pita
Vermont Bread Company 100% Whole Wheat, Alfalfa Sprouts, Sprouted Wheat

Pan árabe (valor de 57 en el IG). Un estudio canadiense determinó que este pan ácimo plano —también conocido como pan de *pita*— tiene un valor en el IG ligeramente menor que el del pan corriente. Se vende en los supermercados en paquetes de hogazas redondas y planas.

Pan integral de centeno (valor de 41 en el IG). También conocido como pan de grano de centeno porque la masa de que está hecho contiene entre el 80 y el 90 por ciento de granos de centeno integral. Tiene un sabor fuerte y generalmente se vende cortado en rebanadas finas. Como no se hace con harina fina, su valor en el IG es mucho menor que el del pan común. Se vende en supermercados y salchichonerías (salsamentarias, charcuterías, *delicatessens*).

Comidas para desayunar

Avena. Los valores en el IG publicados oscilan entre 42 (bajo) y 75 (alto) para las avenas de preparación rápida. El corte adicional de los copos de avena para producir avenas de preparación rápida probablemente incrementa la velocidad de la digestión, lo que le da un valor más alto en el IG.

Cereales para desayunar. El alto grado de cocción y procesamiento de los cereales comerciales para desayunar suele facilitar la digestión de las féculas que contienen, lo cual les da un valor más alto en el IG. Los cereales menos procesados (*muesli*, copos de avena) suelen tener valores en el IG más bajos. La marca *All-Bran*™ y sus variedades (con un valor en el IG de entre 30 y 51), la marca *Frosted Flakes*™ (con un valor en el IG de 55), la marca *Kellogg's Complete*™ (con un valor en el IG de 48), el *muesli* (con un valor en el IG de 39–55), el salvado de avena (con un valor en el IG de 55) y el salvado de arroz (con un valor en el IG de 19), todos tienen valores bajos en el IG.

Lácteos

Flan (valor de 35 en el IG). Hecho con leche, proporciona calcio, proteínas y vitaminas del complejo B, además de un poco de azúcar y sabor a vainilla. También sirve para espesar féculas.

Helado (valor de 36–80 en el IG). Busque las variedades bajas en grasa. La mayoría de los lácteos tienen valores en el IG muy bajos. Cuando comemos lácteos, en el estómago se forma una cuajada de proteínas y se extiende el tiempo que los alimentos permanecen en el estómago. Esto tiene el efecto de retrasar la absorción y bajar el valor de estos alimentos en el IG.

Leche (valor de 31 en el IG). La lactosa, la glucosa que se produce naturalmente en la leche, es un disacárido que debe descomponerse en los azúcares que lo integran antes de la absorción. Los dos azúcares que se producen, la glucosa y la galactosa, compiten entre sí en absorción, lo cual retrasa la absorción y baja su valor en el IG. La presencia de proteínas y grasas en la leche también baja su valor en el IG.

Yogur (valor de 14–36 en el IG). Un lácteo concentrado que se agria por el uso de una bacteria específica. Todas las variedades del yogur tienen un valor bajo en el IG, incluidas las que contienen azúcar. Las marcas edulcoradas artificialmente tienen un valor más bajo en el IG y contienen menos calorías.

Frutas

Albaricoques (valor de 64 en el IG, enlatados; 30, secos). Los albaricoques (chabacanos, damascos) son una excelente fuente de betacaroteno, y los secos en particular tienen un alto contenido de potasio. Igual que las manzanas, tienen un elevado contenido de fructosa (5 por ciento), lo que baja su valor en el IG.

Cerezas (valor de 22 en el IG). El valor en el IG de las cerezas se basa en las cerezas europeas. Otras cerezas pueden tener un valor más alto en el IG.

Ciruelas (valor de 39 en el IG). El valor en el IG de las ciruelas proviene de un estudio europeo. En general, las ciruelas pueden contener una mezcla de partes más o menos iguales de glucosa, fructosa y sucrosa. Mientras más alta sea la concentración de azúcares, más tiempo permanecen los alimentos en el estómago, y por lo tanto la absorción es más lenta. Esta puede ser la causa de su valor bajo en el IG.

Jugo de manzana (valor de 40 en el IG). La principal azúcar que se produce en las manzanas es la fructosa (un 6,5 por ciento), que tiene un valor en el IG bajo. Se sabe que la alta concentración de azúcares extiende el tiempo que los alimentos permanecen en el estómago, de ahí el retraso en la absorción y el valor bajo de este jugo en el IG.

Jugo de piña (valor de 46 en el IG). El jugo de piña (ananá) principalmente contiene sucrosa (un 8 por ciento).

Kiwi (valor de 58 en el IG). El kiwi contiene proporciones iguales de glucosa y fructosa y un alto grado de acidez, todo lo cual contribuye a darle un valor razonablemente bajo en el IG. También es una fuente excelente de vitamina C; un solo kiwi proporciona el consumo total diario recomendado.

Manzanas (valor de 38 en el IG). Son fáciles de incorporar a la dieta. Las manzanas cuentan con un valor bajo en el IG y cada una agregará unos 3 gramos de fibra a su dieta. También tienen un contenido alto de pectina, lo que baja su valor en el IG.

Melocotones (valor de 42 en el IG cuando frescos y de 52 cuando vienen enlatados en sirope ligero). La mayor parte del azúcar en los melocotones (duraznos) es sucrosa (un 4,7 por ciento). Otros aspectos, como su contenido ácido y de fibra, pueden causar su bajo valor en el IG.

Naranjas (valor de 42 en el IG). Conocidas como una buena fuente de vitamina C, la mayor parte del contenido de azúcar de las naranjas (chinas) es la sucrosa. Esto, junto con su elevado contenido ácido, probablemente contribuya a su valor bajo en el IG.

Pasas (valor de 64 en el IG). Las pasas son menos ácidas que las uvas, lo cual puede causar que su valor en el IG sea más alto, ya que los aumentos en la acidez están relacionados con valores más bajos en el IG.

Peras (valor de 38 en el IG cuando frescas y de 43 cuando vienen enlatadas) Otra fruta con un alto contenido de fructosa (un 7 por ciento), lo cual causa que tenga un valor bajo en el IG.

Toronja (valor de 25 en el IG). El bajo valor en el IG de la toronja (pomelo) quizá se deba a su alto contenido ácido, lo cual retrasa la absorción en el estómago.

Uvas (valor de 46 en el IG). Una combinación en partes iguales de fructosa y glucosa y un alto contenido ácido son característicos de las frutas con un valor bajo en el IG. Las uvas son un buen ejemplo.

Cereales

Alforfón (valor de 54 en el IG). El alforfón (trigo sarraceno, *buckwheat*) se vende en tiendas de productos naturales y en algunos supermercados. Se puede cocinar como un cereal para desayunar o hervirse y servirse con verduras en lugar de arroz. También se puede moler y usar como harina para hacer panqueques. El alforfón en esta forma debe de tener un valor más alto en el IG que en su forma integral.

Arroz *basmati* (valor de 58 en el IG). Tiene un bajo valor en el IG, atribuible a su alto contenido de amilosa, un tipo de fécula. A la venta en los supermercados.

Arroz parcialmente cocido (valor de 38–87 en el IG). Este tipo de arroz se coloca en agua caliente y se hierve antes de secarlo y molerlo. Los nutrientes de la capa de salvado quedan retenidos en el grano, y el producto cocinado queda menos pegajoso. Algunos estudios han hallado que el arroz parcialmente cocido tiene un valor en el IG más bajo que el de los arroces que no se precocinan. El factor determinante del valor del arroz en el IG es el tipo de almidón presente en el grano.

Avena. Vea "Avena" bajo "Cereales para desayunar" en la página 150.

Cebada (valor de 25 en el IG). La cebada "perlada", a la que se le remueve las capas pardas exteriores, es la que más se usa. Tiene un alto contenido de fibra soluble, lo que probablemente cause su valor bajo en el IG. A la venta en los supermercados.

Salvado de arroz (valor de 19 en el IG). El salvado de arroz, rico en fibra (la cual constituye un 25 por ciento de su peso) y aceite (el cual constituye un 20 por ciento de su peso), tiene un valor muy bajo en el IG. Se vende en la sección de cereales de los supermercados y en las tiendas de productos naturales.

Salvado de avena (valor de 55 en el IG). El salvado de avena sin procesar (*unprocessed oat bran*) se puede encontrar en la sección de cereales de los supermercados o bien envuelto en bolsas plásticas en las tiendas de productos naturales. Su contenido de carbohidratos es menor que el de los copos de avena y es mayor en fibra, sobre todo fibra soluble, lo que probablemente cause su bajo valor en el IG. Este producto suave es útil como sustituto parcial de la harina en productos panificados para bajar el valor en el IG.

Trigo *bulgur* (valor de 48 en el IG). Se hace moliendo trigo previamente cocinado y seco. Es conocido como uno de los ingredientes principales del *tabbouleh*, una ensalada mediterránea. La forma física intacta del trigo contribuye a su valor bajo en el IG.

Trigo de cocción rápida (valor de 54 en el IG). Los granos de este tipo de trigo integral se han tratado físicamente para reducir el tiempo de cocción. Este trigo de cocción rápida se usa con frecuencia como sustituto del arroz. La estructura de los granos que componen este tipo de trigo también sirve de barrera, por lo que es menos digerible y por tanto tiene un valor más bajo en el IG.

Uncle Ben's® Converted® Long Grain Rice (valor de 44 en el IG). El arroz *"converted"* (cocido a medias) sólo es superado por el arroz integral en su calidad nutricional. Además, su alto contenido de amilosa (un tipo de fécula) hace que tenga un bajo valor en el IG. Use arroz convertido del mismo modo que usaría otros tipos de arroz.

Legumbres

Legumbres (valor de 10–70 en el IG). Este grupo comprende a los chícharos (guisantes), los frijoles (habichuelas) y las lentejas secas; la mayoría tiene un valor de 50 o menos en el IG. Las variedades enlatadas tienen un valor en el IG ligeramente superior que las cocinadas en casa, debido a la temperatura mayor durante el procesamiento.

Frijoles de soya (valor de 14–20 en el IG). Tienen uno de los valores en el IG más bajos, debido posiblemente a su mayor contenido de proteínas y grasas. Su fibra viscosa, como en otras legumbres, reduce la acción de las enzimas digestivas sobre el almidón.

Frutos secos

Frutos secos. Contienen una cantidad relativamente baja de carbohidratos, de manera que no tienen valores en el IG. Las nueces de la India (anacardos, semillas de cajuil, castañas de cajú) son la excepción, y sólo tienen un valor de 22 en el IG. En promedio la mayoría de los frutos secos consisten en un 50 por ciento de grasa, pero es mayormente grasa saludable, de las variedades monoinsaturada y poliinsaturada. Las investigaciones indican que comer un puñado de frutos secos sin sal (una onza) en la mayoría de los días de la semana reduce el colesterol y el riesgo de sufrir un ataque cardíaco.

Los **cacahuates** (valor de 14 en el IG) no son frutos secos, sino legumbres. El cacahuate (maní) contiene un 25 por ciento de carbohidratos pero tiene un efecto mínimo en el nivel de glucosa en la sangre.

Pasta

Espaguetis cocidos (valor de 38 en el IG). Aunque las pastas frescas y secas tienen valores bajos en el IG, este no es el caso de los espaguetis enlatados, que se hacen generalmente de harina, no de la sémola, la cual es alta en proteínas. Además, se cocinan mucho. Ambos factores probablemente sean responsables de su alto valor en el IG.

Pasta (valor de 32–78 en el IG). La pasta se hace de sémola de trigo duro con un alto contenido proteínico, lo cual produce una masa firme. Las interacciones entre las proteínas y los almidones y una perturbación mínima de los gránulos del almidón durante el procesamiento contribuyen a bajar el valor en el IG de este alimento. Hay ciertas pruebas de que la pasta más gruesa tiene un valor en el IG más bajo que los tipos más finos.

Verduras

La mayoría de las verduras son bajas en carbohidratos, lo que hace que su valor en el IG sea *inexistente*. Aun las que tienen un valor en el IG tienen poco efecto en el nivel de glucosa en la sangre en las cantidades que se suelen comer.

Batata dulce (valor de 44 en el IG). Las batatas dulces (camotes) pertenecen a una familia de plantas distinta de las papas blancas corrientes, y se encuentran principalmente en color blanco o amarillo naranja. Su sabor dulce proviene de su alto contenido de sucrosa. La batata dulce es rica en fibra. Tiene un valor en el IG más bajo que los de las variedades corrientes de papa.

Chícharos (valor de 48 en el IG). Los chícharos (guisantes) tienen un alto contenido de fibra y también un contenido de proteínas más alto que la mayoría de las verduras. Las interacciones entre las proteínas y los almidones pueden ser la causa de su bajo valor en el IG. También tienen en promedio un 4 por ciento de sucrosa, que les da un sabor dulce.

Maíz dulce (valor de 54 en el IG). Pueden usarse las variedades crudas, frescas, congeladas o enlatadas. El maíz en mazorca tiene un valor en el IG menor que el de los totopos (tostaditas, nachos) o los *cornflakes*. El grano integral intacto dificulta el ataque de las enzimas digestivas.

(*Nota*: si encuentra en este capítulo nombres de alimentos que no entiende o que jamás ha visto, favor de remitirse al glosario en la página 407).

8

RECETAS PARA ADELGAZAR CON AZÚCAR

ACERCA DE LAS RECETAS EN ESTE LIBRO

ODAS LAS RECETAS en este libro han sido analizadas por medio de un programa computarizado de análisis nutricional*. Para todas se indica el valor en el índice glucémico (IG), así como las cantidades respectivas de calorías, carbohidratos, grasa y fibra por ración. Ahora le explicaremos qué significan estos números. Para empezar, cuando no se indica un número único sino un rango de porciones para una receta, la información alimenticia corresponde al número mayor.

IG. A cada receta le corresponde un valor en el IG. Se trata del cálculo más exacto posible del rango en el que cae el valor en el IG para la receta en cuestión. Sería imposible señalar un valor exacto en el IG para todas las recetas, porque es posible que usted, al preparar la receta en su casa, utilice una forma distinta del carbohidrato del que se usó al analizar el valor en el IG del alimento en el laboratorio.

Calorías. Aquí indicamos cuántas calorías contiene cada porción. Una mujer moderadamente activa de entre 18 y 54 años de edad

*Foodworks™, Xyris Software (Australia) Pty Ltd.

necesita unas 1.900 calorías al día; un hombre, aproximadamente 2.400 calorías. Las personas que queman mucha energía haciendo ejercicio deben consumir más calorías que quienes llevan vidas más sedentarias.

Carbohidratos. No es necesario que diariamente calcule los gramos de carbohidratos que ingiera; sin embargo, si usted es atleta o diabético, es posible que esta información le resulte útil. Para que el 50 por ciento de las calorías consumidas provenga de los carbohidratos, una mujer necesita más o menos 200 gramos al día y un hombre, más o menos 300 gramos. Los atletas pueden ingerir entre 300 y 700 gramos diarios de carbohidratos. Para darse una idea del impacto que el contenido en carbohidratos de la receta tendrá en sus niveles de azúcar en la sangre y en su respuesta a la insulina, multiplique el contenido de carbohidratos por porción de la receta por su valor en el IG. El resultado es la carga glucémica. Vea la explicación de lo que es la carga glucémica en las páginas 44 y 337.

Grasa. Procuramos darles un bajo contenido de grasa a nuestras recetas, particularmente en lo que se refiere a la grasa saturada. Por este motivo sólo utilizamos margarinas y aceites monoinsaturados y poliinsaturados. Los ácidos omega-3 del pescado y los mariscos también brindan muchos beneficios a la salud, por lo que incluimos varias recetas que contienen estos alimentos, así como huevos enriquecidos con ácidos omega-3.

La cantidad apropiada de grasa para su dieta personal dependerá de las calorías que consuma, así como de la forma en que combine los alimentos. Para la mayoría de las personas, una dieta baja en grasa debe contener entre 30 y 60 gramos de grasa al día. Si no pretende bajar de peso, no le hará daño consumir cantidades mayores de grasa, siempre y cuando esta sea insaturada en su mayor parte.

Fibra. La mayoría de las recetas son altas en fibra tanto soluble como insoluble. Las pautas alimenticias oficiales recomiendan consumir por lo menos 25 gramos diarios de fibra. Los diabéticos deben ingerir entre 25 y 30 gramos de fibra, según las recomendaciones de la Asociación Estadounidense de la Diabetes. Una rebanada de pan integral aporta 2 gramos de fibra y una manzana de tamaño mediano, 4 gramos. El habitante común de los Estados Unidos sólo ingiere aproximadamente 11 gramos de fibra al día.

(*Nota*: si encuentra en las siguientes recetas nombres de alimentos que no conoce, favor de remitirse al glosario en la página 407).

Desayunos

■

Panqueques de batata dulce y maíz con tomates fritos

....

Licuado de plátano y miel

....

Muesli con frutas frescas mixtas

....

Avena con pasitas

....

Panqueques de suero de leche con glaseado de frutas

....

Panqueques de batata dulce y maíz con tomates fritos

AQUÍ hemos remozado un plato tradicional norteamericano que algunos hispanos conocen como *hotcakes*. Con estos panqueques podrá comenzar su día con sabor saludable.

DE VALOR BAJO EN EL IG

POR RACIÓN:

CALORÍAS .90
CARBOHIDRATOS . . . . .15 g
GRASA .1 g
FIBRA .2 g

■

½ taza de harina con levadura

½ taza de copos de avena

1 huevo ligeramente batido

½ taza de leche semidescremada

1 lata de 8 onzas (224 g) de granos de maíz (elote, choclo), escurridos

1 batata dulce (camote) pequeña (de 5 onzas/140 g), pelada y rallada

Pimienta negra recién molida

3–4 tomates (jitomates) maduros, cortados en rodajas de ½ pulgada (1 cm) de grosor

1 puñado de hojas de albahaca frescas

RINDE 10 PANQUEQUES

1. Mezcle la harina y los copos de avena en un tazón (recipiente) mediano. Con una licuadora de mano incorpore el huevo batido y la leche y revuelva todo bien. Incorpore los granos de maíz, la batata dulce rallada y la pimienta.

2. Unte un sartén o una plancha antiadherente con aceite o rocíela con aceite antiadherente en aerosol y póngala a calentar a fuego mediano. Agregue grandes cucharadas de la mezcla al sartén. Fría los panqueques durante 2 minutos o hasta que empiecen a formarse burbujas. Voltéelos y fríalos de 1 a 2 minutos por el otro lado. Repita los pasos con la mezcla restante. Ponga los panqueques cocidos aparte y manténgalos calientes.

3. Una vez que termine de preparar los panqueques, vuelva a engrasar el sartén y póngalo a calentar a fuego mediano. Agregue las rodajas de tomate, fríalas unos minutos hasta que se doren de un lado, voltéelas, espolvoréelas con albahaca y siga friéndolas hasta que se suavicen. Sirva los tomates fritos con albahaca encima de los panqueques.

Licuado de plátano y miel

*E*L licuado (batido) da un desayuno llenador y es rápido de preparar. Es posible crear muchas variedades con diferentes combinaciones de frutas, leches y yogures.

DE VALOR BAJO EN EL IG
POR RACIÓN:

CALORÍAS 190
CARBOHIDRATOS . . . . .35 g
GRASA . . . . .0.5 g
FIBRA .2 g

■

1 plátano amarillo (guineo, banana) grande

1 cucharada de cereal de caja de la marca *All-Bran*™

1 taza de leche semidescremada (al 1%) fría

½ taza de leche semidescremada evaporada bien fría

2 cucharaditas de miel

Unas cuantas gotas de extracto de vainilla

1. Pele el plátano amarillo y píquelo en trozos grandes.
2. Póngalo en una licuadora (batidora) con los demás ingredientes y muélalo todo por 30 segundos o hasta que quede de consistencia uniforme y espesa.
3. Sírvalo de inmediato.

DA PARA 2 PERSONAS.

Para esta receta, la leche evaporada tiene que estar fría para que haga mucha espuma.

Muesli con frutas frescas mixtas

CREMOSOS copos de avena, pasas gorditas y almendras crujientes crean una delicia al combinarse con yogur natural y leche.

DE VALOR BAJO EN EL IG

POR RACIÓN:

CALORÍAS 365
CARBOHIDRATOS . . . . .50 g
GRASA .11 g
FIBRA .6 g

■

1 taza de copos de avena

⅔ taza de leche semidescremada

1 cucharada de pasas

½ taza (4 onzas/112 g) de yogur natural bajo en grasa

¼ taza de almendras enteras, picadas

1 manzana rallada

Jugo de limón (opcional)

Fruta fresca mixta, como fresas, peras, ciruelas o arándanos

1. Mezcle la avena, la leche y las pasas en un tazón (recipiente). Tápelo y métalo al refrigerador durante toda la noche.
2. Agregue el yogur, la almendra y la manzana. Mezcle todo bien.
3. Antes de servirlo, ajuste el sabor con jugo de limón. Sirva el *muesli* con fruta fresca.

DA PARA DOS PERSONAS.

Avena con pasitas

Un desayuno rápido y fácil que mantiene al estómago satisfecho por mucho tiempo.

DE VALOR BAJO EN EL IG

POR RACIÓN:

CALORÍAS 210
CARBOHIDRATOS . . . . .38 g
GRASA .3 g
FIBRA .3 g

■

⅔ taza de copos de avena

1 taza, más o menos, de leche semidescremada

1 plátano amarillo (guineo, banana) maduro pequeño, machacado

1 cucharada colmada (copeteada) de pasas

1. Ponga la avena en una cacerola (si la va a cocinar en la hornilla) o bien en un tazón (recipiente) grande resistente al microondas (si la va a cocinar en este). Agregue agua suficiente para taparla, además de aproximadamente ⅔ taza de la leche.
2. Deje que la avena rompa a hervir y hiérvala por 2 minutos o cocínela de 1 a 2 minutos con el microondas en *high*.
3. Agregue el plátano amarillo y cocínela de 1 a 2 minutos más.
4. Agregue la leche restante para obtener una consistencia uniforme e incorpore las pasas.

DA PARA DOS PERSONAS.

Panqueques de suero de leche con glaseado de frutas

DISFRUTE estos dorados y ligeros panqueques servidos con un glaseado de frutas tibias.

DE VALOR BAJO EN EL IG
POR RACIÓN:

CALORÍAS 420
CARBOHIDRATOS . . . . .60 g
GRASA .12 g
FIBRA . . . . .6 g

■

1 taza de avena instantánea o de salvado de avena sin procesar

2 tazas de suero de leche

½ taza de frutas secas mixtas, picadas

½ taza de harina blanca, cernida

2 cucharaditas de azúcar

1 cucharadita de bicarbonato de sodio

1 huevo ligeramente batido

2 cucharaditas de margarina monoinsaturada o poliinsaturada, derretida

Leche semidescremada al 1% (opcional)

Glaseado de frutas

1 cucharada de margarina monoinsaturada o poliinsaturada

1 cucharada de azúcar morena (mascabado)

6 melocotones (duraznos) medianos, albaricoques (chabacanos, damascos) o nectarinas

1. Mezcle la avena y el suero de leche en un tazón (recipiente) y déjelos reposar 10 minutos.

2. Incorpore la fruta seca, la harina, el azúcar, el bicarbonato de sodio, el huevo y la margarina; mezcle todo muy bien. Déjelo reposar durante más o menos 1 hora.

3. Cuando termine de reposar, agregue un poco de leche semidescremada si la mezcla está demasiado espesa.

4. Ponga un sartén o una plancha antiadherente a calentar y rocíela con aceite antiadherente en aerosol o bien engrásela levemente con margarina. Agregue unas 3 cucharadas de masa, fría el panqueque a fuego mediano-alto hasta que comience a formar burbujas en la superficie y se dore levemente por debajo. Voltéelo para que se dore del otro lado. Repita con la masa restante.

5. Ponga los panqueques aparte y manténgalos calientes.

6. Para preparar el glaseado de frutas, derrita la margarina y el azúcar a fuego mediano en el sartén. Revuélvalos hasta que el azúcar se disuelva. Agregue la fruta picada y cocínela a fuego mediano de 2 a 3 minutos o hasta que se suavice. Sirva los panqueques bañados con el glaseado tibio.

Las frutas secas mixtas (*dried-fruit medley*) son una mezcla de frutas secas que se puede comprar en el supermercado o bien en una tienda de productos naturales.

DA PARA 4 PERSONAS.

Comidas ligeras

■

Pasta con *butternut squash* asado en vino blanco

Ensalada de champiñones adobados y trigo *bulgur*

Sopa de lentejas y cebada

Minestrón

Sopa de chícharos

Ensalada de pasta y frijoles colorados

Tabbouleh

Lasaña de verduras

Pasta con champiñones cremosos

Pasta con tomates condimentados

Fideos picantitos

Pasta con butternut squash asado en vino blanco

*E*L *butternut squash* es un tipo de calabaza que se da en el verano. Disfrutará tanto del sabor como del valor nutricional de este plato.

DE VALOR BAJO EN EL IG
POR RACIÓN:

CALORÍAS 410
CARBOHIDRATOS . . . . .63 g
GRASA .8 g
FIBRA .5 g

■

1,5 libras (672 g) de *butternut squash*

1 pimiento (ají, pimiento morrón) rojo grande, partido a la mitad a lo largo, sin semilla

2 tallos de romero fresco

1 diente de ajo

1 cucharada de aceite de oliva

8 onzas (224 g) de pasta de moño

Salsa de vino blanco:

1 cucharadita de aceite de oliva

1 cucharadita de margarina

1 cebolla morada grande, partida a la mitad y cortada en rodajas delgadas

1 diente de ajo, machacado

2 cucharaditas de semillas de mostaza

1 tallo de romero fresco, picado

½ taza de vino blanco

Más o menos 1 taza de leche evaporada semidescremada

Hojas frescas de albahaca

1. Precaliente el asador (*broiler*) del horno a fuego mediano-alto.

2. Parta el *squash* en 3 pedazos a lo largo. Pélelos y luego corte cada pedazo en rebanadas de ¼ de pulgada (6 mm) de grosor para crear triángulos pequeños de *squash*. Mezcle los triángulos de *squash* y el pimiento con el romero, el ajo y el aceite de oliva hasta recubrir las verduras. Acomode el *squash* en una sola capa, y el pimiento con la piel hacia arriba, sobre una hoja de papel pergamino encima de una bandeja de hornear. Áselos a 4 pulgadas (10 cm) de la fuente de calor durante 10 minutos.

3. Cocine la pasta de acuerdo con las instrucciones del envase.

4. Saque el pimiento del horno y métalo en una bolsa de papel, dóblela para cerrarla y póngala aparte. Voltee las rebanadas de *squash* y vuelva a meterlo al horno de 5 a 10 minutos más o hasta que queden doradas y suaves.

5. Para preparar la salsa, ponga el aceite de oliva y la margarina a calentar en un sartén grande y sofría (saltee) la cebolla y el ajo a fuego mediano por 2 minutos. Agregue las

semillas de mostaza, el romero y el vino blanco y cocínelos a fuego lento por 2 minutos o hasta que se reduzca un poco la cantidad de líquido.

6. Mientras el vino se reduce, saque el pimiento de la bolsa y pélelo (la piel debe quitarse fácilmente). Córtelo en tiras.

7. Agregue la leche evaporada y un puñado de hojas de albahaca frescas al sartén, revolviéndolas a fuego lento mientras que las hojas se marchitan. Agregue la pasta caliente escurrida, revolviéndola para recubrirla con la salsa. Luego agregue las tiras del pimiento y del *squash* y sírvalo todo.

DA PARA 4 PERSONAS.

Ensalada de champiñones adobados y trigo bulgur

Quizá no cuente con los ingredientes típicos que esperamos en una ensalada, pero sí ofrece buen sabor y aporta muchos nutrientes. El trigo *bulgur* es un tipo de trigo integral que se consigue en las tiendas de productos naturales.

DE VALOR BAJO EN EL IG
POR RACIÓN:

CALORÍAS 195
CARBOHIDRATOS . . . . .22 g
GRASA .10 g
FIBRA .5 g

■

4 onzas (112 g) de champiñones (setas) pequeños, picados en rodajas

2 cebollas verdes, picadas muy fino

1 taza de trigo quebrado (*bulgur*)

Adobo (escabeche, marinado)

3 cucharadas de jugo de limón

3 cucharadas de aceite de oliva

1 cucharadita de azúcar morena (mascabado)

1 diente de ajo machacado

2 cucharadas de perejil, picado muy fino

1 cucharada de hojas de menta, picadas muy fino

1. Ponga los ingredientes para el adobo en un tazón (recipiente). Agregue los champiñones y la cebolla verde y revuélvalos hasta recubrirlos. Tape el tazón y métalo al refrigerador durante más o menos 1 hora para que los champiñones se suavicen y los sabores se afiancen.

2. Mientras tanto, ponga el *bulgur* en otro tazón, cúbralo con agua caliente y déjelo reposar durante más o menos media hora o hasta que el trigo absorba el agua y se suavice.

3. Escurra el *bulgur* y exprima el exceso de agua envolviéndolo con una toalla de papel. Mezcle el *bulgur* con los champiñones adobados y páselo a una fuente de servir (bandeja, platón).

DA PARA 4 A 6 PERSONAS.

Sopa de lentejas y cebada

*U*na sopa sabrosa y llenadora que es una comida por sí sola, perfecta para el invierno.

DE VALOR BAJO EN EL IG

POR RACIÓN:

CALORÍAS 180
CARBOHIDRATOS . . . . .25 g
GRASA .5 g
FIBRA . . . . .5 g

■

1 cucharada de aceite

1 cebolla grande, picada muy fino

2 dientes de ajo machacados o 2 cucharaditas de ajo picado en trocitos

½ cucharadita de cúrcuma (azafrán de las Indias)

2 cucharaditas de *curry*

½ cucharadita de comino molido

1 cucharadita de chiles picantes picados en trocitos

6 tazas de agua

1½ tazas de caldo de pollo de lata

1 taza de lentejas rojas

½ taza de cebada perla

1 lata de 15 onzas de tomates (jitomates), sin escurrir y machacados

Sal

Pimienta negra recién molida

Perejil o cilantro fresco picado, para adornar

1. Ponga el aceite a calentar en una cacerola grande. Agregue la cebolla, tape la cacerola y fría la cebolla a fuego lento durante más o menos 10 minutos o hasta que empiece a dorarse, revolviéndola con frecuencia.

2. Agregue los siguientes 5 ingredientes (del ajo al chile picante) y fríalo todo, sin dejar de revolver, por 1 minuto.

3. Incorpore el agua, el caldo, las lentejas, la cebada, los tomates y la sal y la pimienta a gusto. Deje que rompa a hervir, tápelo y déjelo a fuego lento unos 45 minutos o hasta que las lentejas y la cebada estén suaves.

4. Sirva la sopa espolvoreada con perejil o cilantro.

DA PARA 4 A 6 PERSONAS.

Minestrón

SIRVA esta sustanciosa sopa con un pan de corteza crujiente y una ensalada verde para crear una deliciosa y bien equilibrada comida.

DE VALOR BAJO EN EL IG

POR RACIÓN:

CALORÍAS 120
CARBOHIDRATOS . . . . .18 g
GRASA .2 g
FIBRA . . . . .7 g

■

Aceite

2 cebollas medianas, picadas

2 dientes de ajo, machacados

1 hueso de jamón pequeño

10 tazas de agua

5 cubos de consomé de res

1 lata de 15 onzas de frijoles (habichuelas) italianos *cannellini*, enjuagados y escurridos

3 zanahorias, picadas en cubitos

2 tallos de apio, picados en rodajas

2 *zucchinis* (calabacitas) pequeños, picados

4 tomates (jitomates) (más o menos 1 libra/450 g), picados en cubitos

⅓ taza (2 onzas/56 g) de macarrones pequeños

2 cucharadas de perejil fresco, picado

Pimienta negra recién molida

Queso parmesano rallado para antes de servir (opcional)

1. Ponga un poco de aceite a calentar en una cacerola grande de fondo grueso. Agregue la cebolla y el ajo y fríalos durante más o menos 5 minutos o hasta que se suavicen. Agregue el hueso de jamón, el agua, los cubos de consomé y los frijoles escurridos. Deje que rompan a hervir.

2. Agregue las zanahorias, el apio, el *zucchini* y el tomate al caldo. Baje el fuego a lento y cocínelo todo, tapado, durante 1 hora.

3. Quite la tapa, saque el hueso de jamón, agregue los macarrones y revuélvalo todo. Sígalo cocinando a fuego lento de 10 a 15 minutos o hasta que la pasta se suavice.

4. Incorpore el perejil y agregue pimienta a gusto. Sírvalo con el queso parmesano.

DA PARA 6 PERSONAS.

Sopa de chícharos

EMPIECE a preparar este exquisito plato con un día de anticipación, poniendo los chícharos partidos a remojar durante toda la noche.

DE VALOR BAJO EN EL IG

POR RACIÓN:

CALORÍAS 260
CARBOHIDRATOS . . . . .39 g
GRASA .3 g
FIBRA . . . . .9 g

■

2 tazas de chícharos (guisantes) partidos

1 hueso de jamón

12 tazas (3 cuartos de galón/3 litros) de agua

1 cucharadita de aceite

1 cebolla mediana, picada muy fino

1 zanahoria mediana, picada muy fino

1 tallo de apio, picado muy fino

1 hoja de laurel

½ cucharadita de hojas de tomillo secas

El jugo de ½ limón

Pimienta negra recién molida

DA PARA 6 PERSONAS.

1. Lave los chícharos partidos y póngalos en una cacerola grande con el hueso de jamón y el agua. Deje que rompan a hervir. Póngalos a enfriar y métalos al refrigerador durante toda la noche.

2. Al día siguiente, quite la grasa de la superficie, deje que rompa a hervir y cocínelos a fuego lento, tapados, durante 2 horas.

3. Saque el hueso de jamón de la sopa y córtele la carne que tenga. Regrese la carne a la sopa.

4. Ponga el aceite a calentar en un sartén. Agregue la cebolla, la zanahoria y el apio y fríalo todo durante más o menos 10 minutos o hasta que se dore levemente. Agregue la mezcla de la cebolla a la sopa con la hoja de laurel y el tomillo. Cocínelo todo a fuego lento, tapado, durante 20 minutos. Saque la hoja de laurel.

5. Muela la sopa en un procesador de alimentos o una licuadora (batidora), agregando más agua si hace falta para lograr la consistencia de una sopa.

6. Agregue el jugo de limón y sazone la sopa con pimienta a gusto. Recaliéntela, de ser necesario, antes de servirla.

Ensalada de pasta y frijoles colorados

*U*na ensalada llena de sabor veraniego y fácil de preparar con frijoles de lata.

DE VALOR BAJO EN EL IG

POR RACIÓN:

CALORÍAS 130
CARBOHIDRATOS . . . . .15 g
GRASA .5 g
FIBRA . . . . .4 g

■

1 taza de pasta cocida (por ejemplo, pasta tipo conchas, coditos o espirales)

1 taza de frijoles (habichuelas) colorados cocidos o de lata, bien escurridos

3 cebollas verdes, picadas muy fino

1 cucharada de perejil fresco, picado muy fino

Aliño (aderezo)

1 cucharada de aceite de oliva

1 cucharada de vinagre de vino

1 cucharadita de mostaza *Dijon*

1 diente de ajo, machacado

Pimienta negra recién molida

1. Mezcle la pasta, los frijoles, la cebolla y el perejil en una ensaladera.
2. Para preparar el aliño, mezcle el aceite, el vinagre, la mostaza, el ajo y la pimienta en un frasco con tapa de rosca; agítelo bien para mezclar los ingredientes.
3. Vierta el aliño sobre la mezcla de la pasta y mezcle todo bien.

DA PARA 4 PERSONAS.

Tabbouleh

$\mathcal{E}$L *TABBOULEH* —un tipo de ensalada del Medio Oriente— queda mejor si lo prepara por adelantado, dándole un tiempo para que los sabores se afiancen. Se conserva varios días en el refrigerador.

DE VALOR BAJO EN EL IG
POR RACIÓN:
CALORÍAS 160
CARBOHIDRATOS . . . . .15 g
GRASA . . . . .10 g
FIBRA . . . . .5 g

■

½ taza de trigo *bulgur*

1 taza de perejil fresco de hoja lisa o rizada, picado muy fino

1 cebolla pequeña o 3–4 cebollas verdes, picadas muy fino

1 tomate (jitomate) mediano, picado muy fino

Aliño (aderezo)

2 cucharadas de jugo de limón fresco

2 cucharadas de aceite de oliva

1 pizca de sal

½ cucharadita de pimienta negra recién molida

1. Cubra el *bulgur* con agua caliente y déjelo remojar de 20 a 30 minutos para que se suavice. Escúrralo bien, envuélvalo con un trapo de cocina limpio y sin pelusas y exprímalo para eliminar el exceso de agua.

2. Mezcle el trigo *bulgur*, el perejil, la cebolla y el tomate en un tazón (recipiente).

3. Para preparar el aliño, ponga todos los ingredientes en un frasco con tapa de rosca; agítelo bien.

4. Agregue el aliño a la mezcla del trigo *bulgur* y revuélvalo todo con cuidado.

DA PARA 4 PERSONAS.

Puede variar esta ensalada agregando un pepino picado, un diente de ajo machacado o 2 cucharadas de hojas frescas de menta picadas. También puede sustituir la mitad del jugo de limón por vinagre, si así lo prefiere.

Lasaña de verduras

LAS SUAVES capas de espinacas, queso y lasaña se acompañan en esta receta con una exquisita salsa de verduras.

DE VALOR BAJO EN EL IG

POR RACIÓN:

CALORÍAS 340
CARBOHIDRATOS . . . . .44 g
GRASA .10 g
FIBRA . . . . .9 g

■

1 manojo de espinacas, lavadas y sin tallos

8 onzas (224 g) de pasta instantánea de lasaña

2 cucharadas de queso parmesano rallado o de queso *Cheddar* bajo en grasa

Salsa de verduras

2 cucharaditas de aceite

1 cebolla mediana, picada

2 dientes de ajo machacados o 2 cucharaditas de ajo picado en trocitos

8 onzas de champiñones (setas), rebanados

1 pimiento (ají, pimiento morrón) verde pequeño, picado

1 lata de 6 onzas de pasta de tomate

1 lata de 16 onzas de cualquier tipo de frijoles (habichuelas), enjuagados y escurridos

1 lata de 15 onzas de tomates (jitomates), sin escurrir y machacados

1 cucharadita de hierbas mixtas

Salsa de queso

1½ cucharadas de margarina poliinsaturada o monoinsaturada

1 cucharada de harina blanca

1½ tazas de leche semidescremada

½ taza de queso bajo en grasa rallado

1 pizca de nuez moscada molida

Pimienta negra recién molida

1. Blanquee la espinaca o cocínela brevemente al vapor hasta que apenas se marchite; escúrrala bien y ponga aparte.

2. Para preparar la salsa de verduras, ponga el aceite a calentar en un sartén antiadherente. Agregue la cebolla y el ajo y fríalos durante más o menos 5 minutos o hasta que se suavicen. Agregue los champiñones y el pimiento y fríalos 3 minutos más, revolviéndolos de vez en cuando. Agregue la pasta de tomate, los frijoles, el

tomate y las hierbas. Deje que rompa a hervir y cocine a fuego lento, sin tapar por completo, de 15 a 20 minutos.

3. Mientras tanto, para preparar la salsa de queso, derrita la margarina en una cacerola o en un tazón (recipiente) resistente al microondas. Incorpore la harina y cocínela 1 minuto sin dejar de revolverla (en el microondas, durante 30 segundos en *high*). Retire la cacerola de la fuente de calor o el tazón del microondas. Agregue la leche poco a poco, revolviéndola hasta que la salsa adquiera una consistencia uniforme. Póngala a calentar a fuego mediano sin dejar de revolverla hasta que la salsa hierva y se espese; o bien cocínela con el microondas en *high* hasta que hierva, revolviéndola de vez en cuando. Retire la cacerola del fuego o el tazón del microondas e incorpore el queso, la nuez moscada y la pimienta.

4. Para preparar la lasaña, vierta la mitad de la salsa de verduras sobre el fondo de una charola (bandeja) para lasaña o bien en una fuente para hornear (refractario) de unas 6½ pulgadas por 10½ pulgadas. Cúbrala con una capa de lasaña y agregue la mitad de la espinaca. Distribuya una fina capa de salsa de queso sobre la espinaca. Cubra con la salsa de verduras restante y con la espinaca que quede. Encima ponga otra capa de lasaña y remate con la salsa de queso restante. Espolvoree el plato con el queso parmesano o *Cheddar*.

5. Tape la fuente con papel aluminio y hornéela con el horno a una temperatura moderada (350°F) durante 40 minutos. Retire el papel aluminio y regrese la lasaña al horno durante 30 minutos más o hasta que empiece a dorarse por encima.

DA PARA 6 PERSONAS.

Sumerja la lasaña brevemente en agua caliente antes de cocinarla para suavizarla un poco.

Pasta con champiñones cremosos

Es probable que ya cuente con los ingredientes necesarios en su despensa, por lo que podrá prepararlo en un dos por tres cuando necesite un buen almuerzo.

DE VALOR BAJO EN EL IG

POR RACIÓN:

CALORÍAS 440
CARBOHIDRATOS . . . . .68 g
GRASA .7 g
FIBRA .8 g

■

2 tazas de macarrones u otra pasta pequeña

2 cucharadas de perejil fresco, picado muy fino

2 cucharadas de queso parmesano finamente rallado

Salsa

2 cucharaditas de aceite de oliva

1 cebolla mediana, cortada en rodajas delgadas

1 diente de ajo machacado o 1 cucharadita de ajo picado en trocitos

1 libra de champiñones (setas)

1 cucharadita de pimentón (paprika)

2 cucharaditas de mostaza *Dijon*

2 cucharadas de pasta de tomate

1 lata de 12 onzas de leche descremada evaporada

¼ taza (1 onza/28 g) de queso *Cheddar* bajo en grasa rallado

½ taza de cebollas verdes picadas

Pimienta negra recién molida

1. Agregue la pasta a una cacerola grande con agua hirviendo y hiérvala sin tapar hasta que apenas se suavice. Escúrrala y manténgala caliente.

2. Mientras la pasta se esté cocinando, empiece a preparar la salsa. Ponga el aceite a calentar en un sartén antiadherente. Agregue la cebolla, el ajo y los champiñones y cocínelo todo durante más o menos 5 minutos o hasta que se suavice.

3. Mezcle el pimentón, la mostaza, la pasta de tomate y la leche en un tazón (recipiente) pequeño. Incorpore esta mezcla a la de los champiñones, agregue el queso *Cheddar* y cocínelo todo a fuego lento durante 5 minutos, revolviéndolo con frecuencia.

4. Agregue la cebolla y la pimienta al gusto.

5. Vierta la salsa sobre la pasta y mezcle los ingredientes con cuidado. Espolvoréelo con el perejil y el queso parmesano.

DA PARA 4 PERSONAS.

Los champiñones son una buena fuente de niacina y pueden serlo también de vitamina B_{12} si se cultivaron en una mezcla que haya contenido abono con desechos animales.

Pasta con tomates condimentados

Un plato sencillo y ligero de pasta que tarda unos 15 minutos en prepararse.

DE VALOR BAJO EN EL IG

POR RACIÓN:

CALORÍAS 415
CARBOHIDRATOS . . . . .65 g
GRASA . . . . .10 g
FIBRA . . . . .7 g

■

5 onzas (140 g) de espaguetis u otra pasta, sin cocer

3 tomates (jitomates) medianos

1 cucharada de aceite de oliva

1 cucharada de alcaparras escurridas

1 diente de ajo machacado o 1 cucharada de ajo picado en trocitos

El jugo de 1 limón

1 cucharada de salsa picante

Pimienta negra

Hojas frescas de albahaca, cortadas en trocitos con las manos

1. Cocine los espaguetis de acuerdo con las instrucciones del envase.
2. Mientras tanto, pique los tomates en cubitos. Póngalos en un tazón (recipiente) con el aceite de oliva, las alcaparras, el ajo, el jugo de limón, la salsa picante, la pimienta y la albahaca y mezcle todo.
3. Escurra los espaguetis y regréselos a la cacerola. Incorpore la mezcla del tomate. Sirva el plato caliente o tibio.

DA PARA 2 PERSONAS.

Fideos picantitos

SABROSOS y también buenos para la salud.

DE VALOR BAJO EN EL IG
POR RACIÓN:
CALORÍAS 280
CARBOHIDRATOS . . . . .45 g
GRASA . . . . .6 g
FIBRA . . . . .4 g

■

8 onzas (224 g) de fideos delgados hechos con huevo, sin cocer

2 cucharaditas de aceite

2 dientes de ajo machacados o 2 cucharaditas de ajo picado en trocitos

1 cucharadita de jengibre picado en trocitos

1 cucharadita de chiles picantes picados en trocitos

6 cebollas verdes, cortadas en rodajas

1 cucharada de crema de cacahuate (maní) sin trocitos

2 cucharadas de salsa de soya

1 taza de caldo de pollo de lata

1. Agregue los fideos a una cacerola grande de agua hirviendo y hiérvalos sin tapar durante más o menos 5 minutos o hasta que apenas se suavicen.

2. Mientras los fideos se estén cocinando, ponga el aceite a calentar en un sartén antiadherente. Agregue el ajo, el jengibre, el chile y la cebolla y fríalo todo por 1 minuto sin dejar de revolver. Retire el sartén de la candela.

3. Incorpore la crema de cacahuate y la salsa de soya y agregue el caldo poco a poco, revolviéndolo hasta que todo se mezcle muy bien. Sin dejar de revolver, ponga el sartén a calentar hasta que rompa a hervir y hierva a fuego lento por 2 minutos.

4. Escurra los fideos, agréguelos a la salsa picante y revuélvalos hasta que se recubran bien. Sírvalos de inmediato.

DA PARA 4 PERSONAS COMO GUARNICIÓN.

Agregue tiras de pollo o carne fritos y revueltos al estilo asiático con un paquete de verduras mixtas también al estilo asiático.

Platos fuertes

∎

Pollo a lo marroquí sobre cúscus

Mejillones al vapor sobre *ratatouille* y arroz *basmati*

Estofado picante de res

Filetes de pescado blanco con hojuelas de batata dulce y
tomates asados a la albahaca

Torta tailandesa de atún y batata dulce

Sofrito de cerdo y fideos con anacardos

Pollo con glaseado de batata dulce y verduras sofritas

Ensalada tibia de cordero y garbanzos

Pilaf picante con garbanzos

Frittatas de espinacas, queso *feta* y frijoles

Hamburguesas marroquíes

Estofado de verduras

Quiche de zanahoria y tomillo

Torta de queso y perejil

Hamburguesas de res y lentejas

Pollo a lo marroquí sobre cúscus

PREPARE una cantidad extra, pues esta receta es excelente para recalentar al día siguiente.

DE VALOR MODERADO EN EL IG
POR RACIÓN:

CALORÍAS 360
CARBOHIDRATOS . . . . .43 g
GRASA .9 g
FIBRA .4 g

■

2 cucharaditas de comino molido

2 cucharaditas de cilantro en polvo (*ground coriander*)

1 cucharadita de hinojo en polvo

1 lata de 15 onzas de garbanzos, escurridos y secados cuidadosamente

1 cucharada de aceite de oliva

2 dientes de ajo, picados muy finos

2 chiles rojos, picados muy finos

1 libra (450 g) de pechuga de pollo en rebanadas, sin tendones

½ manojo de perejil liso, picado en trozos grandes

1 limón sin semilla, enjuagado y cortado en rodajas delgadas

½ taza de vino blanco seco

1 taza de cuscús, sin cocer

½ taza de pasas

El jugo de 1 limón

Sal

Pimienta negra recién molida

1. Mezcle el comino, el cilantro y el hinojo en un tazón (recipiente) e incorpore los garbanzos.

2. Ponga el aceite de oliva a calentar en un *wok* o en un sartén grande. Agregue el ajo y los chiles y fríalos por 1 minuto sin dejar de revolver.

3. Agregue la mezcla de los garbanzos al sartén y fríala hasta que se perciba el aroma de las especias, más o menos 2 minutos. Pase la mezcla de los garbanzos a un tazón grande y póngalos aparte.

4. Agregue otra cucharada de aceite de oliva al sartén y fría la pechuga de pollo durante más o menos 4 minutos o hasta que apenas esté cocida. Agregue el pollo a la mezcla de los garbanzos e incorpore el perejil picado y las rodajas de limón.

5. Para preparar la salsa, desglase el sartén con el vino y deje hervir a fuego lento por 2 minutos.

6. Vierta la salsa sobre la mezcla del pollo y garbanzos y manténgala caliente.

7. Ponga el cuscús en un tazón grande y vierta 1 taza de agua hirviendo encima. Cuando el cuscús se infle incorpore las pasas, el jugo de limón, la sal y la pimienta.

DA PARA 6 PERSONAS.

Mejillones al vapor sobre ratatouille y arroz basmati

*L*os mejillones quedan deliciosos al combinarse con el arroz *basmati*, un tipo de arroz aromático que se consigue en las tiendas de productos naturales, y el *ratatouille*, un plato francés que normalmente consiste en verduras hervidas a fuego lento en aceite de oliva. Aquí hemos modificado la receta tradicional para ajustarla según el índice glucémico.

DE VALOR MODERADO EN EL IG
POR RACIÓN:

CALORÍAS 390
CARBOHIDRATOS . . . . .56 g
GRASA . . . . .7 g
FIBRA .6 g

■

Ratatouille

1 berenjena grande picada en cubitos

1 cucharada de aceite de semilla de mostaza

1 pimiento (ají, pimiento morrón) rojo grande, partido a la mitad, sin semilla y picado en cubitos (de ½ pulgada/1 cm)

4 *zucchinis* (calabacitas), picadas en rodajas de 1 pulgada (2,5 cm) de grosor

1 cebolla marrón grande, picada en trozos grandes

3 dientes de ajo, picado en trozos grandes

1 lata de 15 onzas de tomates (jitomates) picados, sin escurrir

2 tazas de agua

4 hojas de laurel

2 tallos de tomillo fresco

Sal

Pimienta negra recién molida

8 hojas de albahaca fresca

Arroz basmati y mejillones

1 taza de arroz *basmati*

1 libra (450 g) de mejillones (más o menos 20)

1 taza de vino blanco seco

1 taza de agua

2 hojas de laurel

10 granos de pimienta negra

1. Ponga la berenjena en un colador, espolvoréela con sal y déjela reposar durante 30 minutos. Lávela bajo el chorro del agua fría, escúrrala y séquela cuidadosamente con una toalla de papel.

2. Ponga el aceite de semilla de mostaza a calentar en una cacerola grande y agregue la berenjena, el pimiento, el *zucchini*, la cebolla y el ajo. Fríalos 2 minutos en el

aceite caliente y agregue el tomate, el agua, el laurel y el tomillo. Sazone con sal y pimienta. Baje el fuego a lento y deje que todo hierva durante 45 minutos, revolviéndolo de vez en cuando. Saque las hojas de laurel y el tomillo. Pique las hojas de albahaca e incorpórelas al *ratatouille*.

3. Ponga 2 cuartos de galón (2 litros) de agua salada a hervir y cocine el arroz por 11 minutos. Escúrralo de inmediato y manténgalo caliente.

4. Para preparar los mejillones, deseche los que estén rotos y ponga los demás a remojar con agua fría. Desprenda las "barbas" del lado de la concha jalándolas con fuerza hacia el extremo con punta del mejillón.

5. Ponga el vino y el agua, las hojas de laurel y los granos de pimienta a hervir, baje el fuego y agregue los mejillones. Tape la cacerola y deje que hiervan a fuego lento durante más o menos 2 minutos, sacando cada mejillón al abrirse completamente. Deseche los mejillones que queden sin abrir.

6. Para servir, ponga media taza de arroz en el centro de cada plato, agregue varias cucharadas de *ratatouille* y ponga encima los mejillones cocidos.

DA PARA 4 PERSONAS.

El sabor del *ratatouille* mejora con el tiempo, así que prepárelo un día antes y recaliéntelo con cuidado.

Estofado picante de res

ᴇꜱᴛᴇ plato, caliente y reconfortante, rebosa de sabor y nutrientes.

DE VALOR BAJO EN EL IG
POR RACIÓN:
CALORÍAS 320
CARBOHIDRATOS . . . . .40 g
GRASA . . . . .7 g
FIBRA .8 g

■

1 libra (450 g) de *rump steak*, picado en cubitos

⅓ taza de harina blanca

Sal

Pimienta negra recién molida

1 cucharada de aceite de oliva

2 cebollas marrón medianas, picadas en cubitos

3 dientes de ajo, picados en trozos grandes

1 chile rojo, picado en trozos grandes

3 batatas dulces (camotes) grandes (1½ libras/675 g), peladas y picadas en cubos grandes

1½ cuartos de galón (1½ litros) de caldo de res

2 cucharadas de pasta de tomate

1 cucharada de mostaza con granos

2 tallos de apio, picados en rodajas

2 pimientos (ajíes, pimientos morrones) rojos grandes, partidos a la mitad, sin semilla y picados en cubos grandes

1 taza de granos de maíz (elote, choclo)

1 lata de 28 onzas de tomates (jitomates) pelados y picados, sin escurrir

1 lata de 15 onzas de frijoles (habichuelas) pintos, escurridos

1 taza de pasta de espiral, cocida

½ taza de aceitunas *kalamata*

½ manojo de perejil, picado en trozos grandes

1. En un tazón (recipiente) grande, revuelva el bistec con la harina sazonada con sal y pimienta negra.

2. Ponga el aceite a calentar en una fuente de horno con tapa o en una charola (bandeja) grande de metal (de 6 cuartos de galón/6 litros) y fría la cebolla, el ajo y el chile a fuego lento por 1 minuto. Agregue la carne y dórela por todos los lados.

3. Agregue la batata dulce, el caldo de res, la pasta de tomate, la mostaza con granos, el

apio, el pimiento, los granos de maíz y el tomate. Sazone con sal y pimienta. Cocine todo a fuego lento, tapado, durante 1½ horas, revolviéndolo de vez en cuando.

4. Quite la tapa y agregue los frijoles, la pasta y las aceitunas. Déjelo a fuego lento 5 minutos más, incorpore el perejil y sírvalo de inmediato.

DA PARA 8 PERSONAS.

Filetes de pescado blanco con hojuelas de batata dulce y tomates asados a la albahaca

A TODO el mundo le encantará la delicada combinación de sabores que distingue a este plato.

DE VALOR BAJO EN EL IG
POR RACIÓN:
CALORÍAS 310
CARBOHIDRATOS . . . . .26 g
GRASA . . . . .11 g
FIBRA .4 g

■

6 tomates (jitomates) de pera grandes y maduros, partidos a la mitad a lo largo

1 cucharadita de aceite de oliva

2 dientes de ajo, picados muy fino

6 hojas de albahaca, picadas en finas tiras

Sal

Pimienta recién molida

6 filetes pequeños de pescado blanco* (más o menos 1½ libras/675 g)

⅓ taza de harina blanca, sazonada con sal y pimienta negra recién molida

2 huevos enriquecidos con ácidos grasos omega-3, batidos levemente

2 cucharadas de aceite de oliva

3 batatas dulces (camotes) grandes (1¾ lbs/790 g), peladas y cortadas en rodajas delgadas

3 tazas (2 onzas/56 g) de hojas pequeñas de espinaca (*baby spinach*)

1 cucharada de semillas de sésamo (ajonjolí) tostadas

6 trozos de limón (partido a lo largo en forma de gajos)

1. Precaliente el horno a 350°F.
2. Ponga los tomates con la parte cortada hacia arriba sobre una bandeja para hornear untada levemente con aceite. Agregue la cucharadita de aceite de oliva, la mitad del ajo, las hojas de albahaca, la sal y la pimienta a los tomates. Métalos al horno durante 30 minutos.
3. Pase los filetes de pescado blanco por los huevos y la harina sazonada. Tápelos y métalos al refrigerador.
4. Pele la batata dulce y córtela en rebanadas delgadas.
5. Ponga 1½ cucharadas del aceite de oliva a calentar en un sartén de fondo grueso y agregue las rebanadas de batata dulce, sazonándola con sal, pimienta y el ajo restante. Fríalas hasta que queden doradas

por debajo y levemente crujientes, voltéelas una sola vez y fríalas del otro lado. Manténgalas calientes.

6. Ponga la ½ cucharada restante de aceite de oliva a calentar en un sartén de fondo grueso y fría los filetes de pescado blanco durante más o menos 4 minutos, volteándolos una sola vez, hasta que estén dorados y se puedan desmenuzar fácilmente.

7. Sobre un lecho de espinaca agregue las hojuelas de batata dulce y finalmente el pescado blanco. Espolvoréelo con la semilla de sésamo tostada y sírvalo con los trozos de limón y los tomates a la albahaca asados al horno.

DA PARA 6 PERSONAS.

*La platija, el hipogloso (*halibut*) y el rodaballo (*turbot*), entre otros, son pescados blancos.

Torta tailandesa de atún y batata dulce

ESTE plato fuerte está cargado de ingredientes sabrosos y ricos en nutrientes que son fáciles de tener a la mano en la despensa (alacena).

DE VALOR BAJO EN EL IG

POR RACIÓN:

CALORÍAS	.327
CARBOHIDRATOS	.33 g
GRASA	.12 g
FIBRA	.4 g

■

1 cucharadita de aceite de *canola*

2 batatas dulces (camotes) medianas (1 libra/450 g)

5 huevos enriquecidos con ácidos grasos omega-3

1 lata de 14 onzas de leche de coco *lite*

Ralladura de 1 limón

3 cucharadas de cilantro fresco, picado muy fino

½ manojo de cebollas verdes, picadas en rodajas gruesas

2 dientes de ajo, picados en rodajas finas

½ taza de harina con levadura

Sal

Pimienta negra recién molida

2 latas de 6 onzas (168 g) de atún en trozos envasado con agua, escurrido

½ taza de arroz *basmati* cocido

1 lata de 1 libra (450 g) de maíz (elote, choclo) tipo *niblet*, escurrido

1. Precaliente el horno a 350°F.

2. Unte con 1 cucharadita de aceite de *canola* un molde para *pie* redondo estriado, de metal o de cerámica, de 12 pulgadas de diámetro, o bien moldes para *muffins* con una capacidad de 12 × ¾.

3. Pele y cocine las batatas dulces enteras al vapor hasta que apenas se suavicen, más o menos 20 minutos. Escúrralas y córtelas en trozos.

4. Bata a mano los huevos, la leche de coco, la ralladura de limón, el cilantro, la cebolla verde, el ajo, la harina con levadura y los condimentos en un tazón (recipiente) grande hasta mezclarlo todo muy bien.

5. Reparta los trozos de batata dulce cocida, el atún, el arroz y el maíz tipo *niblet* sobre el fondo del molde para pastel o en los moldes para *muffin*. Vierta la mezcla de huevo y coco por encima.

6. Meta el molde para *pie* o los moldes para *muffin* en el horno precalentado durante 1 hora (45 minutos para *muffins*) o hasta que la torta o las tortitas se inflen y se doren.

7. Sirva la torta grande, partida en pedazos triangulares, o bien las tortas individuales calientes o frías y acompañadas de una ensalada verde.

RINDE 1 TORTA GRANDE O BIEN DE 8 A 12 TORTITAS DE TAMAÑO INDIVIDUAL.

Sofrito de cerdo y fideos con anacardos

Un platillo clásico lleno de sabor que es fácil de preparar.

DE VALOR BAJO EN EL IG

POR RACIÓN:

CALORÍAS 580
CARBOHIDRATOS . . . . .56 g
GRASA . . . . .19 g
FIBRA .8 g

■

1 cucharada de aceite

1 libra (450 g) de carne de cerdo en tiras

10 onzas (280 g) de fideos chinos sencillos

1 pimiento (ají, pimiento morrón) rojo mediano, picado en tiras finas

8 onzas (224 g) de brócoli, separado en cabezuelas pequeñas

1 diente de ajo, machacado

2 cucharaditas de jengibre fresco finamente rallado

5 onzas (140 g) de comelotodos, con las puntas cortadas y partidos en tercios en forma diagonal

8 onzas de champiñones (setas) pequeños, picados en rodajas delgadas

1 *bok choy* (repollo chino) pequeño, lavado, limpio y cortado en 8 trozos a lo largo

6 cebollas verdes, picadas en diagonal

1 cucharada de salsa de soya baja en sal

1 cucharada de salsa *hoisin*

1 cucharada de miel

½ taza de nuez de la India (anacardo, semilla de cajuil, castaña de cajú) tostada

1. Ponga un sartén o un *wok* grande a calentar a fuego alto. Agregue la mitad del aceite y cuando esté bien caliente agregue un tercio de la carne de cerdo en tiras. Fríala sin dejar de revolver, al estilo asiático, durante 1–2 minutos o hasta que apenas esté cocida. Repita con los otros 2 tercios de carne, pasándolos a un plato tapado con papel aluminio para mantenerlos calientes.

2. Prepare los fideos de acuerdo con las instrucciones del envase y escúrralos.

3. Ponga el aceite restante a calentar en el sartén a fuego alto. Agregue el pimiento, el brócoli, el ajo y el jengibre y fríalo todo, sin dejar de revolver, durante más o menos 1 minuto. Agregue la verduras restantes y fríalas, sin dejar de revolver, de 1 a 2 minutos o hasta que queden cocidas pero crujientes; rocíelas con un poco de agua de hacer falta.

4. Mezcle las salsas y la miel en un tazón (recipiente).

5. Devuelva la carne de cerdo al sartén y agregue los fideos y las salsas. Caliéntelo todo, mezclándolo bien. Sírvalo en platos hondos y espolvoreado con la nuez de la India.

DA PARA 4 PERSONAS.

Pollo con glaseado de batata dulce y verduras sofritas

*E*STE sabroso plato frito y revuelto al estilo asiático se prepara en un dos por tres.

DE VALOR BAJO EN EL IG

POR RACIÓN:

CALORÍAS 530
CARBOHIDRATOS . . . . 49 g
GRASA . . . . 15 g
FIBRA . . . . 9 g

■

Puré de batata dulce

1 batata dulce (camote) mediana (1 libra/450 g), pelada y picada en trozos

⅓ taza de leche semidescremada (al 1%)

1 cucharada de salsa dulce de chile

Pollo glaseado

2 cucharaditas de aceite

2 pechugas de pollo de 12 onzas (336 g), picado en tiras de manera trasversal

1 taza de caldo de pollo

Verduras fritas y revueltas al estilo asiático

1 cucharadita de aceite

Un puñado grande de comelotodos

Un manojo de verduras chinas de hoja verde como *bok choy* (repollo chino) pequeño

2 *zucchinis* (calabacitas) medianos

2 cucharaditas de salsa de soya baja en sal

1 cucharada de salsa de ciruela (*duck sauce*)

1 cucharada de maicena

2 cucharaditas de jengibre fresco rallado

Unos cuantos tallos de hojas de cilantro frescas

1. Hierva la batata dulce o cocínela en el horno de microondas hasta que quede suave. Una vez cocida, escúrrala y hágala puré agregándole la leche y la salsa dulce de chile. Manténgala caliente.

2. Ponga un *wok* o un sartén grande a calentar con las 2 cucharaditas de aceite y fría el pollo, sin dejar de revolverlo, hasta que se dore. Sáquelo del sartén y póngalo aparte, manteniéndolo caliente.

3. Para preparar las verduras fritas, ponga la cucharadita de aceite a calentar en el *wok* o en el sartén. Pique las verduras chinas para separar los tallos de las hojas. Una vez que el aceite esté caliente, agregue los

comelotodos, los tallos de las verduras chinas y los *zucchinis* picados en rodajas. Fría las verduras, sin dejar de revolver, hasta que queden levemente cocidas. Mezcle la salsa de soya, la salsa de ciruela, la maicena, el jengibre y el cilantro en un tazón (recipiente), agréguelos al sartén, añada el pollo frito y revuelva todo hasta que la salsa se espese un poco.

4. Sirva el pollo y las verduras sobre el puré de batata dulce.

DA PARA 2 PERSONAS.

Ensalada tibia de cordero y garbanzos

Una deliciosa receta nueva de cordero.

DE VALOR BAJO EN EL IG

POR RACIÓN:

CALORÍAS 430
CARBOHIDRATOS . . . . 23 g
GRASA . . . . 25 g
FIBRA . . . . 9 g

■

1 libra (450 g) de chuletas de cordero

1 cucharada de aceite de oliva

1 cebolla, picada muy fino

3 dientes de ajo, machacados

½ cucharadita de comino molido

½ cucharadita de cilantro en polvo (*ground coriander*)

½ cucharadita de jengibre en polvo

½ cucharadita de pimentón (paprika)

2 latas de 15 onzas de garbanzos, escurridos y enjuagados

Sal y pimienta negra a gusto

1 tomate (jitomate), picado en cubitos

1 taza de cilantro fresco, picado muy fino

1 taza de perejil fresco de hoja lisa, picado muy fino

1 taza de hojas de menta frescas, picadas muy fino

3 cucharadas de aceite de oliva extra virgen

El jugo de 1 limón

Hojas pequeñas de espinaca (*baby spinach*), lavadas, para servir el plato

1. Fría las chuletas de cordero a fuego mediano en un sartén untado levemente con aceite, más o menos 3 minutos por cada lado. Páselas a un plato tapado con papel aluminio para mantenerlas calientes. Póngalas aparte.

2. Ponga la cucharada de aceite de oliva a calentar en el sartén y fría la cebolla durante 5 minutos o hasta que se suavice. Agregue el ajo y las especias y fríalas 5 minutos a fuego lento, revolviéndolas de vez en cuando. Agregue los garbanzos y caliéntelos bien, revolviéndolos hasta que queden bien recubiertos por la mezcla de las especias. Quite el sartén del fuego y agregue la sal y la pimienta, el tomate, las hierbas picadas, el aceite extra virgen y el jugo de limón.

3. Corte las chuletas de cordero en rebanadas gruesas en diagonal. Mezcle con la mezcla de los garbanzos condimentados.
4. Acomode las hojas pequeñas de espinaca sobre 4 platos y sirva los garbanzos y el cordero encima. Sirva de inmediato.

DA PARA 4 PERSONAS.

La grasa que contiene esta receta proviene principalmente del aliño (aderezo) de aceite de oliva y es monoinsaturada en su mayor parte.

Pilaf picante con garbanzos

Un plato de arroz sin carne que alcanza como comida ligera para 3 ó 4 personas o como guarnición para 6 personas.

DE VALOR BAJO EN EL IG

POR RACIÓN:

CALORÍAS 230
CARBOHIDRATOS . . . . .32 g
GRASA .8 g
FIBRA .4 g

■

1 cucharadita de margarina poliinsaturada o monoinsaturada

2 cucharaditas de aceite de oliva

1 cebolla mediana, pelada y picada en cubitos

6 onzas (168 g) de champiñones (setas) pequeños, partidos en cuartos o a la mitad

1 diente de ajo, machacado

⅔ taza de arroz *basmati*

1 cucharadita de *garam masala**

⅓ de lata de 15 onzas de garbanzos, escurridos

1 hoja de laurel

1½ tazas de caldo de pollo

1 cucharada de almendras rebanadas, tostadas**

DA PARA 3 Ó 4 PERSONAS.

*El *garam masala* es una mezcla de especias de la India que se consigue en las tiendas de especialidades de la India, los mercados indios o la sección de alimentos internacionales de los supermercados grandes.

1. Ponga la margarina y el aceite a calentar en un sartén mediano a fuego mediano. Agregue la cebolla, tape el sartén y sofría la cebolla durante 3 minutos, revolviéndola de vez en cuando. Agregue los champiñones y el ajo y sofríalos sin tapar durante 5 minutos más, revolviéndolos de vez en cuando.

2. Agregue el arroz y el *garam masala*, revolviéndolo para mezclar todos los ingredientes hasta que suelten su aroma. Agregue los garbanzos y la hoja de laurel y vierta el caldo encima. Deje que rompa a hervir. Baje el fuego lo más posible. Cubra el sartén con una tapa que cierre muy bien y déjelo al fuego (sin retirar la tapa) durante por lo menos 12 minutos o hasta que el arroz esté cocido y se termine de absorber todo el líquido.

3. Espolvoree el plato con la almendra tostada y sírvalo con una ensalada.

**Las almendras rebanadas se tuestan fácilmente en un sartén limpio a fuego mediano. Una vez que el sartén esté caliente, revuelva las almendras para tostarlas. No tardará más que un minuto. No las desatienda, porque las almendras se tuestan rápidamente.

Frittatas de espinacas, queso feta y frijoles

PARECEN *muffins*, pero ofrecen mucho más que eso.

DE VALOR BAJO EN EL IG

POR RACIÓN:

CALORÍAS 227
CARBOHIDRATOS . . . . .13 g
GRASA .13 g
FIBRA .5 g

■

1 paquete de 10 onzas (280 g) de espinacas picadas del congelador, descongelada

1 cucharadita de nuez moscada

5 onzas (140 g) de queso *feta* de grasa reducida, desmoronado

1 lata de 15 onzas de frijoles (habichuelas) colorados, escurridos

½ manojo de cebollas verdes, picadas muy fino

2 dientes de ajo, picados muy fino

¼ taza de aceite de *canola*

5 huevos enriquecidos con ácidos grasos omega-3, batidos levemente

Sal

Pimienta

¾ taza de harina con levadura

1. Precaliente el horno a 350°F.
2. Unte ligeramente con aceite unos moldes grandes para *muffin* con una capacidad de 8 × ¾ de taza.
3. En un tazón (recipiente) grande, mezcle la espinaca con la nuez moscada, el queso *feta*, los frijoles, la cebolla verde y el ajo.
4. Incorpore el aceite de *canola*, los huevos, la sal, la pimienta y la harina.
5. Llene los 8 moldes para *muffin* y métalos al horno de inmediato durante 35 a 40 minutos o hasta que se doren y se inflen. Sírvalos calientes o fríos.

RINDE 8 *FRITTATAS*.

Hamburguesas marroquíes

EL sabor del norte de África creado en 20 minutos en su propia cocina.

DE VALOR BAJO EN EL IG

POR RACIÓN:

CALORÍAS 470
CARBOHIDRATOS . . . . .65 g
GRASA . . . . .9 g
FIBRA . . . . .11 g

■

4 panes árabes (pan de *pita*) grandes

12 onzas (336 g) de carne de res molida magra (baja en grasa)

½ taza de trigo *bulgur*

2 cucharaditas de sazonador marroquí*

1 cebolla blanca mediana, picada muy fino

1 huevo ligeramente batido

3 tomates (jitomates) medianos, picados en cubitos

1 cucharada de hojas de menta, picadas en trozos grandes

2 cucharaditas de aceite de oliva

2 cucharaditas de vinagre de vino tinto

Lechuga

Hummus (opcional)**

DA PARA 4 PERSONAS.

1. Envuelva el pan árabe con papel aluminio y caliéntelo durante 15 minutos en el horno.

2. Mientras tanto, mezcle la carne de res, el trigo *bulgur*, el sazonador, la cebolla y el huevo en un tazón (recipiente). Forme 8 hamburguesas.

3. Rocíe un sartén antiadherente con aceite antiadherente en aerosol, póngalo a calentar y fría las hamburguesas de 4 a 5 minutos por cada lado.

4. Mezcle el tomate y la menta con el aceite de oliva y el vinagre en un tazón y sírvalo con las hamburguesas y la lechuga sobre el pan árabe. Úntelas con el *hummus*.

*El sazonador marroquí (*Moroccan seasoning*) se consigue en frascos en la sección de las especias del supermercado. También puede condimentar las tortas de carne con 1 diente de ajo machacado y ½ cucharadita cada uno de cilantro en polvo, comino, pimentón, pimienta negra y romero seco.

**El *hummus* se consigue en la sección de alimentos refrigerados del supermercado; también vea la receta para hacerlo que está en la página 124.

Estofado de verduras

Una sustanciosa comida vegetariana que tarda unos 30 minutos en prepararse.

DE VALOR BAJO EN EL IG
POR RACIÓN:

CALORÍAS 260
CARBOHIDRATOS . . . . .47 g
GRASA . . . . .1,5 g
FIBRA .12 g

■

1 cucharadita de aceite

1 cebolla, picada muy fino

2 dientes de ajo machacados o 2 cucharaditas de ajo picado en trocitos

2 tallos de apio, picados en rodajas

2 *squash* o 2 *zucchinis* (calabacitas) pequeños, picados en rodajas

8 onzas (224 g) de champiñones (setas) pequeños

1 lata de 15 onzas de frijoles (habichuelas) colorados, enjuagados y escurridos

1 lata de 28 onzas de tomates (jitomates), sin escurrir y picados

1 cucharadita de chile picado en trocitos

2 cucharadas de pasta de tomate

1½ tazas de caldo de verduras de lata

5 tazas de agua

1¼ tazas de pasta pequeña de coditos

Pimienta negra recién molida

Perejil fresco picado

1. Ponga el aceite a calentar en un sartén antiadherente, agregue la cebolla y el ajo y fríalos durante más o menos 5 minutos o hasta que se suavicen.
2. Agregue el apio, el *squash* o el *zucchini* y los champiñones y fríalo todo sin dejar de revolver por 5 minutos. Incorpore los frijoles, el tomate, el chile, la pasta de tomate, el caldo y el agua y deje que rompa a hervir.
3. Agregue la pasta de coditos, baje el fuego y cocínelo todo a fuego lento durante más o menos 20 minutos o hasta que la pasta esté cocida. Agregue pimienta a gusto y sírvalo espolvoreado con el perejil.

DA PARA 4 A 6 PERSONAS.

Este plato es una comida completa por sí mismo, pero puede servirlo con un panecillo o con pan.

Quiche de zanahoria y tomillo

*Y*A sea caliente o fría, esta *quiche* es tan sabrosa como colorida.

DE VALOR BAJO EN EL IG
POR RACIÓN

CALORÍAS 209
CARBOHIDRATOS .... 11 g
GRASA ....15 g
FIBRA .... 6 g

■

2 libras (900 g) de zanahorias, peladas y ralladas

1 cebolla grande, pelada y rallada

2 dientes de ajo, rallados o picados muy fino

2½ onzas (70 g) de queso *Cheddar* bajo en grasa, rallado

⅓ taza de aceite de *canola*

3 huevos, batidos levemente

1 cucharadita de nuez moscada molida

Sal y pimienta negra recién molida

1 cucharada de hojas de tomillo fresco o 1 cucharadita de tomillo seco

½ taza de harina con levadura

1. Precaliente el horno a 350°F.

2. Unte levemente con aceite un molde redondo bajo para *quiche* o *pie* de 12 pulgadas de diámetro.

3. Ralle las zanahorias, la cebolla, el ajo y el queso (para que este paso sea rápido y fácil, use el disco rallador de su procesador de alimentos).

4. En un tazón (recipiente) grande, bata el aceite con los huevos, la nuez moscada, la sal, la pimienta y las hojas de tomillo. Incorpore la harina hasta mezclarlo todo bien y agregue la zanahoria, la cebolla, el ajo y el queso.

5. Pase la mezcla al molde preparado y hornéelo durante 45 minutos o hasta que se dore y quede bien cocido.

DA PARA 6 A 8 PERSONAS.

Torta de queso y perejil

Este plato de queso y huevo —una sabrosa alternativa a la carne— también incluye arroz. Sírvalo con una ensalada mixta.

DE VALOR BAJO EN EL IG
POR RACIÓN:

CALORÍAS 207

CARBOHIDRATOS . . . . .27 g

GRASA .4 g

FIBRA .3 g

■

½ taza de arroz *basmati*

1 taza de perejil fresco picado

1 taza de queso *Cheddar* bajo en grasa, rallado

1 cebolla mediana, picada muy fino

½ taza de crema de maíz (elote, choclo)

½ taza de granos de maíz

1 *zucchini* (calabacita) grande, rallado

3–4 champiñones (setas), picados muy fino

3 huevos

2 tazas de leche semidescremada (al 1%)

¼ cucharadita de nuez moscada molida

1 cucharadita de comino molido

1 clara de huevo, batida levemente

1. Agregue el arroz a una cacerola con agua hirviendo y hiérvalo sin tapar durante más o menos 12 minutos o hasta que apenas se suavice; escúrralo.

2. Mezcle el arroz, el perejil, la mitad del queso, la cebolla, la crema, los granos de maíz, el *zucchini* y los champiñones en un tazón (recipiente) y páselos a un molde engrasado para *pie* de 9 pulgadas de diámetro.

3. Bata los huevos, la leche, la nuez moscada y el comino a mano en un tazón. Incorpore la clara de huevo levemente batida y viértala en una capa uniforme sobre la mezcla del arroz. Espolvoréela con el queso restante.

4. Hornee la torta con el horno a una temperatura moderada (350°F) durante más o menos 1 hora o hasta que cuaje al centro.

DA PARA 6 PERSONAS.

Hamburguesas de res y lentejas

SIRVA estas suculentas hamburguesas calientes con verduras o con una ensalada y mostaza o bien con *chutney*, un condimento de la India que combina frutas, vinagre, azúcar y especias. El *chutney* se consigue en la sección de alimentos internacionales de algunos supermercados y en tiendas especializadas en productos asiáticos.

DE VALOR BAJO EN EL IG

POR HAMBURGUESA:

CALORÍAS .56
CARBOHIDRATOS . . . . .4 g
GRASA . . . . .2 g
FIBRA .1 g

■

½ taza de lentejas marrones o rojas sin cocer

1 libra (450 g) de carne de res molida magra

1 cebolla pequeña, picada muy fino

½ pimiento (ají, pimiento morrón) verde pequeño, picado muy fino

1 diente de ajo machacado o 1 cucharadita de ajo picado en trocitos

2 cucharaditas de hierbas secas mixtas

⅓ taza de salsa de tomate (jitomate)

1 huevo ligeramente batido

Pimienta negra recién molida

Más o menos ½ taza de salvado de avena sin procesar

RINDE 24 HAMBURGUESAS PEQUEÑAS.

1. Cocine las lentejas en una cacerola de agua hirviendo durante más o menos 20 minutos o hasta que se suavicen; escúrralas bien.

2. Mezcle bien las lentejas con la carne de res, la cebolla, el pimiento verde, el ajo, las hierbas, la salsa, el huevo y la pimienta negra molida en un tazón (recipiente).

3. Agregue una cantidad suficiente de salvado de avena para obtener una consistencia de hamburguesa. Forme 24 tortitas con la mezcla y colóquelas sobre una bandeja de hornear levemente engrasada.

4. Hornéelas a una temperatura alta (400°F) durante más o menos 40 minutos o hasta que estén bien cocidas; voltéelas a la mitad del tiempo de horneado. También puede freírlas en un sartén antiadherente a fuego mediano-alto hasta que se doren y estén bien cocidas.

Recaliente las hamburguesas sobrantes para servirlas con pan árabe (pan de *pita*) con *chutney*, tomate (jitomate), pepino, zanahoria rallada y lechuga.

Postres

■

Pudín de pan y frutas

Pudín de chocolate y avena

Compota de bayas mixtas y canela

Helado de jengibre y nectarina

Dulce de manzana

Arroz cremoso con peras

Pie de albaricoque, miel y coco

Tarta de frutas

Ensalada de frutas

Gelatina de bayas y yogur

Pudín de pan y frutas

$\mathcal{A}$COMPAÑADO de una compota de bayas mixtas, este pudín (budín) es un postre ideal para el principio del otoño.

DE VALOR BAJO EN EL IG

POR RACIÓN:

CALORÍAS 175
CARBOHIDRATOS . . . . .25 g
GRASA .4 g
FIBRA .1 g

■

2½ tazas de leche semidescre-mada (al 1%)

3 huevos enriquecidos con ácidos grasos omega-3

2 cucharadas de azúcar

1 cucharadita de extracto de vainilla

4 rebanadas de pan con frutas y especias (de canela y pasas)

1 cucharada de margarina

½ taza de pasas, remojadas en 2 cucharadas de brandy

1 cucharadita de canela en polvo

DA PARA 6 A 8 PERSONAS.

1. Precaliente el horno a 325°F.
2. Engrase levemente un molde para pudín de 6 tazas (1½ cuartos de galón/1½ litros) de capacidad.
3. Ponga de 4 a 6 tazas de agua a hervir.
4. Bata la leche, los huevos, el azúcar y el extracto de vainilla a mano en un tazón (recipiente) grande.
5. Córtele la corteza al pan con frutas y úntelo generosamente con la margarina; corte cada rebanada a la mitad en diagonal. Acomode los triángulos de pan parados en la fuente. Espolvoree el pan con las pasas remojadas y vierta encima la mezcla de la leche. Oprima las rebanadas con cuidado para absorber la mezcla de la leche. Espolvoréelas con la canela.
6. Ponga una fuente para hornear honda en el horno y coloque el molde para pudín al centro. Vierta el agua hirviendo lentamente en la fuente para hornear, en cantidad suficiente para que suba hasta por lo menos tres cuartos del molde para pudín.

7. Hornee el pudín durante más o menos 1 hora o hasta que el pudín cuaje, se infle y se dore levemente.

8. Sírvalo con la Compota de bayas mixtas y canela (vea la página 210).

Pudín de chocolate y avena

*E*STA receta merece ser incluida con frecuencia en sus menús para un desayuno tarde durante el fin de semana.

DE VALOR BAJO EN EL IG

POR RACIÓN:

CALORÍAS 340
CARBOHIDRATOS . . . . .55 g
GRASA . . . . .7 g
FIBRA .2 g

■

1 cucharada de pasas

1 cucharada de ron (opcional)

4 rebanadas de pan de masa fermentada (*sourdough bread*)

2 cucharadas de pasta untable de avellana de la marca *Nutella*®

2 huevos, batidos levemente

½ cucharadita de canela en polvo

½ taza de azúcar

1 taza de leche semidescremada (al 1%)

1 cucharada de preparado comercial para pudín (budín)

DA PARA 4 PERSONAS.

1. Si quiere remojar las pasas en ron, colóquelas en un tazón (recipiente) pequeño con el alcohol y póngalas a calentar en el horno de microondas durante 20 segundos o hasta que se inflen.

2. Unte 2 rebanadas de pan con una gruesa capa de *Nutella*®. Reparta las pasas sobre la *Nutella*® y cubra el pan con las 2 rebanadas restantes de pan para hacer 2 sándwiches (emparedados). Parta cada sándwich en 4 triángulos y párelos en una fuente para hornear (refractario) de 1 cuarto de galón (1 litro) de capacidad, aplastándolos para que quepan.

3. Bata los huevos con los ingredientes restantes a mano en un tazón hondo. Vierta la mezcla de los huevos sobre los sándwiches en la fuente para hornear y déjelos reposar durante 10 minutos mientras el pan absorba el líquido.

4. Coloque la fuente para hornear dentro de otro molde o fuente que pueda meterse al horno y agregue agua caliente al molde más grande, en cantidad suficiente para cubrir los lados de la fuente del pudín hasta la mitad (como en baño María). Hornee el pudín 40 minutos a 400°F hasta que el pudín alrededor del pan cuaje y se dore.

Compota de bayas mixtas y canela

SÓLO requerirá 15 minutos para preparar este postre delicioso.

DE VALOR BAJO EN EL IG

POR RACIÓN:

CALORÍAS 145

CARBOHIDRATOS . . . . .36 g

GRASA . . . . .INSIGNIFICANTE

FIBRA . . . . .2 g

■

¾ taza de jugo de naranja (china) recién exprimido

1 taza de azúcar

2 rajas (ramas) de canela

La cáscara de 1 naranja, picada en finas tiras

4 tazas de bayas mixtas (frambuesa, zarzamora, arándano, fresa)

1. Ponga el jugo de naranja, el azúcar, las rajas de canela y la cáscara de naranja en una cacerola grande de acero inoxidable y deje que rompa a hervir a fuego lento.

2. Agregue las bayas mixtas y cocínelas con cuidado a fuego lento por 2 minutos, justo hasta que se calienten y se inflen.

3. Sírvalas tibias con el Pudín de pan y frutas (vea la página 206).

DA PARA 6 A 8 PERSONAS.

Antes de exprimir las naranjas, quíteles la cáscara con un pelador de cítricos o de papas.

Helado de jengibre y nectarina

Mantenga este helado a mano en su congelador para cuando necesite servir un postre elegante de improviso.

DE VALOR BAJO EN EL IG

POR RACIÓN:

CALORÍAS 148
CARBOHIDRATOS . . . . .27 g
GRASA . . . . .3 g
FIBRA . . . . .2 g

■

2 nectarinas medianas, peladas y sin semilla

1 cuarto de galón (1 litro) de helado de vainilla bajo en grasa

2 cucharaditas de miel

½ taza (4 onzas/112 g) de yogur natural bajo en grasa

4 onzas de frutas secas mixtas picadas en cubitos

4 galletas de jengibre, machacadas

Galletitas de almendra o de jengibre (*almond thins* o *ginger thins*) para adornar

DA PARA 8 PERSONAS.

1. Pique la nectarina en cubitos.
2. Saque el helado del congelador y déjelo reposar a temperatura ambiente durante más o menos 10 minutos o hasta que se suavice un poco. Con una pala para hacer bolas de helado, páselo a un tazón (recipiente) grande.
3. Revuelva la miel con el yogur. Agregue esta mezcla al helado suavizado, así como las frutas secas, la galleta de jengibre y la nectarina, y revuelva todo rápidamente. Vierta el helado en un molde de caja de metal. Tápelo con plástico autoadherente y congélelo durante por lo menos 4 horas, hasta que se endurezca.
4. Antes de servirlo, saque el helado del congelador y coloque el molde en el fregadero (lavaplatos) con agua caliente durante 20 a 30 segundos para suavizar la parte externa del helado. Voltee el molde sobre una tablita y corte gruesas rebanadas de helado con un cuchillo que debe mojar con agua caliente antes de cortar cada rebanada. Para servir las rebanadas de helado, adórnelas con galletitas de almendra o de jengibre.

Dulce de manzana

$\mathcal{E}$sta versión de un postre tradicional es rápida y fácil de preparar, además de ser deliciosa y de valor bajo en el IG.

DE VALOR BAJO EN EL IG
POR RACIÓN:

CALORÍAS 365

CARBOHIDRATOS . . . . .60 g

GRASA . . . . .12 g

FIBRA .7 g

∎

3 manzanas *Granny Smith* grandes, peladas, descorazonadas y cortadas en rodajas

½ cucharadita de especias mixtas

Cubierta

1 taza de copos de avena

½ taza de salvado de avena sin procesar

½ taza de azúcar morena (mascabado)

1 cucharadita de canela

3 cucharadas de margarina poliinsaturada o mono-insaturada

1. Mezcle las manzanas y las especias y páselas a un molde para *pie* de 10 pulgadas de diámetro.
2. Ponga los ingredientes de la cubierta en un procesador de alimentos.
3. Procese los ingredientes para formar la cubierta y espolvoréela sobre las manzanas. Hornéelas por 30 minutos a 350°F.

DA PARA 4 PERSONAS (ABUNDANTEMENTE).

El salvado de avena sin procesar (*unprocessed oat bran*) se consigue en el supermercado y en las tiendas de productos naturales.

Arroz cremoso con peras

*U*n arroz con leche muy saludable.

DE VALOR BAJO EN EL IG
POR RACIÓN:
CALORÍAS 295
CARBOHIDRATOS . . . . .65 g
GRASA . . . . .INSIGNIFICANTE
FIBRA . . . . .3 g

■

2 tazas de agua

1 taza de arroz de la marca *Uncle Ben's® Converted® Rice* o de arroz *basmati*

¾ taza de leche descremada evaporada de lata

¼ taza de azúcar morena (mascabado) bien compacta

1 cucharadita de extracto de vainilla

1 lata de 16 onzas de peras en rebanadas, escurridas

1. Ponga el agua a hervir en una cacerola, agregue el arroz y hiérvalo durante 15 minutos; escúrralo.
2. Regrese el arroz a la cacerola y agregue la leche. Revuélvalos a fuego lento hasta que la leche se haya absorbido por completo. Incorpore el azúcar y el extracto de vainilla; deje enfriar.
3. Con una pala para hacer bolas de helado, sirva el arroz sobre platos individuales; acomode las rebanadas de pera en forma de abanico al lado del arroz.

DA PARA 4 PERSONAS.

Pie de albaricoque, miel y coco

ALBARICOQUES, miel y yogur sobre galletitas de coco crean un postre delicioso.

DE VALOR BAJO EN EL IG
POR RACIÓN:

CALORÍAS 255
CARBOHIDRATOS . . . . .32 g
GRASA .12 g
FIBRA .2 g

■

Base

¼ taza de coco rallado seco, tostado*

16 galletitas de la marca *Fifty-50 Hearty Oatmeal Cookies†*, finamente desmoronadas

4 cucharadas de margarina poliinsaturada o monoinsaturada, derretida

Cubierta

1 taza de orejones de albaricoque (chabacano, damasco)

½ taza de agua hirviendo

2 recipientes de 8 onzas de yogur bajo en grasa de albaricoque

¼ taza de miel

2 huevos

DA PARA 8 PERSONAS.

1. Forre un molde para hornear rectangular de 6½ por 10½ pulgadas con papel aluminio.

2. Para preparar la base, mezcle los ingredientes en un tazón (recipiente). Reparta la mezcla de manera uniforme sobre el fondo del molde ya preparado y aplástela con firmeza.

3. Hornee la base a una temperatura moderada (350°F) durante más o menos 10 minutos o hasta que se dore. Saque el molde del horno y deje que se enfríe.

4. Para preparar la cubierta, cubra los orejones de albaricoque con el agua hirviendo y déjelos reposar 30 minutos o hasta que se suavicen. Muélalos bien en una licuadora (batidora) o en un procesador de alimentos. Agregue el yogur, la miel y los huevos y muélalos hasta que adquieran una consistencia uniforme.

5. Extienda la mezcla de la cubierta sobre la base ya preparada. Hornee el postre a una temperatura moderada (350°F) durante más o menos 30 a 35 minutos o hasta que cuaje.

6. Deje enfriar y métalo al refrigerador durante varias horas antes de servirlo.

*Para tostar el coco rallado, póngalo a fuego lento en un sartén antiadherente por 2 minutos o hasta que apenas se dore, sin dejar de revolverlo. Páselo a otro recipiente para que se enfríe.

†Disponibles en supermercados en todo el país.

Tarta de frutas

*U*NA tarta deliciosa que lo llena sin dejarlo sintiéndose atiborrado.

DE VALOR BAJO EN EL IG
POR RACIÓN:
CALORÍAS 335
CARBOHIDRATOS . . . . .35 g
GRASA . . . . .14 g
FIBRA .1 g

■

Base

32 galletitas de la marca *Fifty-50 Hearty Oatmeal Cookies*†, desmoronadas

6½ cucharadas de margarina poliinsaturada o monoinsaturada, derretida

Relleno

2 cucharaditas de gelatina

2 cucharadas de agua hirviendo

1 recipiente de 8 onzas de yogur bajo en grasa de alguna fruta

1 recipiente de 8 onzas de requesón de piña (ananá) bajo en grasa

¼ taza de miel

½ cucharadita de extracto de vainilla

1 taza de fruta fresca picada (por ejemplo manzana, naranja/china, cantaloup/melón chino, fresa, pera, uva)

1. Para preparar la base, mezcle las migajas de galletita y la margarina en un tazón (recipiente). Reparta la mezcla de manera uniforme en un molde para *pie* de 9 pulgadas de diámetro y oprímala con firmeza. Hornee la base a una temperatura moderada (350°F) durante 10 minutos. Deje que se enfríe.

2. Para preparar el relleno, espolvoree la gelatina sobre el agua hirviendo en una taza, coloque la taza en una cacerola pequeña con agua hirviendo a fuego lento y revuelva el agua de la taza hasta que la gelatina se disuelva por completo; deje que se enfríe un poco.

3. Muela la gelatina con el yogur, el requesón, la miel y el extracto de vainilla en una licuadora (batidora) o un procesador de alimentos hasta que adquiera una consistencia uniforme.

4. Acomode la fruta picada sobre la base ya preparada y cúbrala con la mezcla del yogur. Métala al refrigerador durante más o menos 1 hora o hasta que se cuaje.

DA PARA 8 PERSONAS.

No utilice papaya (fruta bomba, lechosa), piña ni kiwi, pues estas frutas impiden que la gelatina cuaje.

†Disponibles en supermercados en todo el país.

Ensalada de frutas

LA naranja, la manzana y el plátano amarillo por lo común se consiguen durante todo el año, por lo que se trata de una combinación ideal cuando no es temporada de otros tipos de fruta.

DE VALOR BAJO EN EL IG

POR RACIÓN:

CALORÍAS 150
CARBOHIDRATOS . . . . .33 g
GRASA .1 g
FIBRA . . . . .5 g

■

1 naranja (china), pelada y separada en gajos

1 manzana roja mediana, picada en trozos pequeños

2 cucharaditas de azúcar

1 cucharadita de jugo de limón fresco

1 plátano amarillo (guineo, banana) pequeño

1 cucharada de coco rallado

1. Corte los gajos de naranja a la mitad. Ponga los trozos de manzana y de naranja en un tazón (recipiente). Espolvoréelos con el azúcar y el jugo de limón y mezcle todo muy bien. Tape el recipiente y métalo al refrigerador durante por lo menos 1 hora.

2. Justo antes de servir la ensalada, incorpore el plátano amarillo cortado en rodajas y espolvoréela con el coco rallado.

DA PARA 2 PERSONAS.

Gelatina de bayas y yogur

$\mathcal{E}$STE postre es muy fácil de preparar. Puede usar gelatina sin azúcar si quiere reducir las calorías.

DE VALOR BAJO EN EL IG

POR RACIÓN:

CALORÍAS .85
CARBOHIDRATOS . . . . .16 g
GRASA . . . . .INSIGNIFICANTE
FIBRA .1 g

■

1 paquete de 3 onzas de gelatina en polvo con sabor a alguna baya

1 taza de agua hirviendo

1 taza de fresas o de frambuesas congeladas

1½ tazas de yogur bajo en grasa de alguna baya

1. Vierta el agua hirviendo sobre la gelatina en un tazón (recipiente) y revuélvala hasta que se disuelva por completo; deje que se enfríe, pero sin cuajar.

2. Pique las fresas en trozos grandes (las frambuesas congeladas se separarán cuando las revuelva).

3. Incorpore el yogur y las fresas o frambuesas cuidadosamente a la gelatina, mezclando todo bien. Vierta el postre en platos individuales, tápelos y métalos al refrigerador hasta que cuaje.

DA PARA 4 PERSONAS.

Meriendas

∎

Pan de nuez, plátano y semillas de sésamo

Galletitas de canela y *muesli*

Muffins de avena y manzana

Panecillos de queso

Barras de *granola*

Galletitas de avena

Garbancitos picantitos

Pan de nuez, plátano y semillas de sésamo

Este pan versátil se prepara rápidamente y puede disfrutarse tostado para desayunar o bien como merienda.

DE VALOR MODERADO EN EL IG

POR RACIÓN:

CALORÍAS 255
CARBOHIDRATOS . . . . .30 g
GRASA .12 g
FIBRA . . . . .5 g

■

3 cucharadas de miel

1 cucharada de aceite de *canola*

3 huevos enriquecidos con ácidos grasos omega-3

3 plátanos amarillos (guineos, bananas), machacados

1 cucharadita de canela molida

1 taza de harina de trigo integral con levadura

1 taza de harina blanca con levadura

1 taza de nueces

1 cucharada de semillas de sésamo (ajonjolí)

RINDE 1 PAN.

DA PARA 10 PERSONAS.

1. Precaliente el horno a 350°F.
2. Unte levemente con aceite un molde de caja de metal de 5 por 9 por 2¾ pulgadas y fórrelo con una tira de papel pergamino.
3. Ponga la miel, el aceite y los huevos en un tazón (recipiente) grande y bátalos bien a mano.
4. Incorpore el plátano amarillo y la canela a la mezcla, batiendo a mano, y agregue las harinas, 1 taza a la vez, batiendo rápidamente a mano.
5. Incorpore las nueces y pase la mezcla rápidamente al molde ya preparado. Espolvoréelo con las semillas de sésamo.
6. Coloque el molde sobre la parrilla del centro del horno precalentado y hornéelo durante 45 minutos.
7. Introduzca un alambre (pincho) en el centro del pan para ver si está bien. Si el alambre sale limpio y el pan está dorado, está listo.
8. Voltee el pan sobre una rejilla (parrilla) para que se enfríe y rebánelo.

Galletitas de canela y muesli

Estas galletitas ricas y saludables se hacen con *muesli*, un cereal de desayuno que consiste en trigo, avena, cebada (servidos crudos o bien cocidos), frutas secas (como pasas o manzanas), germen de trigo, azúcar y frutos secos. El *muesli* se consigue ya preparado en algunos supermercados y en las tiendas de productos naturales.

DE VALOR MODERADO EN EL IG
POR GALLETITA:
CALORÍAS 130
CARBOHIDRATOS . . . . .21 g
GRASA .4 g
FIBRA .2 g

■

2 cucharadas de aceite de *canola*

3 cucharadas de almíbar de arce (miel de maple)

⅓ taza de jugo de naranja (china)

1 taza de *muesli* de avena sin edulcorante

1 taza de harina con levadura

1 cucharada de canela

Azúcar glas

1. Precaliente el horno a 350°F.
2. Cubra una bandeja de hornear con papel pergamino.
3. Vierta el aceite y el almíbar de arce en un tazón (recipiente) grande. Agregue el jugo de naranja y mézclelo todo.
4. Agregue el *muesli*, la harina y la canela y mezcle todo para obtener una masa suave.
5. Ponga la mezcla a cucharadas sobre la bandeja ya preparada, dejando un espacio de más o menos 1 pulgada (2,5 cm) entre las galletitas.
6. Hornéelas de inmediato durante 15 a 20 minutos o hasta que apenas se doren. Enfríelas sobre una rejilla (parrilla) de alambre y espolvoréelas con un poco de azúcar glas.

RINDE MÁS O MENOS 12 GALLETITAS.

Muffins de avena y manzana

Estos *muffins* con trozos húmedos de manzana son deliciosos, aparte de bajos en grasa. El salvado de avena sin procesar (*unprocessed oat bran*) se consigue en las tiendas de productos naturales.

DE VALOR BAJO EN EL IG

POR RACIÓN:

CALORÍAS 100
CARBOHIDRATOS . . . . .22 g
GRASA .1 g
FIBRA .2 g

■

½ taza de cereal de la marca *All-Bran™*

⅔ taza de leche semidescremada (al 1%)

½ taza de harina con levadura

2 cucharaditas de polvo de hornear

1 cucharadita de especias mixtas

½ taza de salvado de avena sin procesar

½ taza de pasas

1 manzana *Granny Smith*, pelada y picada en cubitos

1 huevo ligeramente batido

¼ taza de miel

½ cucharadita de extracto de vainilla

RINDE 12 *MUFFINS*.

1. Mezcle el *All-Bran™* y la leche en un tazón (recipiente) y déjelo reposar durante 10 minutos.
2. Cierna la harina, el polvo de hornear y las especias mixtas en un tazón grande. Incorpore el salvado de avena, las pasas y la manzana.
3. Mezcle el huevo, la miel y la vainilla en otro tazón. Agregue la mezcla del huevo y la del *All-Bran™* a los ingredientes secos y revuélvalo todo con una cuchara de madera hasta que apenas se mezcle. No lo revuelva demasiado.
4. Pase la mezcla a un molde engrasado para 12 *muffins*. Hornéelo a una temperatura moderada (350°F) durante más o menos 15 minutos o hasta que los *muffins* se doren levemente y estén bien cocidos. Sírvalos tibios o a temperatura ambiente.

Si los *muffins* le parecen demasiado secos a temperatura ambiente, caliéntelos con el microondas en *high* durante 10 segundos antes de servirlos. También es buena idea calentar un poco la miel para que sea más fácil medirla.

Panecillos de queso

Estos sabrosos panecillos dan un delicioso almuerzo ligero acompañados de una ensalada, o bien son una rica merienda (refrigerio, tentempié) al disfrutarse solos. ¡No hace falta agregarles nada!

DE VALOR MODERADO EN EL IG
POR RACIÓN:

CALORÍAS 125
CARBOHIDRATOS . . . . .17 g
GRASA .5 g
FIBRA .3 g

■

1 taza de harina con levadura, cernida

1½ cucharaditas de polvo de hornear

1 taza de salvado de avena sin procesar

2 cucharadas de margarina poliinsaturada o monoinsaturada

½ taza de leche semidescremada (al 1%)

2 cucharadas de agua

½ taza (2 onzas/56 g) de queso *Cheddar* bajo en grasa, rallado

2 cucharaditas de perejil fresco, picado

2 cucharaditas de albahaca fresca picada o 1 cucharadita de albahaca seca

1 cucharadita de romero seco

RINDE 10 PANECILLOS.

1. Cierna la harina y el polvo de hornear en un tazón (recipiente) grande e incorpore el salvado de avena. Incorpore la margarina con una raspa, dos cuchillos o un tenedor.

2. Haga un hueco en el centro de la masa y agregue la leche y la mitad del agua. Revuelva un poco con un cuchillo, agregando más agua, de ser necesario, para obtener una masa suave. Pase la masa a una tabla ligeramente enharinada y amásela con cuidado.

3. Extienda la masa hasta obtener un rectángulo de más o menos ½ pulgada (1 cm) de grosor. Espolvoree la mitad del queso y todas las hierbas sobre la superficie de la masa.

4. Empezando por uno de los lados largos, enrolle la masa para obtener un rollo grueso. Córtelo en rebanadas de 1 pulgada (2,5 cm) de grosor.

5. Coloque las rebanadas de masa una al lado de la otra sobre una bandeja de hornear engrasada y espolvoree el queso restante encima. Hornéelas a una temperatura alta (400°F) durante más o menos 20 minutos o hasta que se doren. Sírvalos calientes o fríos.

Barras de granola

ESTAS barras, con su textura pesada, dan una merienda muy saludable y llenadora.

DE VALOR BAJO EN EL IG

POR RACIÓN:

CALORÍAS 140
CARBOHIDRATOS . . . . .15 g
GRASA .8 g
FIBRA .3 g

■

½ taza de harina de trigo integral

½ taza de harina con levadura

1 cucharadita de polvo de hornear

½ cucharadita de especias mixtas

½ cucharadita de canela en polvo

1½ tazas de copos de avena

1 taza de frutas secas mixtas o de la fruta seca de su elección, picadas

¼ taza de semillas de girasol

½ taza de jugo de manzana

¼ taza de aceite

1 huevo ligeramente batido

2 claras de huevo, batidas levemente

1. Forre un molde para hornear de 8 por 12 pulgadas con papel pergamino.
2. Cierna las harinas, el polvo de hornear y las especias en un tazón (recipiente) grande. Incorpore la avena, la fruta y las semillas y mezcle todos los ingredientes.
3. Agregue el jugo de manzana, el aceite y el huevo entero y mezcle todo bien. Incorpore las claras de huevo con cuidado.
4. Extienda la masa de manera uniforme en el molde para hornear y oprímala con firmeza con el dorso de una cuchara. Trace 12 barras sobre la superficie de la masa con un cuchillo filoso.
5. Meta el molde al horno caliente (400°F) durante 15 a 20 minutos, más o menos, o hasta que la masa se dore levemente. Deje que se enfríe y corte en forma de barras.

RINDE 12 BARRAS.

Galletitas de avena

$\mathcal{E}$STAS galletitas crujientes son una práctica merienda (refrigerio, ten-tempié) de valor bajo en el IG.

DE VALOR BAJO EN EL IG

POR RACIÓN:

CALORÍAS 140
CARBOHIDRATOS . . . . .17 g
GRASA .6 g
FIBRA .3 g

■

6½ cucharadas de margarina poliinsaturada o mono-insaturada

¼ taza de miel

1 huevo

½ cucharadita de extracto de vainilla

2½ tazas de copos de avena

2 cucharadas de semillas de girasol

¼ taza de harina con levadura, cernida

1. Derrita la margarina y la miel en una cacerola pequeña.
2. Bata el huevo y el extracto de vainilla a mano en un tazón (recipiente) grande.
3. Agregue la mezcla de la margarina, la avena, las semillas de girasol y la harina al huevo y revuélvalo todo hasta mezclarlo bien.
4. Coloque pequeñas cucharadas de la mezcla sobre una bandeja de hornear levemente engrasada, dejando espacios uniformes entre ellas.
5. Hornee las galletitas a una temperatura moderadamente caliente (375°F) durante más o menos 10 minutos o hasta que se doren. Déjelas reposar sobre la bandeja hasta que adquieran una consistencia firme. Después despréndalas y colóquelas sobre una rejilla (parrilla) de alambre para que se enfríen.

RINDE 16 GALLETITAS.

Garbancitos picantitos

*L*os garbanzos asados dan una merienda (refrigerio, tentempié) de valor bajo en el IG y supersaludable. Agrégueles sabor de acuerdo con las sugerencias indicadas o lo que usted mismo invente. Sólo necesita garbanzos.

DE VALOR BAJO EN EL IG

POR ½ TAZA:

CALORÍAS 320
CARBOHIDRATOS . . . . .45 g
GRASA . . . . .6 g
FIBRA .15 g

■

1 paquete de 1 libra (450 g) de garbanzos sin cocer

1. Remoje los garbanzos en agua durante toda la noche. Al día siguiente, escúrralos y séquelos cuidadosamente con toallas de papel.

2. Extienda los garbanzos en una sola capa sobre una bandeja de hornear. Hornéelos a una temperatura moderada (350°F) durante más o menos 45 minutos o hasta que queden completamente crujientes. (Se encogerán hasta recuperar su tamaño original).

3. Mezcle los garbanzos calientes con algún saborizante (vea las sugerencias a la izquierda) o bien deje que se enfríen y sírvalos sin nada.

Variaciones de sabor

Garbancitos a la pimienta

Espolvoree los garbanzos calientes con una mezcla de pimienta de Cayena y sal.

Garbancitos al pimentón

Espolvoree los garbanzos calientes con una mezcla de pimentón (paprika) y sal con ajo.

RINDE 6 TAZAS.

Después de sazonar los garbanzos, déjelos secar al aire durante varios días para asegurarse de que toda la humedad que quede se evapore por completo.

Parte

Aproveche el índice glucémico al máximo

La información más reciente acerca de la forma en que el índice glucémico puede ayudarle a controlar su peso, a combatir la diabetes y el síndrome metabólico (síndrome X) y a mejorar la salud de su corazón, así como la importancia que tiene esta escala para los niños y los atletas.

∎

9

ESTRATEGIAS PARA
ADELGAZAR CON AZÚCAR

ACTUALMENTE SE RECONOCE que la obesidad es un problema grave que preocupa cada vez más a un gran sector de la población estadounidense. Entre 1991 y 2000, los casos de obesidad aumentaron en un 60 por ciento en el país. Dos de cada tres adultos que radican en los Estados Unidos tienen sobrepeso, y uno de cada tres sufre obesidad. El mal afecta incluso a los niños: más del 15 por ciento de los niños que viven en los Estados Unidos tienen sobrepeso. Hace falta combatir el problema sobre muchos frentes, entre ellos los del ejercicio y la dieta. Y cuando se trata de controlar el peso, el índice glucémico (IG) puede desempeñar un papel importante al ayudar a reducir el apetito y los niveles de insulina.

Si usted tiene sobrepeso o piensa que lo tiene, es muy posible que ya haya hojeado un sinnúmero de libros, folletos y revistas que ofrecen soluciones para bajar de peso. De hecho, cada semana parecen surgir nuevas dietas o remedios milagrosos para adelgazar. Evidentemente sirven para vender revistas, pero a la mayoría de las personas esas "dietas" no les ayudan a bajar de peso. ¿Cómo se sabe esto? Muy simple: ¡si funcionaran no habría tantas!

En el mejor de los casos una dieta reducirá su consumo de calorías. . .

mientras la siga. En el peor de los casos, la dieta cambiará la composición de su cuerpo para aumentar el volumen de grasa que este contiene y reducir su masa muscular. Este fenómeno se debe a que muchas dietas reducen el consumo de carbohidratos radicalmente para lograr que se baje de peso rápido. No obstante, la mayor parte del peso que se pierde en esta forma consiste en agua (atrapada o retenida por los depósitos de carbohidratos) y en tejido muscular (el cual se descompone para producir la glucosa requerida para el funcionamiento del cerebro). Por lo tanto, cuando se vuelve a la anterior forma de comer, el cuerpo contiene menos masa muscular. Cada vez que se repite una dieta semejante, se pierde más masa muscular. A lo largo de los años, el cambio en la composición corporal a menos masa muscular y más grasa dificulta cada vez más la tarea de controlar el peso. El cuerpo requiere cada vez menos energía para funcionar cuando no está realizando ningún esfuerzo. De esta forma la naturaleza les ayuda a los animales a adaptarse al medio ambiente en que viven.

> **Al bajar de peso, lo que realmente se pretende es perder grasa corporal. Quizá sería más preciso describirlo como "liberar" grasa corporal. Al fin y al cabo, ¡decir que se pierde algo implica que se tiene la esperanza de recuperarlo algún día!**

En este capítulo no se le impondrá una dieta más; en cambio, le daremos algunos datos importantes acerca de los alimentos y de cómo su cuerpo los aprovecha. A fin de cuentas, no todos los alimentos son iguales. Cuando se trata de bajar de peso, no necesariamente hay que reducir la cantidad de alimentos que se come. De hecho, las investigaciones realizadas al respecto demuestran que el tipo de alimento que se le brinda al cuerpo determina lo que este quema y lo que guarda como grasa corporal. También revelan que algunos alimentos satisfacen más el apetito que otros.

Es en este sentido que el IG desempeña un papel sumamente importante. Los alimentos de valor bajo en el IG ofrecen dos ventajas fundamentales a las personas que pretenden bajar de peso:

1. Son llenadores y hacen que uno se sienta satisfecho por más tiempo.
2. Ayudan a quemar más grasa corporal y menos músculo.

Resulta más fácil bajar de peso al consumir alimentos con valores bajos en el IG porque uno no siente hambre continuamente y se logra una auténtica "liberación" de grasa.

LOS PROBLEMAS DEL SOBREPESO

Cuando se tiene sobrepeso se corre un mayor riesgo de sufrir muchos problemas de la salud, como enfermedades cardíacas, diabetes, presión arterial alta (hipertensión), gota, cálculos biliares, apnea del sueño (una afección en que uno deja de respirar por mucho tiempo cuando está durmiendo; roncar es un buen indicio de este problema) y artritis. A esta lista de complicaciones físicas corresponde un número igual de problemas emocionales y psicológicos también provocados por el hecho de tener sobrepeso.

Cada vez hay más personas con sobrepeso en nuestra sociedad; de hecho, se está viviendo una epidemia de obesidad en los Estados Unidos a pesar del crecimiento registrado por la industria dedicada a promover la pérdida de peso y el número cada vez mayor de alimentos "de dieta" o *lite* que se pueden comprar. Evidentemente no hay una solución sencilla para prevenir la obesidad o el sobrepeso. Tampoco es fácil adelgazar. No obstante, *Adelgace con azúcar* puede facilitárselo. Nosotros le diremos qué alimentos sacian el hambre por más tiempo y con cuáles es menos probable que suba de peso. Cuando utilice el IG como punto de partida para escoger sus alimentos, usted no tendrá que:

▶ restringir demasiado la cantidad de comida que ingiera
▶ contar calorías constantemente
▶ matarse de hambre

Lo más importante de usar el IG es que se aprende con qué alimentos se logra que el cuerpo funcione mejor.

También vale la pena cuidar los aspectos del estilo de vida que influyen en el peso. Quizá sus esfuerzos en este sentido no vayan a ser premiados con un cuerpo nuevo, pero se sentirá mejor con respecto al cuerpo que tiene. El objetivo es comer bien y hacer ejercicio.

¿POR QUÉ LAS PERSONAS TIENEN SOBREPESO?

¿Por razones genéticas?
¿Por razones hormonales?
¿A causa del medio ambiente?
¿Se trata de un problema psicológico?
¿O de problemas del metabolismo?

La mayoría de las personas mantienen un peso constante sin esforzarse mucho, aunque pesen un poco más de lo que les gustaría. Así ocurre a pesar de que puede variar muchísimo entre un día y otro la cantidad de alimentos que comen. Es como si existiera un peso hacia el cual su cuerpo tendiera de manera natural. Para algunas personas con sobrepeso, este equilibrio entre las calorías que se consumen y las que se gastan se establece en un peso más alto. Por lo tanto, independientemente de los esfuerzos que inviertan en controlarlo —cada dieta de moda o programa de ejercicios que sigan, incluso intervenciones quirúrgicas y medicamentos—, vuelven a subir de peso a lo largo de los años.

El peso corporal es el resultado de la cantidad de alimentos que comemos y la cantidad que quemamos. Por lo tanto, si comemos demasiado y no quemamos suficientes calorías, es probable que subamos de peso.

La pregunta es la siguiente: ¿Cuánto es demasiado, y de qué?

La respuesta no es sencilla, pues no todos los alimentos son iguales ni hay dos cuerpos iguales.

Las personas están pasadas de peso por muchas razones diferentes. Algunas creen que con sólo mirar la comida aumentan de peso; otras dicen que engordan sólo por pasar frente a la panadería; otras más se regañan a sí mismas porque simplemente no pueden resistir la tentación de la comida deliciosa. Las investigaciones han demostrado que el peso es el resultado de varios factores sociales, genéticos, alimenticios, metabólicos, psicológicos y emocionales.

Antes de seguir hablando de la comida, veamos el papel que la *genética* desempeña cuando se trata de controlar el peso. Muchas personas con sobrepeso afirman, resignadas:

- ▶ "Bueno, mi mamá/mi papá también está pasado de peso".
- ▶ "Siempre he tenido sobrepeso".
- ▶ "Deben ser mis genes".

Las investigaciones indican que estos comentarios tienen mucho de cierto. Es mucho más probable que el hijo de padres con sobrepeso esté pasado de peso que el hijo de padres delgados. Quizá suene a pretexto, pero muchas pruebas respaldan la idea de que los genes determinan el peso y la forma del cuerpo, aunque sea en parte.

Gran parte de los conocimientos que tenemos en esta área derivan de estudios realizados con gemelos. Los gemelos idénticos tienden a tener un peso similar aunque crezcan separados el uno del otro. El volumen de grasa que contiene el cuerpo de los gemelos dados en adopción por separado cuando eran bebés se parece más al de sus padres biológicos que al de sus padres adoptivos. En un estudio científico se aumentó el consumo de calorías de varios pares de gemelos en 1.000 calorías diarias durante 100 días. Algunos subieron 9 libras (4 kg) y otros 26 libras (12 kg), pero la cantidad que cada gemelo subía sorprendentemente era siempre semejante al peso que aumentaba su hermano o su hermana. Estos resultados indican que los genes influyen de manera más decisiva en el peso del cuerpo que el medio ambiente (lo cual incluye los alimentos que se consumen). Al parecer la información depositada en los genes rige la tendencia a quemar o a guardar las calorías adicionales.

La estructura genética también determina el *metabolismo* (básicamente, la cantidad de calorías que se queman por minuto). Cada cuerpo, al igual que un auto, es diferente en este sentido. Un motor de ocho cilindros consume más combustible que el de un auto pequeño que sólo tiene cuatro. Del mismo modo, un cuerpo más grande por lo general requiere más calorías que uno pequeño. Cuando un auto está detenido, el motor sólo consume el combustible necesario para seguir andando. Cuando dormimos, nuestro motor sigue funcionando (por ejemplo, el cerebro) y se usa una cantidad mínima de calorías. Este es el ritmo metabólico de descanso: la cantidad de calorías que se queman sin hacer ejercicio. La mayor parte corresponde al combustible que necesitamos para el cerebro, que es grande. Cuando se empieza a hacer ejercicio o simplemente a moverse, aumenta el número de calorías —es decir, la cantidad de combustible— que se utilizan. Sin embargo, la cantidad más grande (alrededor del 70 por ciento) de las calorías que se usan a lo largo de 24 horas son las que se requieren para mantener el ritmo metabólico de descanso.

■

El equilibrio —y desequilibrio— del combustible que necesita nuestro cuerpo

RECUERDE QUE LAS CALORÍAS miden la energía que contienen los alimentos y la energía que necesitamos para mantenernos con vida. El cuerpo requiere cierto número de calorías al día para que el corazón siga latiendo y el cerebro funcione, de la misma forma en que un auto necesita cierto número de galones de gasolina para funcionar por un día. Los alimentos y las bebidas son nuestra fuente de calorías. Si comemos y bebemos en exceso, es posible que guardemos las calorías adicionales en forma de grasa corporal y proteínas. Si consumimos menos calorías de las que necesitamos, el cuerpo descompone los depósitos de grasa y de proteínas para obtener la energía faltante.

■

La mayor parte de las calorías que se gastan corresponden al ritmo metabólico de descanso, por lo que este determina en gran medida el peso corporal. Mientras más bajo sea el ritmo metabólico de descanso, mayor es el riesgo de subir de peso, y a la inversa. ¡Todos conocemos a alguien que come como un lobo pero se mantiene muy delgado! Admirados comentamos su buen metabolismo, y es muy probable que el comentario sea acertado. Los cuerpos de los hombres, por ejemplo, contienen más masa muscular y requieren más combustible para funcionar que los de las mujeres; la grasa corporal, por su parte, sirve sólo como una especie de almacén. Por lo tanto, para controlar el peso es importante conservar la masa muscular al hacer ejercicio. Las investigaciones más recientes también sugieren que los genes dictan el tipo de combustible que el cuerpo quema para obtener energía. Una mezcla que contiene *más calorías derivadas de la grasa y menos de los carbohidratos* puede ayudar a controlar el peso, aunque sea igual la cantidad total de calorías o de energía quemadas por minuto.

Todo ello no significa que usted deba resignarse a estar pasado de peso si sus padres lo estuvieron. Sin embargo, quizás le ayude a comprender por qué usted tiene que cuidar lo que come mientras otras personas al parecer no necesitan hacerlo.

Ahora bien, si una persona nace con la tendencia a estar pasado de peso, ¿por qué importan los alimentos que escoja para comer? La respuesta es que no todos los alimentos (o nutrientes, para ser más precisos) tienen el mismo efecto en el metabolismo corporal. En particular, los alimentos determinan qué tipo de combustible se quemará durante varias horas después de haber terminado de comer. Si se quema más grasa y menos carbohidratos, es posible que se tenga menos hambre y se acumule menos grasa corporal a lo largo del día, aunque el contenido en calorías de los alimentos sea el mismo. Por lo tanto, el tipo de alimentos que se escoge para comer resulta fundamental para controlar el peso.

Entre las cuatro fuentes principales de calorías que contienen los alimentos (las proteínas, la grasa, los carbohidratos y el alcohol), la grasa posee el mayor número de calorías por gramo: el doble de lo que tienen los carbohidratos y las proteínas. Por ello se dice que un alimento con alto contenido de grasa es "alto en calorías por gramo", o sea, una cantidad relativamente pequeña del alimento contiene muchas calorías. Un *croissant* típico preparado con delgadísimas capas de pasta hojaldrada retacada de mantequilla contiene unas 500 calorías, ¡lo cual equivale a entre el 20 y el 25 por ciento de las necesidades totales de calorías de la mayoría de las personas para todo un día! Para consumir el mismo número de calorías en forma de manzanas habría que comer unas seis manzanas grandes. Por lo tanto, cuando se consumen alimentos altos en calorías por gramo es relativamente fácil consumir más calorías de las que el cuerpo requiere.

■

Lo que usted necesita saber acerca del contenido de calorías por gramo

CUANDO SE TRATA de controlar el peso corporal, el contenido de calorías por gramo de un alimento es más importante que su contenido de grasa.

Evaluar el contenido de calorías por gramo de un alimento se ha vuelto más importante que conocer su contenido de grasa. Algunos tipos de alimentación, como la dieta tradicional del Mediterráneo, contienen una gran cantidad de grasa (principalmente aceite de oliva) pero también alimentos muy voluminosos por basarse en grandes porciones de frutas y verduras y por incluir alimentos como las legumbres, cuyo valor en el IG es particularmente bajo.

Muchos de los alimentos comerciales bajos en grasa que se encuentran a la venta no son muy voluminosos y en realidad contienen la misma cantidad de calorías por gramo que el alimento original alto en grasa. Como ejemplos sirven los yogures y los helados bajos en grasa, así como muchas meriendas (refrigerios, tentempiés), dulces o saladas. Por lo tanto, hay que leer las etiquetas, fijándose particularmente en el número de calorías por 100 gramos o por ración como el mejor indicio del poder "engordador" de un alimento.

Puede comer grandes cantidades de comida, ¡pero tome en cuenta la calidad!

■

Uno de los descubrimientos más importantes de los estudios científicos realizados en los años 90 fue que los alimentos altos en grasa sacian el hambre menos que los alimentos convencionales con un alto contenido de carbohidratos. Por este motivo se les recomendó a las personas que se encontraban a dieta que evitaran los alimentos altos en grasa. La industria de los alimentos respondió a la demanda creada a partir de esta recomendación al ofrecer una mayor selección de alimentos bajos en grasa. Por desgracia no se señaló que lo que realmente importa es el contenido final de calorías por gramo del alimento. Si un alimento bajo en grasa tiene el mismo contenido de calorías por gramo de alimento que uno alto en grasa, no debe de comerse en mayores cantidades que este. Se ofrecen muchos productos bajos en grasa que son idénticos a sus homólogos altos en grasa en lo que se refiere al número de calorías por gramo. Los mejores ejemplos son las versiones bajas en grasa del yogur, del helado, de las galletas saladas y de las galletitas.

Fíjese en el contenido de calorías por gramo de los alimentos, no en si es alto o bajo en grasa.

Dada esta situación, los nutriólogos han tenido que ajustar sus indicaciones con respecto a cómo alimentarse para controlar el peso:

- comer alimentos *muy voluminosos* es más importante que comer alimentos bajos en grasa
- el *tipo* de grasa es más importante para asegurar un buen estado de salud a largo plazo
- el *tipo* de carbohidrato es tan importante como la *cantidad* de este que uno consume

■

La razón por la que los efectos del ejercicio son excelentes

LOS EFECTOS del ejercicio no terminan cuando uno se deja de mover. ¡Las personas que hacen ejercicio tienen un ritmo metabólico más alto y sus cuerpos queman más calorías por minuto incluso cuando duermen!

■

LAS NECESIDADES EN CUANTO AL EJERCICIO

Tener un buen metabolismo no necesariamente es cuestión de suerte. El ejercicio o cualquier otra actividad física acelera el ritmo metabólico.

Al hacer que se gaste más energía, el ejercicio ayuda a equilibrar el consumo a veces excesivo de calorías a través de la comida.

El ejercicio también aumenta el tamaño de los músculos (que por lo tanto exigen más energía) y les ayuda a aprovechar mejor la grasa como fuente de combustible. Al hacer los músculos más sensibles a la insulina, el ejercicio reduce la demanda de esta hormona y aumenta la cantidad de grasa que se quema. Una dieta de valor bajo en el IG tiene el mismo efecto. Los alimentos de valor bajo en el IG reducen la cantidad de insulina que se necesita, por lo que la grasa es más fácil de quemar y más difícil de guardar. Al consumir una comida de valor bajo en el IG, la mezcla de combustible que se quema durante las siguientes horas contiene más grasa y menos carbohidratos. Ya que lo que se quiere eliminar al bajar de peso es la grasa corporal de más, tiene mucho sentido combinar el ejercicio con una alimentación de valor bajo en el IG.

¿CUÁLES ALIMENTOS AFECTAN EL PESO?

Durante muchos años se creyó —equivocadamente— que el azúcar y los alimentos feculentos como las papas, el arroz y la pasta producían obesidad. Hace 20 años, todas las dietas para bajar de peso exigían restringir estos alimentos ricos en carbohidratos. Una de las razones para ello eran los resultados aparentemente instantáneos de las dietas bajas en carbohidratos. Si la alimentación contiene muy pocos carbohidratos, se baja de peso rápido. El problema está en que se pierden principalmente carbohidratos y líquidos, no grasa. Además, una dieta con un bajo contenido de carbohidratos acaba con las reservas limitadas de carbohidratos (glicógeno) de los músculos, por lo que hacer ejercicio se vuelve difícil y agotador.

Por su parte, se le ha echado la culpa de la obesidad al azúcar porque con frecuencia forma parte de los alimentos con alto contenido de calorías por gramo como el pastel (bizcocho, torta, *cake*), las galletitas, el chocolate y el helado. No obstante, estos alimentos contienen una mezcla de azúcar y grasa, y su alto contenido de calorías por gramo se debe a la grasa. Si cambiáramos toda el azúcar por fécula, su contenido de calorías sería el mismo. De hecho, las principales fuentes de calorías concentradas en nuestra alimentación *no* son dulces. Por ejemplo, las carnes grasas, el queso, las papas a la francesa, las papitas fritas, las salsas con mucha grasa, las galletas saladas, la mantequilla y la margarina no contienen azúcar.

■

Las calorías cuentan

TODOS LOS ALIMENTOS contienen calorías. Con frecuencia la cantidad de calorías que contiene un alimento se considera una medida de cuánto engorda. Los carbohidratos y las proteínas aportan el menor número de calorías por gramo.

carbohidratos	4 calorías por gramo
proteínas	4 calorías por gramo
alcohol	7 calorías por gramo
grasa	9 calorías por gramo

■

En términos generales existen pocas pruebas de que el azúcar o los alimentos feculentos causen obesidad. Las personas que tienen sobrepeso prefieren los alimentos altos en calorías por gramo antes que los alimentos con un alto contenido de azúcar o féculas porque sus cuerpos requieren muchas calorías incluso cuando están descansando, y la forma más fácil de saciar el hambre es a través de alimentos altos en calorías por gramo. En una encuesta realizada por la Universidad de Michigan, se pidió a hombres y a mujeres obesos que hicieran una lista de sus alimentos favoritos; la mayoría de los hombres afirmó preferir las carnes grasas y las mujeres, los pasteles, las galletitas y los *donuts*. Lo que todos estos alimentos tienen en común es un gran número de calorías por gramo.

¿CÓMO NOS AYUDA EL IG?

Es posible que uno de los mayores desafíos que se enfrentan al tratar de bajar de peso sea la sensación constante de hambre, pero esta ansia de comer no es inevitable. Los alimentos de valor bajo en el IG están entre los más llenadores y previenen las punzadas de hambre por más tiempo.

Antiguamente se creía que las proteínas, la grasa y los alimentos que contienen carbohidratos satisfacían el apetito por igual al ingerirse en cantidades idénticas. Las investigaciones recientes nos han enseñado que la capacidad de los tres nutrientes para saciar el hambre —es decir, su capacidad para "llenarnos"— no es la misma.

Sobre todo los alimentos altos en grasa sacian el apetito muy poco en relación con el número de calorías que proporcionan. Este hecho se ha demostrado claramente en experimentos en los que se les ha pedido a las personas comer hasta saciar su apetito. Se suele consumir un exceso de calorías si los alimentos contienen mucha grasa. Cuando los alimentos son altos en carbohidratos y bajos en grasa, se consumen menos calorías al tener la oportunidad de comer hasta quedar satisfechos. Por lo tanto, los alimentos *convencionales* con un alto contenido de carbohidratos son los mejores para satisfacer el apetito sin exceder las necesidades del cuerpo en cuanto a calorías.

> **La *saciedad* es la sensación de estar "lleno" o satisfecho que se produce después de comer. Los alimentos convencionales con un alto contenido de carbohidratos son los que más saciedad producen.**

En varios estudios dirigidos por nosotros le dimos un alimento diferente a cada participante; cada alimento contenía el mismo número de calorías que los alimentos ofrecidos a las demás personas. Luego comparamos la sensación de saciedad que cada uno de los alimentos les provocaba a las personas. Encontramos que los alimentos más llenadores eran los que contenían menos calorías por gramo. Entre ellos figuraban la papa, la avena, la manzana, la naranja (china) y la pasta. Consumir una mayor cantidad de estos alimentos satisface el apetito sin proporcionar un exceso de calorías. Los alimentos que brindan muchas calorías por gramo, como los *croissants*, el chocolate y el cacahuate (maní), son los que menos sacian el hambre. Hay una probabilidad mayor de que este tipo de alimentos produzca el deseo de comer más y provoque lo que los científicos llaman un "consumo excesivo pasivo": es decir, comer de más sin darse cuenta de ello.

De acuerdo con los mismos estudios, después del contenido de calorías por gramo, el segundo mejor indicio con respecto a la capacidad de un alimento para saciar el hambre es su valor en el IG. Entre más bajo sea su el valor en el IG, más satisface el alimento el hambre de las personas. De hecho, existen más de 17 estudios que confirman que los alimentos con valores bajos en el IG reducen el hambre por más tiempo que los alimentos con valores altos.

Es probable que esto se deba a varios mecanismos físicos.

- Los alimentos con valores bajos en el IG permanecen en el intestino delgado por más tiempo, donde estimulan los receptores que le indican al cerebro que aún queda alimento por digerir.
- Es posible que los alimentos con valores altos en el IG produzcan hambre porque el aumento y descenso rápidos del nivel de glucosa en la sangre al parecer estimulan el deseo de comer a fin de compensar e invertir el descenso en el nivel de la glucosa.
- Cuando los niveles de glucosa suben y bajan rápidamente después de haber consumido un alimento con un valor alto en el IG, se liberan hormonas del estrés como la adrenalina y el cortisol. Ambas tienden a estimular el apetito.
- Es posible que los alimentos con valores bajos en el IG satisfagan más por el simple motivo de que muchos de ellos tienen un contenido más bajo de calorías por gramo que los alimentos con valores altos en el IG. El contenido natural alto de fibra de muchos alimentos con valores bajos en el IG los hace más voluminosos sin incrementar su contenido de calorías.

Es más, es posible que las personas que comen alimentos con valores bajos en el IG pierdan más peso que quienes consumen alimentos con valores altos, aun si el número total de calorías consumidas sea el mismo. En un estudio sudafricano, los investigadores formaron dos grupos de voluntarios con sobrepeso: un grupo siguió una dieta baja en calorías y de valor alto en el IG; el otro, una dieta baja en calorías a base de alimentos con valores bajos en el IG. Ambos grupos consumieron las mismas cantidades de calorías, grasa, proteínas, carbohidratos y fibra. Lo único que cambió fue el valor en el IG de los alimentos de las dos dietas. La dieta de alimentos con valores bajos en el IG incluyó comidas como lentejas, pasta, avena y maíz (elote, choclo) y excluyó las que tienen valores altos en el IG, como la papa y el pan. Al cabo de doce semanas, los voluntarios del grupo que estaba comiendo alimentos con valores bajos en el IG habían perdido 20 libras (9 kg) en promedio, 4 libras (2 kg) más que las personas del grupo que estaba comiendo alimentos con valores altos en el IG.

¿En qué se basó la mayor eficacia de la dieta de alimentos con valores bajos en el IG? El descubrimiento más importante fue la diferencia en los efectos producidos por las dos dietas en el nivel de insulina en la sangre. Los alimentos con valores bajos en el IG produjeron niveles más bajos de insulina a lo largo del día y de la noche.

La insulina es una hormona que no sólo interviene en regular los niveles de glucosa en la sangre, sino que también desempeña un papel clave en determinar qué mezcla de combustible quemaremos a cada momento. Un nivel alto de insulina *obliga* al cuerpo a quemar carbohidratos en lugar de grasa. Por lo tanto, a lo largo del día la grasa y los carbohidratos no se queman en proporciones iguales, aunque el número total de calorías quemadas sea el mismo.

Al parecer las personas obesas cuentan con reservas altas de glicógeno (carbohidratos), los cuales sufren grandes fluctuaciones a lo largo del día. Este resultado indica que el glicógeno es una fuente fundamental de combustible para los obesos. Al quemar el glicógeno, se le dificulta al cuerpo quemar la grasa de los alimentos y también la grasa depositada en el cuerpo. Al ingerir alimentos se restablecen los altos niveles de glicógeno (sobre todo si los alimentos tienen valores altos en el IG) y el ciclo se repite.

■

¿Engordan las papas?

A PESAR de su valor alto en el IG, las papas son muy llenadoras durante las primeras dos horas después de haberse comido. El fenómeno se explica porque son bajas en calorías por gramo, ¡ya que para consumir 250 calorías hay que comer 7 papas de tamaño mediano! No obstante, es posible que entre 3 y 4 horas después de ingerirlas, el gran aumento en la insulina que producen provoque un nivel bajo de glucosa y libere ácidos grasos en la sangre. A su vez, es posible que esto aumente los niveles de las hormonas del estrés cortisol y noradrenalina, las cuales estimulan el apetito, según se ha demostrado en varios estudios científicos. Por lo tanto, si la papa es su comida preferida, no tiene que eliminarla de su dieta. En cambio, disfrútela con moderación, reduzca su porción normal de papa a la mitad y sustituya la otra mitad por batata dulce (camote), la cual tiene un valor bajo en el IG. Por su parte, la papa cocida es mucho mejor cuando se trata de controlar el peso que las papas a la francesa, las papitas fritas y otros alimentos semejantes, las cuales son muy altas en calorías por gramo.

■

Según nos lo ha enseñado la experiencia de analizar las dietas de muchas personas, para bajar de peso lo que con frecuencia se requiere es comer *más*.

Existen otras razones por las que una dieta de alimentos con valores bajos en el IG tal vez ayude a bajar de peso. Cuando las personas empiezan con una dieta, su ritmo metabólico baja por estar comiendo menos. No obstante, de acuerdo con un estudio científico, el ritmo metabólico baja menos tras una semana de seguir una dieta a base de alimentos con valores bajos en el IG que con una dieta convencional de alimentos altos en carbohidratos. El mismo estudio sugirió que una dieta a base de alimentos con valores bajos en el IG ayuda a mantener mejor la masa corporal no adiposa, lo cual serviría para explicar el ritmo metabólico más alto.

En fechas recientes se ha demostrado también que las dietas de alimentos con valores bajos en el IG pueden reducir la grasa abdominal de manera específica. Dentro del marco de un estudio realizado en Francia, unos hombres con sobrepeso siguieron dos dietas distintas para mantener el peso, una a base de alimentos con valores altos en el IG y otra a base de alimentos con valores bajos en el IG. Las dietas eran equivalentes en cuanto a su contenido en calorías y su composición de nutrientes. Algunos siguieron primero la de los alimentos con valores altos en el IG y luego la de los alimentos con valores bajos, y otros a la inversa. Después de cinco semanas con cada dieta se midió la masa de grasa corporal de los hombres por medio de avanzados métodos de rayos X. Aquellos que siguieron la dieta de alimentos con valores más bajos en el IG perdieron 1 libra (448 g) de grasa de la parte del abdomen. No hubo diferencias en cuanto a grasa subcutánea (es decir, la grasa que se deposita debajo de la piel). Dichos resultados se confirmaron en un amplio estudio europeo de observación de personas afectadas por diabetes del tipo I. Se descubrió que quienes elegían una dieta de alimentos con valores bajos en el IG, por iniciativa propia, no sólo controlaban mejor la glucosa en la sangre sino que la medida de la cintura (un buen indicio de grasa abdominal) había bajado en los hombres de dicho grupo.

La tabla que sigue compara alimentos altos y bajos en calorías por gramo pero con un idéntico número total de calorías. En la columna del lado izquierdo se encuentran pequeñas cantidades de alimentos altos en calorías por gramo, los cuales proporcionan el mismo número total de calorías que las cantidades más grandes de alimentos bajos en calorías por gramo incluidos del lado derecho.

ALIMENTOS ALTOS EN CALORÍAS POR GRAMO	BAJOS EN CALORÍAS POR GRAMO
2 galletas *chocolate chip* de la marca *Chips Ahoy chunky*	2 galletas *Graham* untadas con queso *ricotta "lite"* y mermelada
1 helado bañado con *fudge* caliente	1 barra de fruta congelada
1 envase de 8 onzas de yogur de grasa entera	1 envase de 8 onzas de yogur *light* y un plátano amarillo
1 cajita para merienda de pasas	1 racimo pequeño (½ taza) de uvas y una manzana mediana
6 galletas de la marca *Ritz®* con queso *Cheddar*	2 galletas de la marca *WASA®* con jamón, tomate y pepino
1 porción pequeña, mediana o grande de papas a la francesa	1 papa grande al horno acompañada de ½ taza de brócoli al vapor, queso rallado, un jugo de naranja pequeño y una manzana.

■

El aumento de peso durante el embarazo

¿SUBIÓ USTED mucho de peso durante el embarazo y no lo volvió a bajar? Un estudio reciente indica que el valor en el IG de la alimentación influye mucho en el peso que se sube durante el embarazo. Dentro del marco de esta investigación, las mujeres que siguieron una dieta a base de alimentos con valores bajos en el IG desde el principio del embarazo sólo subieron 20 libras (9 kg), en comparación con las 44 libras (20 kg) que subieron las mujeres cuya dieta fue a base de alimentos con valores altos en el IG, aunque en todos los demás aspectos las dietas eran idénticas. Es más, el peso y la cantidad de grasa corporal del bebé al nacer también resultaron mayores en el caso de las madres que habían seguido la dieta de alimentos con valores altos en el IG. Todavía hace falta confirmar los resultados del estudio, pero en realidad no sorprende mucho. Desde hace mucho tiempo se sabe que el peso de un bebé al nacer está relacionado con el nivel de glucosa en la sangre de la madre. Las mujeres diabéticas (o que corren riesgo de desarrollar diabetes) tienen bebés más pesados que quienes no padecen diabetes. Ahora parece que tal vez *todos* los tejidos maternos —incluyendo los depósitos de grasa que se crean para sostener la lactancia— respondan a los niveles altos de glucosa y de insulina que se dan después de haber consumido alimentos con valores altos en el IG. Mientras nos mantengamos a la espera de los resultados de otros estudios, no hará daño seguir una dieta de alimentos con valores bajos en el IG durante el embarazo.

■

CUATRO SUGERENCIAS PARA ADELGAZAR CON AZÚCAR

Sugerencia Nº1: Concéntrese en lo que puede comer, no en lo que no debe comer

Al pensar en controlar su peso, por lo común las personas se fijan en los alimentos de los que deben comer menos. Otra posibilidad es concentrarse primero en cumplir con las cantidades recomendadas de frutas y verduras y luego ver cuánto espacio queda para algo extra.

Para tener una dieta sana, asegúrese de comer las cantidades mínimas, por lo menos, de los siguientes alimentos. Si no reconoce los nombres de algunos de estos alimentos, vea el glosario en la página 407.

1. **Verduras y legumbres: por lo menos 5 raciones al día.**
    1 ración equivale a:
    ½ taza de verduras cocidas
    1 papa pequeña
    ½ taza de frijoles, chícharos o lentejas cocidas
    1 taza de verduras de hoja verde para ensalada

2. **Fruta: por lo menos 2 raciones al día.**
    1 ración significa:
    1 pieza mediana (manzana, plátano amarillo, naranja)
    2 piezas pequeñas (albaricoque, kiwi, ciruela)
    ½ taza de fruta picada o de lata
    ¼ taza de fruta seca
    ¾ taza de jugo de fruta

3. **Pan, cereal, arroz y pasta: 4 raciones o más al día.**
    1 ración equivale a:
    1 onza (28 g) de un cereal instantáneo frío
    ½ taza de pasta o arroz cocido
    ½ taza de cereal cocido
    1 rebanada de pan
    ½ panecillo

Sugerencia Nº2: Coma por lo menos un alimento con un valor bajo en el IG en cada comida

Reducir el valor en el IG de su dieta bajará sus niveles de insulina e incrementará su potencial para quemar grasa. Lo logrará de manera eficaz si en cada comida reemplaza por lo menos un carbohidrato de valor alto en el IG por otro de valor bajo. Los carbohidratos que uno consume en mayor cantidad son los que tienen el mayor impacto, así que revise su consumo con base en la siguiente tabla. (*Nota*: si no reconoce los nombres de algunos de estos alimentos, vea el glosario en la página 407).

■

¿Qué tipo de carbohidratos consumió usted ayer?

1. Piense en los alimentos ricos en carbohidratos que comió ayer. ¡Acuérdese de incluir las meriendas, no sólo las comidas principales!
2. Marque las cajitas que correspondan a los tipos de alimento que comió.

VALOR ALTO EN EL IG	VALOR BAJO EN EL IG
Fruta	***Fruta***
☐ Papaya	☐ Manzana
☐ Piña	☐ Naranja
☐ Cantaloup	☐ Plátano amarillo
☐ Sandía	☐ Uva
	☐ Kiwi
	☐ Melocotón, ciruela, albaricoque, cereza
Alimentos feculentos	***Alimentos feculentos***
☐ Papas, sean horneadas, en puré, al vapor, hervidas o en forma de papitas fritas	☐ Maíz dulce
☐ Arroz	☐ Frijoles al horno
☐ Tortitas de arroz	☐ Batata dulce
☐ Papas a la francesa	☐ Garbanzos, frijoles colorados, lentejas
	☐ Pasta
	☐ Fideos
	☐ Arroz *basmati* o arroz de la marca *Uncle Ben's® Converted® Rice*

VALOR ALTO EN EL IG	**VALOR BAJO EN EL IG**

Productos panificados

- ☐ Pan blanco
- ☐ Pan del trigo integral
- ☐ Panecillos para hamburguesas
- ☐ Plátano amarillo
- ☐ *Scones*
- ☐ *Bagels*
- ☐ Pan francés

Productos panificados

- ☐ Pan de grano entero (*whole-grain bread*)
- ☐ Pan de masa fermentada (*sourdough bread*)

Cereales

- ☐ *Corn Flakes™*
- ☐ *Rice Krispies™*
- ☐ *Cocoa Puffs™*
- ☐ *Froot Loops™*
- ☐ *Puffed Wheat*

Cereales

- ☐ *Special K™*
- ☐ Copos de avena tradicionales
- ☐ *Muesli*
- ☐ *All-Bran™*
- ☐ *Frosted Flakes™*

Galletitas

- ☐ Barquillo relleno de crema
- ☐ Galletitas de la marca *Oreo®* de grasa reducida

Galletitas

- ☐ Galletitas de la marca *Social Tea™*
- ☐ Galletitas de avena

Meriendas

- ☐ Barras de fruta
- ☐ Caramelos duros
- ☐ Palomitas de maíz
- ☐ *Pretzels*

Meriendas

- ☐ Albaricoques secos
- ☐ Dátiles
- ☐ Ciruelas secas
- ☐ Frutos secos
- ☐ Yogur

3. **Ahora sume el número de cajitas que marcó en cada columna de alimentos. Los alimentos de la columna izquierda tienen valores más altos en el IG. Si la mayoría de las cajitas que marcó corresponden a esta columna, su dieta es de valor alto en el IG. Sería recomendable que modificara algunas de sus selecciones para incluir un mayor número de alimentos de la columna derecha.**

■

Sugerencia Nº3: Consuma menos grasa, particularmente menos grasa saturada

Reducir la cantidad de grasa que consumimos es una manera eficaz de reducir el contenido de calorías por gramo de nuestra alimentación. En vista de que la grasa contiene más calorías por gramo que cualquier otro alimento, llega a proporcionar mucha energía, pero llena poco. Sin embargo, no es necesario ni sería prudente eliminarla por completo. Lo más importante es reducir las fuentes de grasa saturada (mantequilla, crema, queso, galletitas, pasteles, comida rápida, papitas fritas, salchichas, la mayoría de las carnes frías tipo fiambre, carnes grasas). Sólo hay que disminuir el consumo de alimentos ricos en grasas insaturadas más saludables (la mayoría de los aceites, la margarina, los frutos secos y el aguacate/palta) si es preciso reducir aún más el consumo de calorías.

Recuerde asimismo que, si bien es importante llevar una dieta baja en grasa, hay que tomar en cuenta las calorías que proceden de otras fuentes. El arroz y el pan aportan poca grasa, pero cuando el cuerpo quema los carbohidratos que estos alimentos contienen, quema menos grasa. Es decir, aunque su alimentación realmente sea baja en grasa, no bajará de peso si consume demasiadas calorías.

■

¿Es su dieta demasiado alta en grasa?

UTILICE la tabla que aparece en las tres páginas siguientes para calcular el contenido de grasa de su alimentación.

Marque todos los alimentos que llega a comer en un día. Fíjese en el tamaño de la ración que se indica y multiplique esta cifra por el número de raciones que usted consume para obtener los gramos de grasa correspondientes. Por ejemplo, si usted calcula que llega a consumir 2 tazas de leche entera al día, equivaldría a 20 gramos de grasa. (*Nota*: si no reconoce los nombres de algunos de los alimentos en la tabla, vea el glosario en la página 407).

ALIMENTO	CONTENIDO DE GRASA (GRAMOS)	¿CUÁNTO INGIRIÓ?
➡ Lácteos		
Leche, 1 taza		
entera	8	
semidescremada al 2%	5	
semidescremada al 1%	3	
sin grasa (descremada)	0	
Yogur, recipiente de 8 onzas		
normal	7	
sin grasa, *light* o		
bajo en grasa	2–3	
Helado de vainilla, ½ taza		
normal	7	
de grasa reducida	2	
Queso		
amarillo normal,		
1 onza (28 g)	9	
amarillo bajo en grasa	3	
Requesón semidescre-		
mado al 2%, 2 cucharadas	1	
Ricotta, 2 cucharadas		
de leche entera	8	
semidescremado	3	
descremado	2	
Crema/crema agria, 1 cucharada		
normal	2	
de grasa reducida	1	
sin grasa	0	
➡ Grasas y aceites		
Mantequilla/margarina, 1 cucharadita	4	
Aceite, cualquier tipo de, 1 cucharada	14	

ALIMENTO	CONTENIDO DE GRASA (GRAMOS)	¿CUÁNTO INGIRIÓ?
Aceite antiadherente en aerosol,		
rociada de ⅓ segundo	0	
Mayonesa, 1 cucharada		
normal	11	
light	5	
sin colesterol	5	
Aliño, 2 cucharadas		
normal	5–10	
de grasa reducida	2–5	

➡ *Carne*

De res, 5 onzas (140 g)		
top sirloin	12	
molida magra	18	
top round roast	9	
London broil	9	
De cerdo		
jamón cocido, 5 onzas	8	
salchicha, 2 onzas (56 g)	8	
lomo (*tenderloin*), 5 onzas	9	
center cut, 5 onzas	12	
tocino, 3 lonjas	9	
Ternera		
chuletas, 5 onzas	9	
Cordero		
pierna, 5 onzas	12	
Pollo		
pechuga, sin pellejo, 5 onzas	6	
pierna, con pellejo, 2 onzas	6	
muslo, con pellejo, 2½ onzas (70 g)	10	
pepitas, empanizadas y fritas, 6 piezas	20	

ALIMENTO	CONTENIDO DE GRASA (GRAMOS)	¿CUÁNTO INGIRIÓ?
➡ Pescado		
Filete a la parrilla, 3 onzas (84 g)	1	
Salmón, 3 onzas	11	
Palitos de pescado empanizados y fritos, 3 onzas	10	
➡ Meriendas		
Barra de chocolate, 1 onza (28 g)	5	
Papitas fritas, 1 onza	10	
Totopos, 1 onza	10	
Cacahuate, 1 onza	14	
Papas a la francesa, 10 piezas	4	
Pizza de queso, 1 rebanada, 4 onzas (112 g)	11	
Pretzels, 1 onza	1	
Total		

➡ ¿Cuál fue su resultado?

Menos de 40 gramos   Excelente. De 30 a 40 gramos de grasa por día es la cantidad recomendada para las personas que pretenden bajar de peso.

41–60 gramos   Bien. Esta cantidad de grasa se les recomienda a la mayoría de los hombres y las mujeres adultas.

61–80 gramos   Aceptable si realiza mucha actividad física, es decir, un trabajo físico pesado o entrenamiento atlético. Es demasiado si pretende bajar de peso.

Más de 80 gramos   Es posible que esté consumiendo demasiada grasa, ¡a menos, por supuesto, que sea Supermán o Supermujer!

■

Sugerencia Nº4: Coma de manera normal

Consumir una cantidad normal de alimentos con valores bajos en el IG aumenta la sensación de saciedad a la hora de comer y reduce el consumo de calorías adicionales entre comidas, para así ayudar a prevenir un aumento excesivo de peso. Las meriendas pueden ayudar a evitar que se coma de más a la hora de las comidas, así como a controlar el apetito. Desde luego es importante seleccionar los alimentos justos.

CÓMO PLANEAR UNA COMIDA DE VALOR BAJO EN EL IG

A continuación le damos algunas sugerencias básicas para preparar comidas de valor bajo en el IG. La Segunda Parte (página 95) contiene información más completa acerca de cómo cambiar a una dieta de valor bajo en el IG, así como varias fabulosas recetas de valores bajos.

El desayuno

- Empiece con un plato de cereal de valor bajo en el IG servido con leche descremada o semidescremada o bien con yogur.
- Pruebe algo como el cereal de la marca *All-Bran*® o copos de avena (cruda o cocida).
- Si prefiere la *granola*, limítese a un plato pequeño de *granola* baja en grasa. Asegúrese de que no contenga ningún tipo de grasa adicional.
- Agregue una rebanada de pan tostado (o 2 rebanadas en el caso de una persona más corpulenta) preparado con un pan de valor bajo en el IG y acompañado de una cucharada de mermelada, un plátano amarillo (guineo, banana) en rebanadas, miel o bien queso crema *light* con una manzana en rebanadas. Reduzca la mantequilla o la margarina a una cantidad mínima o evítelas por completo.
- Si le gustan los huevos, pruebe un huevo cocido o escalfado o un *omelette* tipo *Western* de clara de huevo con su pan tostado. (*Nota*: el *omelette* tipo *Western* recomendado aquí se prepara al cocinar las claras en un sartén hasta que se cuajen y agregar un relleno de jamón en cubitos, pimientos y cebollas).

El almuerzo

▶ Pruebe un sándwich (emparedado) o un panecillo untado con sólo una pequeña cantidad de margarina. De ser posible opte por un pan que contenga muchos granos enteros (no sólo esparcidos por encima) para bajarle el valor en el IG. Agregue muchas verduras frescas para ensalada.

▶ Prepare su sándwich con una lonja (lasca) delgada de jamón, rosbif magro o bien pollo o pavo (chompipe) a la parrilla; también puede comer una rebanada de queso bajo en grasa, salmón o atún (empacado con agua) o un huevo. Un recipiente adicional con ensalada o sopa de verduras ayudará a llenarle el estómago.

▶ Concluya su almuerzo con una fruta o ensalada de fruta con yogur bajo en grasa, o bien un vaso de leche semidescremada de sabor o sola.

La cena

▶ La cena debe basarse en cereales ricos en carbohidratos, así como en verduras de raíz.

▶ Coma la mayor cantidad posible de verduras y sirva una pequeña cantidad de carne, pollo o pescado para acompañarlas, no como el ingrediente principal.

▶ Opte por carnes magras (bajas en grasa) como *London broil*, ternera, carne de cerdo fresca, cordero magro, pechuga de pollo, filete de pescado o pavo (chompipe). La carne de res es una fuente valiosa de hierro, pero limítese a los cortes magros. Un trozo de carne, pollo o pescado que cubra la palma de su mano (sin los dedos) satisface las necesidades proteínicas diarias de un adulto.

▶ Si prefiere no comer carne, una taza de chícharos (guisantes) secos, frijoles (habichuelas), lentejas o garbanzos le proporcionará proteínas y hierro sin grasa. Estas legumbres también contienen carbohidratos de valor bajo en el IG y fibra.

▶ Las legumbres ricas en proteínas como los frijoles de soya y el cacahuate (maní) son buenas alternativas a la carne.

‣ Aumente su consumo de fruta acostumbrándose a cerrar la cena con alguna fruta, ya sea fresca, cocida o preparada al horno.

Meriendas (refrigerios, tentempiés)

‣ Es importante incluir varias raciones de lácteos al día para cubrir sus necesidades de calcio. Si no consume yogur o queso con ninguna comida, quizá pueda disfrutar un licuado (batido) bajo en grasa preparado con leche, yogur y frutas. Una o dos cucharadas de helado o pudín (budín) también pueden aumentar su ingesta de calcio.

‣ Si le gustan los panes integrales, una rebanada de pan integral tostado es una opción excelente para la merienda. Otras alternativas serían un *muffin* inglés partido a la mitad y tostado o bien la mitad de un *bagel*.

‣ La fruta siempre es una buena opción si desea comer una merienda baja en calorías. Debe tratar de consumir por lo menos dos raciones al día. Tal vez le sea útil prepararla por adelantado para tenerla a la mano y facilitarle comérsela.

‣ Las galletas bajas en grasa (como las de la marca *Triscuits*® de grasa reducida) sirven como una merienda baja en calorías si se le antoja algo seco y crujiente, aunque tal vez no sean tan llenadoras.

‣ También prepare por adelantado verduras —como tallos de apio y zanahorias, tomates (jitomates) pequeños, rábanos y cabezuelas de coliflor o brócoli blanqueadas— para sus meriendas.

(*Nota*: si encuentra en este capítulo nombres de alimentos que no entiende o que jamás ha visto, favor de remitirse al glosario en la página 407).

10

CONTROLE LA DIABETES

*L*A DIABETES SE ESTÁ CONVIRTIENDO en uno de los problemas de la salud más comunes en el mundo. En muchos países en vías de desarrollo y recién industrializados se padece una epidemia de diabetes. De hecho, la Organización Mundial de la Salud prevé que el índice de diabetes se duplicará a lo largo de los próximos 15 a 20 años. En algunos países en vías de desarrollo la mitad de la población adulta padece diabetes. Incluso en las naciones desarrolladas el índice de diabetes está aumentando a una velocidad alarmante. Más de 18 millones de personas radicadas en los Estados Unidos son diabéticos y de ellos 5 millones no lo saben. Se calcula que 16 millones de habitantes de los Estados Unidos padecen prediabetes. De seguir las tendencias actuales, más del 10 por ciento de la población estadounidense padecerá diabetes para el año 2010.

El índice glucémico (IG) tiene implicaciones muy significativas para la diabetes. Además de ser importante para tratar a los diabéticos, es posible que desde el principio ayude a evitar la enfermedad y tal vez también algunas de sus complicaciones.

¿QUÉ ES LA DIABETES?

Básicamente, la diabetes es una afección crónica en que las personas afectadas tienen un exceso de glucosa en la sangre. Para mantener un nivel normal de glucosa en la sangre el cuerpo requiere cantidades adecuadas de una hormona llamada insulina. La insulina extrae la glucosa de la sangre y después la introduce a los músculos, donde se aprovecha para proporcionarle energía al cuerpo. Ahora bien, si no hay suficiente insulina o si la insulina no realiza su trabajo debidamente, se produce la diabetes.

A los niños y a los adultos jóvenes por lo común les da diabetes porque sus cuerpos no son capaces de producir cantidades suficientes de insulina. Este tipo de diabetes se llama *la diabetes del tipo I*. En el caso de la diabetes del tipo I, el páncreas no produce la cantidad suficiente de insulina y es necesario administrar inyecciones de insulina para compensar la falta. Entre el 5 y el 10 por ciento de los diabéticos padecen la del tipo I.

La *diabetes del tipo II*, también conocida como diabetes mellitus no dependiente de la insulina, suele aparecer después de los 40 años de edad. No obstante, en vista de la creciente tendencia hacia la falta de actividad física y la obesidad que se vive en los EE. UU., este tipo de diabetes se está dando en personas cada vez más jóvenes. De hecho, en algunos grupos étnicos se han dado casos de diabetes incluso en niños menores de diez años.

A las personas les da diabetes del tipo II porque la insulina no funciona como debería en su cuerpo. Esto se debe a un proceso que se llama "resistencia a la insulina". Al principio el cuerpo de los diabéticos del tipo II se esfuerza por producir más insulina, pero finalmente se presenta una escasez de esta. Al tratar a estos diabéticos, el objetivo es ayudarles a aprovechar lo mejor posible la insulina de la que disponen y procurar que les dure lo más posible. Comer de más, tener sobrepeso y no hacer suficiente ejercicio son algunos aspectos importantes relacionados con el estilo de vida que pueden conducir a este tipo de diabetes, sobre todo cuando algún familiar ya la padece. A veces hacen falta medicamentos tomados por vía oral o bien inyecciones de insulina para tratar este tipo de diabetes. Se calcula que entre el 90 y el 95 por ciento de los diabéticos padecen la del tipo II.

■

¿Corre usted riesgo de
padecer diabetes?

USTED CORRE mucho riesgo de sufrir diabetes del tipo II si cualquiera de los siguientes factores le aplican:

⊃ es mayor de 55 años

⊃ tiene antecedentes familiares de diabetes

⊃ está pasado de peso

⊃ tiene presión arterial alta (hipertensión)

⊃ padeció diabetes durante el embarazo (diabetes gestacional)

⊃ es de ascendencia africana, latina, indígena norteamericana, asiática o de las islas del Pacífico

Si cualquiera de estos factores son ciertos en su caso, puede reducir la probabilidad de desarrollar diabetes si controla su peso, hace más ejercicio y come más alimentos con valores bajos en el IG. Al reducir el valor en el IG de la dieta, el páncreas ya no tiene que producir tanta insulina, lo cual posiblemente prolongue su funcionamiento y retrase el desarrollo de la diabetes. Varias investigaciones realizadas por la Universidad Harvard han demostrado que existe un menor riesgo de desarrollar diabetes del tipo II cuando se come alimentos con un alto contenido de fibra y con valores bajos en el IG (vea las páginas 264 y 265 de este capítulo para más información al respecto).

■

¿POR QUÉ NOS DA DIABETES?

Para encontrar la respuesta hay que volver en el tiempo. La vida y la evolución de nuestros antepasados se dieron en un clima muy frío. A lo largo de los últimos 2 millones de años ha habido muchos períodos glaciares; el último apenas terminó hace 10 mil años. Durante estos períodos glaciares había muy poco alimento de origen vegetal y la gente tenía que cazar animales para sobrevivir. Por lo tanto, su alimentación contenía muchas proteínas. Dicho de otra manera, nuestros antepasados fueron carnívoros durante los períodos glaciares. Sus cuerpos se adaptaron a esa forma de vida para ayudarles a sobrevivir con aquella dieta y también para ayudarles a sobrevivir las temporadas de escasez de alimentos.

Dicha alimentación basada en proteínas también les proporcionó a aquellas personas genes que favorecían la resistencia a la insulina. Cuando la alimentación no contiene muchos carbohidratos (glucosa), la principal forma que tiene el cuerpo para hacer frente a la situación es asegurarse de que las partes importantes, como el cerebro, reciban la poca glucosa que hay. Con este fin el cuerpo debe mandar la glucosa de los músculos al cerebro; para lograrlo, los vuelve resistentes a la insulina. Por lo tanto, el proceso de selección natural benefició a aquellos cuya composición genética los hacía resistentes a la insulina.

Desde el final del último período glaciar ha cambiado mucho el tipo y la cantidad de los alimentos que consumimos. En primer lugar, nuestros antepasados empezaron a cultivar plantas comestibles. La agricultura modificó su patrón de alimentación, la cual ya no se basaba en proteínas animales sino en carbohidratos, en forma de cereales integrales, verduras y frijoles (habichuelas). Anteriormente, al tener una dieta con un alto contenido de proteínas, sus niveles de glucosa en la sangre no se elevaban mucho después de comer. Sin embargo, al empezar a consumir carbohidratos regularmente, sus niveles de glucosa en la sangre comenzaron a elevarse después de comer. La magnitud de esta elevación en el nivel de glucosa en la sangre dependía del valor en el IG que tuvieran los carbohidratos consumidos. Alimentos como el trigo *spelt* —cultivado por nuestros antepasados— tenían un valor bajo en el IG. Afectaban muy poco sus niveles de glucosa en la sangre y sus cuerpos requerían muy poca insulina.

El segundo cambio importante se dio con la industrialización y el advenimiento de los molinos de acero de alta velocidad. En lugar de productos integrales, los nuevos procesos de moler producían carbohidratos muy refinados, los cuales, según ahora sabemos, aumentan el valor en el IG de un alimento y transforman un alimento con un valor bajo en el IG en uno de valor alto. Consumir este alimento muy refinado provoca una elevación mayor en el nivel de glucosa en la sangre. Para mantener la glucosa de la sangre en un nivel normal, el cuerpo se ve obligado a producir grandes cantidades de insulina. La gran mayoría de los alimentos y las bebidas envasadas comercialmente con las que ahora llenamos nuestros carritos en el supermercado tienen un valor alto en el IG. Todo ello le exige mucho a la capacidad del cuerpo para producir insulina.

En tercer lugar, a lo largo de los últimos 50 años el asunto ha empeorado aún más debido al enorme incremento en el consumo de comida rápida, la cual tiene un alto contenido de grasa. Hemos agregado mucha grasa a nuestros alimentos, que de por sí tienen valores altos en el IG. Según lo explicamos en el capítulo 9, consumir mucha grasa incrementa el peso del cuerpo, lo cual a su vez le dificulta a la insulina extraer la glucosa de la sangre. Dicho de otra forma, el cuerpo crea aún más resistencia a los efectos de la insulina. Comer constantemente alimentos basados en carbohidratos de valor alto en el IG le exige al cuerpo producir grandes cantidades de insulina para controlar los niveles de glucosa en la sangre. Si a ello se agrega un deterioro en la resistencia a la insulina se crea el cuadro perfecto para que en algún momento se agoten las reservas de insulina del cuerpo y se desarrolle la diabetes.

Tendrían que pasar eones para que el cuerpo humano se adaptara a cambios tan significativos en la alimentación. La población del continente europeo contó con miles de años para adaptarse a una dieta que incluía muchos carbohidratos, por lo que sus cuerpos están mejor equipados para adaptarse a los cambios recientes en los valores en el IG de los alimentos. Por eso la diabetes del tipo II se da con menor frecuencia en las personas de ascendencia europea que en las poblaciones cuyas dietas apenas han incorporado recientemente muchos alimentos de valor alto en el IG. No obstante, la resistencia del cuerpo tiene sus límites. Conforme insistimos en consumir una cantidad cada vez mayor de alimentos de valor alto en el IG y un exceso de alimentos grasos, les cuesta cada vez más trabajo a nuestro cuerpo hacer frente a la situación. El resultado se aprecia en el gran aumento en los casos de diabetes.

Varias investigaciones realizadas por la Universidad Harvard estudiaron a miles de hombres y mujeres a lo largo de muchos años. Finalmente llegaron a la conclusión de que la probabilidad de desarrollar diabetes del tipo II o bien enfermedades cardíacas era de dos a tres veces mayor en las personas que comían grandes cantidades de alimentos refinados con valores altos en el IG. El incremento más llamativo en los casos de diabetes se ha dado en las poblaciones que han vivido estos cambios en el estilo de vida a lo largo de un período mucho más corto. Entre algunos grupos de indígenas norteamericanos o de poblaciones procedentes de la región del Pacífico, un adulto de cada dos padece diabetes a causa de los acelerados cambios en la dieta y el estilo de vida que han vivido durante el siglo XX.

CÓMO TRATAR LA DIABETES

Cuidar lo que se come es esencial cuando uno padece diabetes. Para algunas personas con diabetes del tipo II, no hace falta nada más para mantener sus niveles de glucosa en la sangre dentro del rango normal de 70 a 140 miligramos por decilitro (mg/dl). Otras también requieren medicamentos para la diabetes o bien inyecciones de insulina. Todas las personas con diabetes del tipo I necesitan inyecciones de insulina. No obstante, independientemente del tratamiento que reciban, todos los diabéticos deben estar muy al pendiente de lo que comen para controlar sus niveles de glucosa en la sangre. Mantener la glucosa en la sangre cerca del rango normal ayuda a prevenir algunas complicaciones de la enfermedad, como infartos, derrames cerebrales, ceguera, insuficiencia renal y amputaciones.

Desde hace más de cien años se les han hecho recomendaciones a los diabéticos acerca de qué comer. Muchas de ellas se basaron en teorías sin probar (aunque en apariencia lógicas) más que en verdaderas investigaciones. En 1915, por ejemplo, la revista médica *Boston Medical and Surgical Journal* afirmó que el mejor tratamiento alimenticio para un diabético era "restringir todos los ingredientes de la dieta". Esta recomendación se tradujo en una alimentación muy baja en calorías a la que se agregaban días de ayuno. Por desgracia el resultado con frecuencia fue la desnutrición.

En los años 20, los médicos empezaron a recomendarles dietas altas en grasa a sus pacientes diabéticos. Desconocían los peligros de este tipo de alimentación, pero sí sabían que la grasa no se descompone para convertirse en glucosa en la sangre. Ahora sabemos que las dietas con un alto contenido de grasa aceleran el desarrollo de enfermedades cardíacas, la causa más frecuente de muerte entre los diabéticos.

No fue sino hasta los años 70 que los carbohidratos empezaron a considerarse una parte valiosa de la alimentación de los diabéticos. Los investigadores descubrieron que al aumentar el consumo de carbohidratos mejoraba no sólo el estado de nutrición sino también la sensibilidad a la insulina de los pacientes.

La única parte de los alimentos que afecta de manera directa los niveles de glucosa en la sangre son los carbohidratos. Al comer alimentos basados en carbohidratos, estos últimos se descomponen para formar glucosa y provocan un aumento en el nivel de glucosa en la sangre. A manera de respuesta, el cuerpo libera insulina en la sangre. La insulina extrae la glucosa de la sangre y la lleva a los músculos, donde se utiliza como fuente de energía; de tal forma, el nivel de glucosa en la sangre vuelve a la normalidad.

Algunas personas piensan que los diabéticos deben evitar por completo los carbohidratos precisamente porque elevan el nivel de glucosa en la sangre. Esto no es recomendable. Los carbohidratos forman una parte normal de la dieta y ayudan a preservar la sensibilidad a la insulina y la resistencia física. El rendimiento mental también aumenta cuando las comidas contienen carbohidratos en lugar de sólo proteínas y grasa.

El secreto para una buena alimentación diabética no radica sólo en la *cantidad* sino que también en el *tipo* de carbohidratos que se consumen.

Tradicionalmente se excluía al azúcar de las dietas para diabéticos porque se consideraba que era el peor tipo de carbohidrato. Debido a su estructura sencilla, se suponía que el azúcar se digería y se absorbía con mayor rapidez que otros tipos de carbohidratos, como las féculas. Esta suposición no resultó cierta. Desde fines de los años 70, varios estudios en torno a las respuestas del cuerpo a la comida han observado mucha semejanza en la reacción de la glucosa en la sangre a los alimentos azucarados y feculentos. Cincuenta gramos de carbohidratos en forma de papas producen una elevación en el nivel de glucosa en la sangre parecida a la que producen 50 gramos de azúcar. ¡El helado provoca una respuesta menos fuerte en la glucosa en la sangre que la papa! Este tipo de hallazgos dieron lugar a las investigaciones sobre el IG con la intención de aprender más acerca de la respuesta del cuerpo a los distintos alimentos que contienen carbohidratos.

➡ *Caso médico*

Tengo 54 años y soy el gerente general de una institución muy grande del sector público, con todo lo que eso implica: saltarme las comidas, comer mal (con frecuencia una sola vez y de noche), largas jornadas de trabajo, estrés, etcétera.

Llevaba algún tiempo sintiéndome mal cuando consulté con mi médico familiar, quien me mandó unos análisis de sangre. Mostraron el inicio relativamente leve de una diabetes del tipo II, así como otros trastornos que en términos generales no se considerarían graves. Todos se debían a mi desordenado estilo de vida.

El médico me mandó con una dietista que estaba bien informada en cuanto al índice glucémico; ahora sé que eso fue muy afortunado.

Bueno, han pasado tres meses y, en resumidas cuentas, he perdido casi 26 libras (12 kg), me faltan 5 libras (2 kg) para alcanzar el peso que me puse como meta y me siento mucho mejor de salud en todos los sentidos, incluyendo el de la autoestima. Mi maravillosa esposa también ha perdido unas 15 libras (7 kg) y de igual manera no le hace falta perder mucho más.

Si bien aún falta que me haga más análisis de la sangre, ni Penny, mi dietista, ni yo dudamos de que los resultados vayan a mostrar una gran mejoría, ya que me siento mucho mejor.

Durante mi primera cita con Penny, le indiqué que no sólo quería bajar de peso y reducir mis síntomas de la diabetes del tipo II. Eso definitivamente era el objetivo principal, pero también quería modificar mis hábitos de alimentación y estilo de vida a largo plazo.

Principalmente gracias a su libro, creo que lo he logrado. Tanto la filosofía como la aplicación práctica del índice glucémico son relativamente sencillas y fáciles de entender, muy del sentido común. He leído y sigo consultando sus libros y visito su sitio *web* con cierta regularidad.

Esta es mi historia hasta ahora. Sigan con el trabajo excelente.

Saludos,

Paul

Durante los años 70 y gran parte de los 80 se puso énfasis en la cantidad de carbohidratos que la dieta contuviera. Para fijar la cantidad de carbohidratos que se pudieran ingerir con cada comida, se utilizó el concepto de los "intercambios". (Un intercambio de carbohidratos es la cantidad de un alimento rico en carbohidratos que contiene 15 gramos de este nutriente).

La teoría de las porciones de carbohidratos suponía que cantidades iguales de carbohidratos, independientemente del tipo de carbohidrato de que se tratara, ocasionaban el mismo cambio en el nivel de glucosa en la sangre. Este razonamiento no estaba respaldado científicamente y desde entonces se ha demostrado con certeza que es incorrecto. Por fortuna, las recomendaciones de alimentación que en la actualidad se les hacen a los diabéticos cuentan con el respaldo de investigaciones científicas de alta calidad. Si bien las investigaciones sobre el IG no niegan la importancia de las cantidades de carbohidratos en la dieta, también nos han mostrado la importancia de tomar en cuenta el *tipo* de carbohidrato.

Las investigaciones realizadas con el IG nos han mostrado que para incrementar la cantidad de carbohidratos en la dieta del diabético sin aumentar los niveles de glucosa en la sangre hay que elegir carbohidratos que tengan valores bajos en el esta escala.

▶ *Caso médico*

A sus 50 años de edad, Helen había hecho muchos intentos por bajar de peso. Sus vecinos empezaron a caminar regularmente, pero ella siempre estaba cansada y no tenía energía para hacer más que lo absolutamente necesario. Estaba muy mal anímicamente por pesar 209 libras (94 kg) y medir sólo 5 pies con 5 pulgadas (1,52 m) de estatura. Su madre era diabética y Helen sabía que el sobrepeso aumentaba su riesgo de desarrollar la enfermedad, pero cada vez que conseguía adelgazar volvía a recuperar el peso después. Cuando se le diagnosticó la diabetes no se sorprendió mucho. De hecho, resultó un alivio para ella: por fin había un motivo para su cansancio.

Siguiendo la recomendación de su médico, Helen acudió a una dietista para que le ayudara a ajustar su alimentación. Lo que comía parecía razonable a primera vista. Desayunaba una rebanada de pan tostado de trigo integral o una galleta de trigo integral con margarina y té negro. Tomaba un almuerzo ligero compuesto, por ejemplo, por apio, lechuga, una rebanada de queso, una rebanada de jamón, un huevo y unas galletas saladas untadas con margarina. Cenaba sopa y un bistec con verduras. Sólo comía una papa pequeña. Terminaba la cena con una fruta.

Sin embargo, el análisis más detenido del diario alimenticio de Helen reveló que en realidad su dieta no estaba bien equilibrada. La dominaban las proteínas y la grasa saturada y contenía una cantidad insuficiente de carbohidratos. No había suficientes alimentos para proporcionar un buen rango de nutrientes. Es más, a la propia Helen le costaba trabajo seguir la dieta y con frecuencia le daba hambre desde que había eliminado las golosinas y las galletitas.

Para lograr una mejoría, lo primero en que nos fijamos fue en la frecuencia de sus comidas. Helen se limitaba a tres comidas diarias porque le habían enseñado que eso era mejor para su salud. Aceptó tomar una pequeña merienda (refrigerio, tentempié) entre comidas, como fruta o una rebanada de pan. A pesar de que no tomaba medicamentos contra la diabetes, pensamos que el efecto de repartir su consumo de alimentos de manera más uniforme a lo largo del día, entre comidas pequeñas y meriendas, debía de ayudarla a estabilizar su nivel de glucosa en la sangre y a bajar de peso.

Luego revisamos la cantidad de carbohidratos que consumía e hicimos una lista de alimentos compuestos por carbohidratos con valores bajos en el IG en los que debía concentrarse en cada comida. Al saciar su hambre con carbohidratos, le quedaría menos espacio para los proteínas que antes dominaban su dieta.

Su desayuno empezaba con un vaso de jugo de naranja (china) recién exprimido y un plato de avena con pasas y leche semidescremada. Si se quedaba con hambre, Helen agregaba una rebanada de pan tostado que fuera 100% integral.

Su almuerzo consistía normalmente en un sándwich (emparedado) preparado con pan integral, una lonja (lasca) de alguna carne fría tipo fiambre magra, una ensalada y una fruta o un *muffin*. A veces almorzaba sopa de verduras o pasta con salsa de verduras y una ensalada.

Para la hora de **la cena** reacomodamos las proporciones de alimentos sobre su plato, reduciendo la cantidad de carne y aumentando la de verduras. Empezó a pensar en los carbohidratos como la base de la comida y alternaba entre pasta, arroz y papa. Dos veces a la semana preparaba un plato vegetariano con legumbres, como una sopa minestrón o una lasaña de verduras. Por la noche solía tomar una merienda de yogur o fruta.

Después de un mes con su nuevo plan de alimentación, Helen se sentía mejor. De hecho, se sentía lo bastante bien para tratar de hacer algo de ejercicio. Analizó su día y decidió dedicar media hora a caminar después de cenar, cinco veces por semana.

A lo largo de los siguientes seis meses, Helen bajó de 209 libras (94 kg) a 176 libras (79 kg). Sus niveles de glucosa en la sangre se mantuvieron dentro de un rango normal la mayor parte del tiempo. Ya no la atormentaba el hambre y se sentía bien con respecto a su comida.

Bajar el valor en el IG de la alimentación, tal como lo hizo Helen, no es tan difícil como pudiera parecer, porque casi todos los carbohidratos que solemos consumir cuentan con un alimento equivalente que tiene un valor bajo en el IG. Nuestras investigaciones han demostrado que los niveles de glucosa en la sangre de los diabéticos mejoran muchísimo si los alimentos con valores altos en el IG se sustituyen por alimentos con valores bajos.

En otro estudio, trabajamos con un grupo de personas con diabetes del tipo II para enseñarles a modificar su dieta cambiando los alimentos con valores altos en el IG que consumían normalmente por alimentos con carbohidratos con valores bajos. Al cabo de tres meses habían experimentado una disminución significativa en su nivel promedio de glucosa en la sangre. No les pareció nada difícil seguir la dieta; de hecho, comentaron que les había resultado muy fácil cambiar de dieta y que su alimentación era mucho más variada ahora.

■

Cómo sustituir alimentos con valores altos en el IG por alimentos con valores bajos

ALIMENTO DE VALOR ALTO EN EL IG	ALTERNATIVA DE VALOR BAJO EN EL IG
Pan de trigo integral o blanco	Pan integral como el pan 100% molido por piedra o el pan de masa fermentada (*sourdough bread*)
Cereal de caja procesado	Cereal sin refinar, como copos de avena tradicionales; también puede buscar cereales de caja procesados de valor bajo en el IG en las tablas de la Cuarta Parte de este libro, como los de las marcas *All Bran*™ y *Special K*™
Pasteles, galletitas, galletas saladas, *donuts* y pastelillos	Fruta fresca, de lata o seca; leche; yogur
Papas y arroz	Batata dulce, pasta, legumbres, arroz *basmati* y el de la marca *Uncle Ben's Converted Rice*®

■

Otros investigadores han obtenido resultados semejantes tanto para la diabetes del tipo I como para la del tipo II. Por ejemplo, amplios estudios de personas afectadas por la diabetes del tipo I que se han realizado en Australia, Europa y Canadá han demostrado que entre más bajo sea el valor en el IG de una dieta, mejor se controla la diabetes. De hecho, la mejoría en el control de la diabetes que se observa después de haber cambiado a una dieta de valor bajo en el IG con frecuencia es mayor que la que se logra con algunos de los medicamentos e insulinas más nuevos y caros.

Efectuar este tipo de cambio en la alimentación diaria no significa que usted deba restringir su dieta o que esta vaya a ser incomible. La Segunda Parte de este libro contiene muchas recetas que le ayudarán a reducir el valor general de su dieta en el IG. El siguiente caso médico servirá como ejemplo de los resultados que pueden lograrse.

➡ *Caso médico*

Bill, un hombre de 62 años, estaba cuidando su diabetes de todas las formas posibles. Redujo su consumo total de comida, bajó de peso y hacía ejercicio normalmente. Se pinchaba el dedo en su casa para medir él mismo su nivel de glucosa en la sangre. A pesar de todos sus esfuerzos, no lograba mantener su nivel de glucosa en la sangre dentro del rango deseado de menos de 140 mg/dl después de desayunar. A primera vista estaba comiendo lo que la mayoría de los dietistas considerarían un buen desayuno para un diabético: más o menos una taza de *cornflakes* con 8 onzas (240 ml) de leche, además de dos rebanadas de pan tostado de trigo integral con un poco de margarina. No obstante, su nivel de glucosa en la sangre siempre subía a alrededor de 200 mg/dl después de desayunar. Se le aconsejó efectuar un simple cambio: reducir el valor en el IG del carbohidrato cambiando los *cornflakes* por un plato de copos de avena. El impacto fue inmediato y su nivel de glucosa en la sangre bajó a 125 mg/dl después de desayunar.

Si le está costando trabajo controlar su nivel de glucosa en la sangre después de haber comido, busque en la Cuarta Parte de este libro el valor en el IG de los alimentos con carbohidratos que consume y trate de sustituirlos por alimentos con carbohidratos de valor más bajo en el IG. Comer un alimento de valor más bajo en el IG puede hacer que el nivel de glucosa en la sangre suba menos después de haber comido.

Si bien aún no los mencionamos, no vaya a creer que los alimentos que contienen grasa no son importantes. Lo son, particularmente para las personas que tienen sobrepeso. Sin embargo, la grasa no hace que suba el nivel de glucosa. Eso sólo sucede con los alimentos basados en carbohidratos. Lo que sí pasa cuando se comen alimentos con mucha grasa y se tiene sobrepeso es que la insulina del cuerpo no puede hacer su trabajo; así, de manera indirecta se provoca un aumento en el nivel de glucosa en la sangre. Por lo tanto, consumir papitas fritas o papas a la francesa (ambas mezclas de un carbohidrato de valor alto en el IG y grasa) produce dos problemas. Además de que el valor alto en el IG de la papa hace que suban los niveles de glucosa en la sangre, la grasa adicional en algún momento impedirá que la insulina del cuerpo trabaje como debe y le restará eficacia para extraer la glucosa de la sangre. Es posible que al día siguiente de una cena con un alto contenido de grasa se muestren niveles altos de glucosa en la sangre de manera persistente.

EL IG Y LAS MERIENDAS

Tomar en cuenta el IG es particularmente importante cuando el carbohidrato se come solo y no como parte de una comida compuesta también por otros alimentos. Los carbohidratos suelen tener un efecto más fuerte en los niveles de glucosa en la sangre cuando se comen solos. Así ocurre con las meriendas, las cuales la mayoría de los diabéticos deben consumir. Al elegir una merienda, opte por una con un valor bajo en el IG. Por ejemplo, una manzana con un valor de 36 en el IG es mejor que una rebanada de pan blanco tostado de alrededor de 70 y provocará un aumento menor en el nivel de glucosa en la sangre.

Algunas meriendas con valores muy bajos en el IG —como el cacahuate (maní), con un valor de 14— tienen un contenido muy alto de grasa y no se les recomiendan a las personas con problemas de peso. Están bien como merienda ocasional (particularmente en vista de que la grasa que contienen es monoinsaturada), pero no para todos los días, ya que cuesta trabajo limitarse a sólo un puñadito.

En cambio, pruebe las siguientes meriendas bajas en grasa con valores bajos en el IG:

- licuado (batido) de frutas
- licuado bajo en grasa
- una manzana
- yogur de fruta bajo en grasa
- de 5 a 6 orejones de albaricoque (chabacano, damasco)
- un plátano amarillo (guineo, banana) pequeño
- 1 ó 2 galletitas de avena

▶ una naranja (china)
▶ una bola de helado bajo en grasa en un barquillo (cono)
▶ un vaso de leche semidescremada

Muchos diabéticos tienen que tomar medicamentos por vía oral para controlar sus niveles de glucosa en la sangre. Al aumentar su consumo de carbohidratos con valores bajos en el IG, a veces estos medicamentos se vuelven innecesarios.

Sin embargo, en ocasiones los medicamentos son inevitables para lograr un buen control sobre la glucosa en la sangre, por muy grandes que sean los esfuerzos para controlarla a través de la alimentación. A la mayoría de las personas afectadas por la diabetes del tipo II les sucede así en algún momento, conforme envejecen y su capacidad para segregar insulina se deteriora aún más.

CÓMO UTILIZAR EL IG AL HACER EJERCICIO

Cuando se padece diabetes, a veces hace falta aumentar el consumo de carbohidratos cuando se hace ejercicio; eso depende del tipo de diabetes que se padezca y de los medicamentos (así como la dosis) que se tomen. Con frecuencia se preferiría no comer más, ya que la intención del ejercicio es quemar el exceso de comida que se consumió anteriormente. (Para los que padecen diabetes del tipo I, esto sólo funcionará si su cuerpo cuenta con suficiente insulina y el nivel de glucosa en su sangre no está demasiado alto en primer lugar).

Es posible que necesite consumir un carbohidrato adicional antes de hacer ejercicio o bien, si el ejercicio se prolonga por más de una hora, tal vez también durante el mismo. El que necesite o no comer algo adicional y cuánto depende de sus niveles de glucosa en la sangre antes, durante y después del ejercicio y de la forma en que su cuerpo responde al esfuerzo. La experiencia se lo enseñará. Comente su situación y cómo manejarla mejor con un dietista, un instructor para diabéticos o un médico.

Si necesita comer inmediatamente antes de hacer ejercicio para que su nivel de glucosa en la sangre suba durante el mismo, tiene sentido ingerir algún alimento con carbohidratos con valores altos en el IG, como una rebanada de pan normal, un par de galletitas o un plátano amarillo (guineo, banana) maduro.

Si va a comer o tomar una merienda una o dos horas antes de hacer ejercicio, tiene sentido que opte por un alimento con un valor bajo en el IG para brindarle energía, como un sándwich (emparedado) preparado con un pan con un valor bajo en el IG, alguna fuente de proteínas bajas en grasa como pechuga de pavo (chompipe), jamón cocido, un recipiente de yogur o una manzana.

Si le hace falta comer algo pronto después de hacer ejercicio o durante el mismo para restaurar su nivel de glucosa en la sangre, elija un alimento con un valor alto en el IG, como pan crujiente (*crispbread*) o tortitas de arroz, un plato de *cornflakes* o cereal de la marca *Rice Krispies* o una rebanada de sandía, por ejemplo.

Nota: siempre recuerde medir su nivel de glucosa en la sangre al hacer ejercicio para evaluar la respuesta de su cuerpo y determinar sus necesidades de carbohidratos.

HIPOGLUCEMIA: LA EXCEPCIÓN A LA REGLA DEL VALOR BAJO EN EL IG

Cuando la diabetes se trata con insulina o con medicamentos tomados por vía oral, es posible que el nivel de glucosa en la sangre baje de 70 mg/dl, el extremo inferior del rango normal. Cuando así suceda es posible que le dé hambre, que empiece a temblar y a sudar y que no pueda pensar claramente. Tal estado se llama "hipoglucemia".

La hipoglucemia, o un nivel bajo de glucosa en la sangre, puede ser peligrosa y debe tratarse de inmediato con algún alimento que contenga carbohidratos. En este caso hay que optar por un carbohidrato de valor alto en el IG porque hace falta que el nivel de glucosa en la sangre suba rápidamente. Los caramelos de goma (*jelly beans*), los cuales tienen un valor de 80 en el IG, son una buena opción. Si todavía no le toca su siguiente comida o merienda, también deberá consumir un carbohidrato de valor bajo en el IG, como una manzana, para evitar que su nivel de glucosa en la sangre vuelva a bajar antes de tomar su siguiente alimento.

➡ *Caso médico*

El problema de que su nivel de glucosa en la sangre bajara en la noche tenía muy preocupada a Jane. Se le había ajustado su dosis nocturna de insulina para evitar que así sucediera, pero estaba convencida de que encontraría otra solución experimentando con el carbohidrato que ingería a la hora de la cena. Después de probar todo tipo de alimentos, además de analizarse la sangre muchas veces a las 3 de la madrugada, dio con la respuesta que el IG le había sugerido: ¡la leche! Encontró que no le costaba trabajo tomar un gran vaso de leche antes de acostarse, en lugar de las galletas solas que acostumbraba antes. De tal forma, mantenía un buen nivel de glucosa en la sangre durante toda la noche.

LAS COMPLICACIONES DE LA DIABETES

Si los niveles de glucosa en la sangre no se controlan debidamente, la diabetes puede dañar los vasos sanguíneos del corazón, las piernas, el cerebro, los ojos y los riñones. Por eso los diabéticos sufren más infartos, amputaciones de las piernas, derrames cerebrales, ceguera e insuficiencia renal. También se llegan a dañar los nervios de los pies, lo cual provoca dolor, irritación, entumecimiento y pérdida de sensibilidad.

Muchos investigadores piensan que los vasos sanguíneos del corazón, las piernas y el cerebro no sufren daños sólo por niveles altos de glucosa en la sangre sino también por un nivel alto de insulina. Se piensa que los niveles altos de insulina posiblemente sean uno de los factores que provoca un engrosamiento del tejido muscular en las paredes de los vasos sanguíneos. Al engrosarse la pared del músculo, los vasos sanguíneos se estrechan y el paso de la sangre se llega a dificultar hasta tal grado que puede formarse un coágulo que lo detiene por completo. De esta forma se produce un infarto o un derrame cerebral.

Sabemos que los alimentos con valores altos en el IG estimulan al cuerpo para producir cantidades mayores de insulina, lo cual da por resultado niveles más altos de insulina en la sangre. Por lo tanto, para las personas con diabetes del tipo II tiene sentido comer alimentos con valores bajos en el IG, los cuales ayudarán a controlar la glucosa en la sangre a través de niveles más bajos de insulina. Es posible que de esta forma se obtenga el beneficio adicional de reducir los daños a los vasos sanguíneos grandes que ocasionan muchos de los problemas de la diabetes.

UN CONSEJO

Son muchos los factores que pueden afectar el nivel de glucosa en la sangre. Si padece diabetes y le cuesta trabajo controlar su nivel de glucosa en la sangre, es importante que consulte a un médico. Tal vez sea necesario evaluar la cantidad de ejercicio que hace, su peso, su nivel de estrés, su consumo total de alimentos y su necesidad de medicamentos.

■

La dieta óptima para los diabéticos

Muchos cereales integrales, pan, verduras y frutas

Una dieta baja en grasa y de valor bajo en el IG se basa en gran medida en los panes integrales; en cereales como la avena, la cebada, el cuscús y el trigo quebrado; en legumbres como los frijoles (habichuelas) colorados y las lentejas; y en todo tipo de frutas y verduras.

Sólo pequeñas cantidades de grasa, particularmente de grasa saturada

Restrinja su consumo de galletitas, pasteles (bizcochos, tortas, *cakes*), mantequilla, papitas fritas, alimentos fritos para llevar, lácteos de grasa entera, carnes grasas y salchichas, pues todos estos alimentos contienen grandes cantidades de grasa saturada. Los aceites poliinsaturados y monoinsaturados como los de oliva, *canola* y cacahuate (maní) contienen grasas más saludables.

Una cantidad moderada de azúcar y de alimentos que contienen azúcar

Está bien incluir pequeñas cantidades de su edulcorante o alimento dulce favorito —azúcar, miel, almíbar de arce (miel de maple), mermelada— en su alimentación, para que sus comidas resulten más sabrosas y agradables.

Sólo una cantidad moderada de alcohol

Dos tragos al día para hombres y uno para mujeres, con por lo menos dos días sin alcohol a la semana.

Sólo una cantidad moderada de sal y alimentos salados

Condimente su comida con jugo de limón, pimienta negra recién molida, ajo, chile, hierbas y otros sabores, en lugar de depender de la sal.

■

LA DIABETES Y EL IG: PREGUNTAS FRECUENTES

¿Por qué el IG resulta tan importante para manejar la diabetes?

Tal como ya se mencionó, la diabetes puede dañar los vasos sanguíneos de los ojos, los riñones y los nervios si los niveles de glucosa en la sangre no se controlan debidamente. Por este motivo, los diábeticos sufren más infartos, derrames cerebrales, insuficiencia renal y ceguera. Los niveles altos de glucosa en la sangre también llegan a dañar los nervios de los pies, lo cual puede provocar dolor, irritación y pérdida de sensibilidad en esta parte del cuerpo.

Los niveles altos de insulina también llegan a dañar los vasos sanguíneos del corazón, las piernas y el cerebro. De hecho, en opinión de algunos científicos es posible que los niveles altos de insulina provoquen un engrosamiento del tejido muscular en las paredes de los vasos sanguíneos. A consecuencia de ello, los vasos sanguíneos se estrechan y el flujo de la sangre se dificulta. Puede formarse un coágulo que detenga por completo el flujo de la sangre, ocasionando un infarto o un derrame cerebral.

¿Cómo ayuda el IG a controlar los niveles de insulina y de glucosa en la sangre?

En términos generales, los estudios científicos revelan un vínculo clarísimo entre el valor en el IG de un alimento y la respuesta que provoca en la insulina. Cuando se comen alimentos con valores bajos en el IG, se segrega una menor cantidad de la hormona insulina a lo largo del día. Cuando se comen alimentos con valores altos en el IG, el cuerpo produce una cantidad mayor de insulina, lo cual da por resultado niveles más altos de insulina en la sangre.

Para las personas que padecen diabetes del tipo II, tiene sentido ingerir alimentos con valores bajos en el IG para ayudar a controlar los niveles de glucosa en la sangre por medio de niveles más bajos de insulina. (Una dieta de valor bajo en el IG aumenta la sensibilidad del cuerpo a la insulina, de modo que la insulina de la que uno dispone funciona mejor). Es posible que esta estrategia ofrezca el beneficio adicional de reducir los daños a los vasos sanguíneos grandes que ocasionan muchos de los problemas que la diabetes puede acarrear.

También sabemos que una dieta de valor bajo en el IG, al combinarse con un bajo consumo de grasa, puede ayudar a preservar la buena salud de los vasos sanguíneos al mantener bajos los niveles de grasa en la sangre. Diversos estudios científicos han demostrado que los niveles de grasa (colesterol y triglicéridos, por ejemplo) bajan en la sangre cuando se consumen alimentos con valores más bajos en el IG.

¿Puede el consumo de azúcar acarrear diabetes?

No. Todos los expertos coinciden en que el azúcar que contienen los alimentos no produce diabetes. La diabetes del tipo I (dependiente de la insulina) es un estado de autoinmunidad provocado por factores desconocidos del medio ambiente, como ciertos virus. La diabetes del tipo II (no dependiente de la insulina) se hereda en gran medida, pero diversos aspectos del estilo de vida pueden aumentar el riesgo de desarrollarla, como la falta de ejercicio y el sobrepeso. En vista de que en el pasado los tratamientos alimenticios de la diabetes aconsejaban evitar el azúcar por completo, muchas personas llegaron a creer equivocadamente que esta sustancia influía de alguna manera en producir la enfermedad. Ya no se le puede echar la culpa al azúcar. Lo que sí influye en la aparición de la diabetes son los alimentos con valores altos en el IG. De acuerdo con diversos estudios realizados por la Universidad Harvard, las dietas basadas en alimentos con valores altos en el IG aumentan el riesgo de desarrollar diabetes y enfermedades cardíacas.

¿Por qué ahora se les permite a los diabéticos incluir un poco de azúcar en su dieta?

Durante mucho tiempo, las dietas para diabéticos se basaban principalmente en evitar por completo el azúcar. Se le enseñaba al personal médico que los azúcares simples eran los únicos responsables de los niveles altos de glucosa en la sangre. No obstante, diversas investigaciones científicas han demostrado que un diabético puede consumir la misma cantidad de azúcar que una persona común sin afectar su capacidad para controlar la enfermedad. Por otra parte, también es importante recordar que las "calorías vacías" —sin importar que provengan del azúcar, las féculas, la grasa o el alcohol— no contribuyen al buen funcionamiento del cuerpo. Un buen lema a seguir es "moderación en todo". El consumo de tales alimentos no debe rebasar el 10 por ciento de la ingesta total de calorías al día, lo cual equivale a más o menos 3 cucharadas de azúcar para las mujeres y a unas 4½ cucharadas en el caso de los hombres. Tenga presente que esta cantidad no se refiere sólo al azúcar que *usted mismo* le agrega al café o al plato de cereal sino también al azúcar que los alimentos *ya contienen*.

Procure repartir la cantidad total de azúcar permitida entre varios alimentos ricos en nutrientes cuyo sabor vaya a beneficiarse con el azúcar. Acuérdese de que muchos alimentos ya cuentan con azúcar; por ejemplo, una lata de refresco (soda) contiene aproximadamente 40 gramos de azúcar.

La mayoría de los alimentos que contienen azúcar no hacen subir el nivel de glucosa más que la mayoría de los alimentos feculentos. Por ejemplo, el cereal de la marca *Golden Grahams* (con un valor de 71 en el IG) contiene un 39 por ciento de azúcar, mientras que los *Rice Chex* (con un valor de 89 en el IG) cuentan con muy poca azúcar. Muchos de los alimentos que contienen grandes cantidades de azúcar poseen un valor de alrededor de 60 en el IG, o sea, más bajo que el del pan blanco.

El azúcar puede ser una fuente de placer y ayudarle a limitar su consumo de alimentos con un alto contenido de grasa. Sin embargo, es difícil predecir la forma en que la glucosa en la sangre reaccionará a un alimento. Guíese por las tablas en este libro y por su propia observación de sus niveles de glucosa en la sangre.

¿Pueden los valores en el IG obtenidos por estudios realizados con personas sanas aplicarse a diabéticos?

Sí. Varios estudios demuestran una gran correspondencia entre los valores obtenidos con personas sanas y con diabéticos (del tipo I y II). Por su misma naturaleza, los estudios realizados en torno al IG toman en cuenta las diferencias que existen entre las personas en cuanto a su tolerancia a la glucosa. Si bien los diabéticos tienen problemas con el metabolismo de la glucosa, por lo común su digestión gastrointestinal está perfectamente bien. Su digestión de los alimentos con valores altos en el IG es rápida; y la de los alimentos con valores bajos en el IG, lenta. Algunos diabéticos padecen gastroparesis, lo cual significa que su estómago requiere más tiempo para vaciarse. De todas formas es válido clasificar los alimentos de acuerdo con sus valores en el IG.

¿Si un alimento tiene un valor alto en el IG, debe un diabético evitarlo?

Algunos alimentos, como el pan y la papa, tienen un valor alto en el IG (70-80). No obstante, ambos llegan a ser muy importantes para una dieta con un alto contenido de carbohidratos y poca grasa. Sólo hace falta sustituir más o menos la mitad de los carbohidratos con valores altos por carbohidratos con valores bajos para lograr un nivel más bajo de glucosa en la sangre. Así, queda mucho espacio para el pan y las papas. Algunos tipos de pan tienen un valor más bajo en el IG que otros. Elíjalos si su objetivo es bajar lo más posible los valores en el IG de su dieta. No es posible predecir el valor de un alimento en el IG a partir de su composición. Para calcularlo hacen falta investigaciones que utilicen a personas y alimentos de verdad. Siempre se siguen métodos estándar, de modo que los resultados que se obtienen con un grupo de personas pueden compararse directamente con los de otro grupo de personas.

Algunas verduras, como la calabaza (calabaza de Castilla), al parecer tienen un valor alto en el IG. ¿Significa esto que un diabético no las debe consumir?

De ninguna manera. A diferencia de las papas y los productos elaborados con cereales, estas verduras contienen muy pocos carbohidratos. Por lo tanto, a pesar de su valor alto en el IG, su carga glucémica (IG × carbohidrato por ración dividido entre 100) es baja. La zanahoria, el brócoli, el tomate (jitomate), la cebolla, las verduras de hoja para ensalada, etc., que contienen muy pocos carbohidratos y muchísimos micronutrientes, deben considerarse alimentos "libres" para todo mundo. Consuma las cantidades que quiera.

Algunos tipos de panes y papas tienen valores altos en el IG (70–80). ¿Significa esto que un diabético debe evitar el pan y las papas por completo?

Las papas y el pan llegan a ser importantes para las dietas con un alto contenido de carbohidratos y poca grasa, aunque también se pretenda reducir el valor en el IG de la dieta en general. Sólo hace falta cambiar más o menos la mitad de los carbohidratos de una fuente de valor alto en el IG a una de valor bajo para lograr mejorías medibles en el control de la diabetes. Por lo tanto, aún tienen cabida el pan y las papas en las dietas de los diabéticos. Desde luego algunos tipos de pan y de papas tienen valores más bajos en el IG que otros y deben preferirse si la meta es bajar lo más posible el valor de la dieta en esta escala.

Para el control general de la diabetes, la indicación más importante es que la dieta debe contener poca grasa y muchos carbohidratos. Además de ayudarles a las personas a bajar de peso, no lo volverán a subir y mejorarán en términos generales el control de sus niveles de glucosa y de lípidos en la sangre.

¿Por qué los diabéticos deben comer pocos alimentos con mucha grasa?

Cuando se padece diabetes, el sobrepeso y el consumo de alimentos con un alto contenido de grasa le impiden a la insulina hacer bien su trabajo. Cuando la insulina no puede trabajar como debe (o cuando no hay suficiente insulina), los niveles de glucosa en la sangre suben. La mayoría de los casos de diabetes del tipo II están relacionados con un exceso de grasa en el abdomen, o sea, con la panza.

Los alimentos empanados (empanizados) o rebozados (capeados), las papas a la francesa, el arroz frito, los pastelillos u otros alimentos grasos semejantes con frecuencia producen un nivel alto de glucosa en la sangre. Los valores altos en el IG de la papa, del arroz o de la harina tiende a incrementar el nivel de glucosa en la sangre, y la grasa adicional interfiere con la acción de la insulina y la vuelve menos eficaz para extraer el azúcar de la sangre.

Algunos alimentos con un alto contenido de grasa tienen un valor bajo en el IG, por lo que tal vez parezca aceptable consumirlos. En estos casos, el valor es bajo porque la grasa tiende a hacer más lento el proceso de vaciar el estómago (y por lo tanto disminuye la velocidad a la que los alimentos se digieren en el intestino delgado). Por eso algunos alimentos con un alto contenido de grasa tienen valores más bajos en el IG que sus homólogos bajos en grasa (las papitas fritas tienen un valor de 54 en el IG, por ejemplo, en comparación con la papa al horno, que tiene un valor de 85 en el IG). Sin embargo, no por eso son mejores como alimentos.

¿Puede una dieta con un alto contenido de proteínas perjudicar la salud de un diabético?

Sí. Los diabéticos deben evitar las dietas con un alto contenido de proteínas porque el consumo de grandes cantidades de proteínas puede agotar los riñones y acelerar la aparición de una insuficiencia renal. (La insuficiencia renal es una de las posibles complicaciones de la diabetes). Para los diabéticos resulta mucho más saludable controlar la glucosa en su sangre a través de una dieta de alimentos con valores bajos en el IG.

Si un diabético cambiara su dieta a alimentos con valores bajos en el IG, ¿tendría que reducir su dosis de insulina?

La mayoría de los estudios científicos no indican ninguna necesidad de reducir la dosis de insulina de manera significativa al seguir una dieta de alimentos con valores bajos en el IG. Es probable que esto se deba a que no sólo los carbohidratos sino también las proteínas y la grasa dictan la dosis adecuada de insulina. Sin embargo, varios estudios realizados con personas que utilizaban bombas de insulina sugieren que al tener una dieta de alimentos con valores bajos en el IG a veces es posible reducir la dosis de insulina sin afectar los niveles de glucosa en la sangre. Harán falta más investigaciones para afirmar esto con certeza.

(*Nota*: si encuentra en este capítulo nombres de alimentos que no entiende o que jamás ha visto, favor de remitirse al glosario en la página 407).

11

INHIBA LA HIPOGLUCEMIA

*L*A HIPOGLUCEMIA HA ADQUIRIDO POPULARIDAD como diagnóstico de todo tipo de problemas que no pueden atribuirse a una razón más específica. Se ha producido mucha publicidad en torno a este trastorno, al que con frecuencia se le atribuyen un gran número de problemas no específicos de la salud, desde el cansancio hasta la depresión. Desafortunadamente, en muchos casos la hipoglucemia no es la causa real de los síntomas, por lo que se retrasan el diagnóstico y el tratamiento correctos.

En todo caso, algunas personas efectivamente padecen hipoglucemia y el índice glucémico (IG) puede ayudar a tratar algunas variantes de este trastorno. La forma más común de hipoglucemia se da después de ingerir una comida. Se trata de la *hipoglucemia reactiva*.

■

EL ESTADO DE HIPOGLUCEMIA significa que el nivel de glucosa en la sangre baja de lo normal. El nombre deriva de dos palabras griegas, "hipo" —que significa "debajo"— y "glucemia" —que significa "glucosa en la sangre"—, o sea: un nivel de glucosa inferior al normal.

■

Al consumirse un alimento que contiene carbohidratos, normalmente el nivel de glucosa en la sangre sube. El páncreas produce insulina, la cual extrae la glucosa de la sangre y la lleva a los músculos, a los que proporciona la energía que requieren para realizar sus actividades normales. El traslado de la glucosa de la sangre a los músculos es controlado con precisión por la cantidad justa de insulina para que el nivel de glucosa baje otra vez a lo normal. En algunas personas, el nivel de glucosa sube demasiado rápido después de comer, por lo cual se libera una cantidad excesiva de insulina. Esta extrae demasiada glucosa de la sangre y hace que el nivel de glucosa descienda para estar debajo del nivel normal. El resultado es la hipoglucemia.

La hipoglucemia produce muchos síntomas desagradables. Varios se parecen a los del estrés, como sudoración, temblores, ansiedad, palpitaciones y debilidad. Otros afectan el funcionamiento mental y provocan inquietud, irritabilidad, falta de concentración, letargo y soñolencia.

La diagnosis de la hipoglucemia no debe basarse en síntomas vagos. Es preciso determinar con un análisis de sangre si el nivel de glucosa en la sangre está bajo en el momento en que aparecen los síntomas.

En vista de que tal vez resulte difícil —o prácticamente imposible— estar en el lugar correcto para efectuar un análisis de sangre justo en el momento de experimentar los síntomas mencionados, a veces se utiliza un análisis de tolerancia a la glucosa para establecer el diagnóstico de la hipoglucemia. Para ello hay que beber glucosa pura, la cual ocasiona un incremento en el nivel de glucosa en la sangre. Si a manera de reacción se produce un exceso de insulina, la persona afectada por hipoglucemia experimentará una disminución excesiva en su nivel de glucosa en la sangre. El método suena sencillo, pero encierra algunas trampas.

La prueba debe realizarse en condiciones de control estricto, es decir, el nivel bajo de glucosa en la sangre se demuestra mejor mediante el análisis de muestras de sangre capilares (no venosas), las cuales deben tomarse debidamente. Los medidores caseros de glucosa en la sangre no bastan para diagnosticarles hipoglucemia a personas que no padecen diabetes.

CÓMO TRATAR LA HIPOGLUCEMIA

Al tratar la hipoglucemia reactiva, el objetivo es impedir que se produzcan incrementos fuertes y repentinos en los niveles de glucosa en la sangre. Si es posible impedir que el nivel de glucosa en la sangre suba aceleradamente, no se producirán cantidades excesivas e innecesarias de insulina y los niveles de glucosa en la sangre no caerán en picada hasta valores extremadamente bajos.

Es posible lograr niveles estables y constantes de glucosa en la sangre a través de la dieta al cambiar los alimentos con valores altos en el IG a los que tengan valores bajos. Esto resulta particularmente importante cuando los alimentos con un alto contenido de carbohidratos se consumen solos. Por lo tanto, la mejor opción para las meriendas (refrigerios, tentempiés) son alimentos con valores bajos en el IG, como por ejemplo, el pan de cereales integrales, el yogur bajo en grasa y las frutas con valores bajos en el IG.

Si es posible evitar grandes fluctuaciones en los niveles de glucosa en la sangre, no se padecen los síntomas de la hipoglucemia reactiva y es posible sentirse bastante mejor.

Es raro que la hipoglucemia se deba a un problema médico grave. En tal caso se requiere hacer una investigación a fondo y tratar la causa fundamental del trastorno.

La irregularidad en las costumbres alimenticias suele ser muy común en las personas que padecen hipoglucemia. El siguiente caso médico sirve muy bien para ilustrarlo.

➡ *Caso médico*

Las ajetreadas jornadas laborales de Diane con frecuencia no le dejaban tiempo para comer bien. Finalmente su cuerpo se negó a aceptar más el esfuerzo al que lo sometía. Diane empezó a experimentar extraños accesos de debilidad, así como temblores, que le impedían pensar con claridad. Una consulta médica y una prueba de tolerancia a la glucosa confirmaron que sufría hipoglucemia. El tratamiento consistió en modificar sus hábitos o por lo menos su horario de comidas. Debía comer tres veces al día de forma normal, además de tomar meriendas entre las comidas. La idea de comer seis veces al día se le hizo una tarea abrumadora a Diane y tuvo que pensar y planear su nueva dieta muy bien para organizarse. Lo que la motivó fue el hecho de sentirse mucho mejor casi enseguida. El siguiente menú es típico para Diane ahora.

6 de la mañana
Desayuno   Un licuado (batido) de plátano amarillo
                            (guineo, banana), leche, yogur, miel y
                            vainilla, para empezar el día sin demoras

8:30 de la mañana
En el trabajo   Un *muffin* de salvado de avena y man-
                            zana (preparados en casa durante el fin
                            de semana y congelados de manera
                            individual)

12 del día
Almuerzo   Un sustancioso sándwich (emparedado),
                            con pan árabe (pan de *pita*), *wrap* o *foc-
                            cacia*; ocasionalmente, en caso de comer
                            en un restaurante, un plato mexicano
                            con frijoles (habichuelas) o bien pasta

3 de la tarde
En el trabajo   Un puñado de fruta seca (que guarda en
                            un frasco en la oficina)

5 de la tarde
En el trabajo   Un par de galletitas pequeñas de avena
                            (que guarda en la oficina para cuando
                            trabaja hasta tarde)

7:30 de la noche
Cena   Algo rápido, muchas veces pasta, *chili*
                            o carne con verduras (el plato fuerte
                            siempre debe incluir algún carbohidrato)

9-10 de la noche
Merienda nocturna   Fruta o licuado

■

Para impedir la hipoglucemia, acuérdese de:

⊃ Comer comidas y meriendas normales; planee comer cada 3 horas.

⊃ Incluir en cada comida o merienda alimentos que contengan carbohidratos con valores bajos en el IG.

⊃ Mezclar alimentos con valores altos en el IG con alimentos que tengan valores bajos: la combinación le dará un valor general intermedio en el IG.

⊃ Evitar consumir alimentos con valores altos en el IG solos como merienda, ya que esto puede provocar la hipoglucemia reactiva.

■

(*Nota*: si encuentra en este capítulo nombres de alimentos que no entiende o que jamás ha visto, favor de remitirse al glosario en la página 407).

12

CUIDE SU CORAZÓN Y COMBATA LA RESISTENCIA A LA INSULINA

¿SABÍA USTED que las enfermedades cardíacas son la principal causa de muerte entre los habitantes de los Estados Unidos? Cada 29 segundos, una persona radicada en este país sufre un infarto o un paro cardíaco. En la mayoría de los casos la causa es la arteroesclerosis, también conocida como "endurecimiento de las arterias".

La mayoría de las personas desarrollan arteroesclerosis de manera muy gradual a lo largo de sus vidas. Si se da poco a poco es posible que no cause ningún problema, ni siquiera a una edad avanzada. No obstante, si otros factores (como un nivel alto de colesterol o de glucosa) vienen a acelerar su evolución, es posible que cause problemas desde mucho antes.

■

CONOCER EL nivel de glucosa en la sangre es tan importante como conocer el nivel de colesterol cuando se trata de asegurar una salud óptima para el corazón.

■

La arteroesclerosis reduce la cantidad de sangre que fluye por las arterias afectadas. En el corazón esto puede significar, en un momento dado, que la cantidad de oxígeno recibida por el músculo cardíaco sea insuficiente. Por lo tanto, el corazón no cuenta con la fuerza necesaria para bombear la sangre. Por consiguiente, el músculo se altera de tal forma que se siente dolor en la parte central del pecho, la llamada "angina de pecho". Además, en otras partes del cuerpo, la arteroesclerosis reduce el flujo de la sangre. Es posible que se sienta dolor en las piernas al hacer ejercicio, por ejemplo, o bien pueden darse diversos problemas en el cerebro, desde un paso irregular hasta derrames cerebrales.

Una consecuencia aún más grave de la arteroesclerosis ocurre cuando se forma un coágulo en la superficie de una arteria afectada por la enfermedad. Este proceso de trombosis puede bloquear la arteria por completo. Las posibles consecuencias van desde la muerte repentina hasta un pequeño infarto del que el paciente se recupera rápidamente.

El proceso de trombosis también puede darse en otras partes del sistema arterial; las consecuencias dependen de los alcances de la trombosis. La tendencia de la sangre a formar coágulos, enfrentada con la capacidad natural de la sangre para disolverlos (fibrinolisis), determina la probabilidad de desarrollar una trombosis. Diversos factores, entre ellos el nivel de glucosa en la sangre, influyen en estas dos tendencias contrarias.

Es posible que el funcionamiento del corazón se deteriore poco a poco en las personas que gradualmente han desarrollado una arteroesclerosis de las arterias que conducen al corazón (las arterias coronarias). Tal vez el corazón sea capaz de compensar el problema por un tiempo, de modo que no habrá síntomas, pero en algún momento comienza a fallar. Se puede sufrir falta de aliento, inicialmente al hacer ejercicio, y a veces se hinchan los tobillos.

La medicina moderna cuenta con muchos medicamentos efectivos para tratar la insuficiencia cardíaca, de modo que esta consecuencia de la arteroesclerosis ya no resulta tan grave como lo era en el pasado.

EL SÍNDROME DE RESISTENCIA A LA INSULINA

Se calcula que más de 60 millones de habitantes de los Estados Unidos sufren resistencia a la insulina; uno de cada cuatro desarrollará, en algún momento, diabetes del tipo II. El síndrome de resistencia a la insulina (que a veces se llama "síndrome metabólico" o "síndrome X") es un conjunto de alteraciones metabólicas que pueden incrementar —sin que la persona afectada se dé cuenta— el riesgo de sufrir un infarto.

Cuando se sufre presión arterial alta (hipertensión), un deterioro de la tolerancia a la glucosa, niveles bajos de colesterol HDL y altos de triglicéridos, es probable que se padezca el síndrome de resistencia a la insulina.

Es posible, por otra parte, que los niveles totales de colesterol se ubiquen dentro de un rango normal, lo cual les da a la persona y a su médico una impresión equivocada de la verdadera salud coronaria.

También es posible que la persona tenga un peso normal (o sobrepeso), pero una medida grande de la cintura (más de 35 pulgadas/89 cm en las mujeres y más de 40 pulgadas/102 cm en los hombres), lo cual indica un exceso de grasa abdominal.

No obstante, la bandera roja de advertencia aparece cuando los niveles de glucosa en la sangre y de insulina permanecen altos después de una carga de glucosa o después de comer. Se cree que todos los aspectos de este conjunto de anormalidades metabólicas se fundan en la resistencia a la acción de la insulina, la cual las une todas.

Con frecuencia se pregunta por qué la resistencia a la insulina es tan común. Sabemos que tanto los genes como el medio ambiente intervienen en crearla. Las personas de ascendencia indígena americana, latina, africana o asiática parecen tener una mayor resistencia a la insulina que las de ascendencia europea, aun siendo jóvenes y delgados.

No obstante, independientemente de nuestros antecedentes étnicos, la resistencia a la insulina se desarrolla con la edad. No se debe a esta sino al hecho de que conforme envejecemos solemos acumular un exceso de grasa en la cintura, nos volvemos menos activos físicamente y perdemos parte de nuestra masa muscular. También es probable que la dieta influya. De manera específica las dietas que contienen mucha grasa se han vinculado con la resistencia a la insulina, mientras que las dietas con un alto contenido de carbohidratos están relacionados con una mayor sensibilidad a la insulina.

Conforme envejecemos, la resistencia a la insulina se convierte en el síndrome de resistencia a la insulina y poco a poco coloca los cimientos para que se dé un infarto. A fin de comprender cómo y por qué sucede esto, necesitamos saber cómo se desarrollan las enfermedades cardíacas.

¿POR QUÉ CONTRAEMOS ENFERMEDADES CARDÍACAS?

Las enfermedades cardíacas arteroescleróticas se desarrollan a temprana edad, cuando el gran número de factores que las causan ejercen una fuerte influencia. Muchos médicos y científicos se han dedicado a identificar los procesos con gran detalle a lo largo de muchas décadas y actualmente se conocen muy bien la mayoría de los factores que producen las enfermedades cardíacas.

En teoría sería posible prevenir este tipo de enfermedad cardíaca si en la juventud se evaluaran los riesgos que cada quien experimenta de sufrirlas, para que a continuación la persona hiciera todas las cosas correctas por el resto de su vida. En la práctica se han desarrollado muy poco los métodos de determinar el riesgo de las personas a una edad temprana; además, los recursos requeridos para prevenir estas enfermedades simplemente no están disponibles.

Sin embargo, se está haciendo mucho para identificar los factores de riesgo (lo que llamamos "banderas rojas") tanto en las personas sanas como en aquellas a quienes se les ha detectado una enfermedad cardíaca. Un nivel alto de colesterol es un factor de riesgo conocido, al igual que un nivel bajo de colesterol de lipoproteínas de alta densidad (colesterol LAD), el "bueno". En fechas más recientes se ha demostrado que un nivel alto de glucosa después de comer sirve como un indicio importante pero subvalorado tanto de enfermedades cardiovasculares como de muerte por la causa que sea. La buena noticia es que si nosotros tomemos las acciones necesarias reduciremos nuestro riesgo de sufrirlas.

FACTORES DE RIESGO PARA SUFRIR LAS ENFERMEDADES CARDÍACAS

La posibilidad de desarrollar una enfermedad cardíaca se incrementa si se fuman cigarrillos o cualquier otro producto de tabaco; si se sufre presión arterial alta (hipertensión), diabetes o tolerancia deteriorada a la glucosa; si se tiene un nivel alto de colesterol en la sangre (lo cual puede deberse a un consumo exagerado de grasa saturada); si se está pasado de peso u obeso y/o si no se hace suficiente ejercicio.

▶ **Fumar** ha sido claramente establecido como una causa de la arteroesclerosis. Son pocos los expertos que lo niegan. No obstante, también hay algunos aspectos dietéticos interesantes que al parecer entran en juego: los fumadores tienden a consumir menos frutas y verduras que las personas que no fuman (por lo que consumen una menor cantidad de los compuestos antioxidantes protectores que contienen las plantas). Los fumadores tienden a consumir más grasa y más sal que quienes no fuman. Es posible que estas características de la dieta del fumador se deban a la tendencia a buscar sabores más intensos en los alimentos, en vista de que fumar afecta el sentido del gusto. Si bien es posible que tales diferencias en la alimentación aumenten el riesgo del fumador de contraer una enfermedad cardíaca, el consejo para cualquier fumador sigue siendo el mismo: *¡deja de fumar!*

▶ **La presión arterial alta** provoca cambios en las paredes de las arterias. La capa muscular (un tubo que cuando está sano es capaz de cambiar de tamaño para controlar el flujo de la sangre) se hace más gruesa y aumenta la probabilidad de que se sufra arteroesclerosis. Los tratamientos para la presión arterial se han vuelto más eficaces a lo largo de los últimos 30 años, pero apenas se está revelando qué tipo de tratamiento para controlar la presión arterial también reduce el riesgo de sufrir enfermedades cardíacas de manera eficaz.

▶ **La diabetes** y **la tolerancia deteriorada a la glucosa** aceleran el endurecimiento de las arterias. Cuando los niveles de glucosa suben, aunque sea de manera temporal (como ocurre después de comer), se aceleran las reacciones de oxidación y se absorben antioxidantes como las vitaminas E y C. De manera particular se oxidan las grasas sanguíneas, por lo que causan un mayor daño a las paredes de las arterias. Las paredes de las arterias se inflaman, se vuelven más gruesas y pierden su elasticidad poco a poco. Al estrecharse las arterias, la presión arterial aumenta. Por si fuera poco, un nivel alto de insulina incrementa la tendencia a que se formen coágulos en la sangre. El mayor riesgo de sufrir un infarto que resulta de esta formación es una de las principales razones por las que nos esforzamos tanto en ayudar a los diabéticos a controlar la glucosa en su sangre de manera normal.

Sin embargo, no es necesario padecer diabetes para correr el mismo riesgo. Un nivel alto de glucosa en la sangre varias horas después de haber comido también ha sido relacionado con un mayor riesgo de sufrir enfermedades cardíacas incluso en las personas que no sufren diabetes.

‣ **Un nivel alto de colesterol en la sangre** aumenta el riesgo de contraer una enfermedad cardíaca. El nivel de colesterol en la sangre se debe en parte a factores genéticos (heredados), los cuales no se pueden modificar, y en parte a factores relacionados con el estilo de vida, los cuales *sí* se pueden cambiar.

Algunos problemas de la salud relativamente raros producen un nivel particularmente alto de colesterol en la sangre. Las personas que los han heredado deben someterse a una revisión minuciosa llevada a cabo por un especialista seguida por tratamientos con medicamentos por el resto de sus vidas.

En la mayoría de las personas, el nivel alto de colesterol se debe en parte a sus genes, los cuales las predisponen a tener una ligera elevación en el colesterol, y en parte a factores relacionados con su estilo de vida, los cuales hacen que suba aún más.

En lo que se refiere a la alimentación, el factor más importante es la grasa. Las dietas que se mandan para bajar el nivel de colesterol en la sangre son bajas en grasa (particularmente en grasa saturada) y contienen una gran cantidad de carbohidratos y de fibra.

‣ **El peso del cuerpo** también afecta el nivel de colesterol en la sangre. En algunas personas, el sobrepeso influye de manera significativa en el nivel de colesterol, por lo que puede beneficiarlos bajar a un peso razonable. La sangre también contiene triglicéridos, otro tipo de grasa cuyo nivel aumenta mucho, particularmente después de comer. Es posible que en algunas personas un nivel alto de triglicéridos se traduzca en un mayor riesgo de sufrir enfermedades cardíacas.

La probabilidad de que las personas con sobrepeso y obesas tengan la presión arterial alta (hipertensión) y padezcan diabetes es mayor. Asimismo, enfrentan un mayor riesgo de desarrollar enfermedades cardíacas. En parte, este mayor riesgo se debe a la presión arterial alta, así como a la tendencia a la diabetes, pero la obesidad ejerce otro efecto independiente.

Cuando alguien empieza a engordar, la grasa se acumula de manera pareja en todo el cuerpo o bien en la parte central del mismo, dentro del abdomen y alrededor del mismo. Esta última forma de obesidad se relaciona de manera particular con las enfermedades cardíacas. Por lo tanto, se debe hacer todo lo posible por lograr un peso más normal, sobre todo si el exceso de peso se da en la madurez.

▶ **El ejercicio**, por su parte, brinda múltiples beneficios al corazón. Cuando se hace de manera intensa y con regularidad, mejora la salud cardiovascular y es posible que también puede mejorarse el suministro de sangre al corazón. Además, el ejercicio es importante para mantener el peso del cuerpo e influye en el metabolismo, así como en algunos factores relacionados con la coagulación de la sangre. Hacer ejercicio con regularidad es a todas luces importante.

EL TRATAMIENTO DE LAS ENFERMEDADES CARDÍACAS Y LA PREVENCIÓN SECUNDARIA

Cuando se detecta una enfermedad cardíaca, se recurre a dos tipos de tratamiento. Primero se tratan los efectos de la enfermedad (por ejemplo, a través de medicamentos y una intervención quirúrgica para hacer una derivación o *bypass* coronario) y, en segundo lugar, los factores de riesgo, a fin de detener lo más posible el avance de la enfermedad.

Tratar los factores de riesgo una vez que la enfermedad se ha desarrollado se llama *prevención secundaria*. En las personas que aún no han desarrollado la enfermedad, tratar los factores de riesgo se llama *prevención primaria*. Obviamente lo mejor sería poder aplicar un tratamiento preventivo primario en todos los casos.

PARA PREVENIR LAS ENFERMEDADES CARDÍACAS:
LA PREVENCIÓN PRIMARIA

Es cada vez mayor el número de personas que de manera regular se hacen medir la presión arterial, además de pedir análisis para detectar la diabetes. Este factor de riesgo también se mide cada vez más por medio de análisis de las grasas en la sangre.

Todos los profesionales de la salud hacen recomendaciones relacionadas con el estilo de vida para que se deje de fumar, se goce los beneficios del ejercicio y se conozca los ingredientes de una buena dieta. Cuando se descubren factores de riesgo específicos, se brindan consejos con respecto a la dieta y el estilo de vida, pero estos no siempre se llevan a cabo por mucho tiempo.

Resulta particularmente difícil seguir consejos si los efectos de no hacerlo probablemente no se manifiesten hasta después de diez años o más y si los cambios requeridos no se consideran atractivos. Es necesario que el individuo, quien recibirá aliento por parte de sus amigos y familiares, desee efectuar los cambios. Además, en el caso ideal estos serán positivos. O sea, la persona debe pensar "Quiero hacer esto" y no "Me mandaron a hacer esto". Cualquier medida nueva relacionada con la prevención de las enfermedades cardíacas debe considerarse un gran cambio positivo, en lugar de uno negativo.

EL IG Y LA SALUD DEL CORAZÓN

El IG es sumamente importante para asegurar la salud del corazón y prevenir las enfermedades cardíacas.

En primer lugar, ofrece beneficios al controlar el peso, pues ayuda a controlar el apetito y así previene que se coma de más y que se suba mucho de peso.

En segundo lugar, ayuda a reducir el nivel de glucosa en la sangre después de comer, tanto en las personas sanas como en los diabéticos. Esto aumenta la elasticidad de las paredes de las arterias, facilita su dilatación y mejora el flujo de la sangre. En tercer lugar, una dieta de alimentos con valores bajos en el IG también puede mejorar los niveles de grasas sanguíneas y los factores de coagulación. De manera específica, estudios de amplios sectores de la población han demostrado que el nivel del colesterol LAD está relacionado con los valores en el IG y con la carga glucémica de la dieta. Quienes optan por y siguen dietas con un valor muy bajo en el IG tienen los niveles más altos y mejores de LAD, el colesterol bueno.

Además, diversos estudios de investigación realizados con diabéticos han demostrado que una dieta con un valor bajo en el IG reduce el nivel de triglicéridos en la sangre; los triglicéridos son un factor de riesgo importante en relación con las enfermedades cardíacas. En último lugar, se ha demostrado que una dieta con un valor bajo en el IG mejora la sensibilidad a la insulina en las personas con un alto riesgo de sufrir una enfermedad cardíaca, lo cual ayuda a reducir el aumento en los niveles de glucosa en la sangre y de insulina después de ingerir una comida normal.

Al trabajar sobre varios frentes al mismo tiempo, una dieta con un valor bajo en el IG ofrece claras ventajas con respecto a otros tipos de dietas o medicamentos que tratan un solo factor de riesgo a la vez.

Un estudio en particular ha proporcionado las mejores pruebas para confirmar el papel que desempeña el IG en relación con las enfermedades cardíacas. Se trata del Estudio de la Salud de las Enfermeras, realizado por la Universidad Harvard, una investigación permanente a largo plazo de más de 65.000 enfermeras. Cada tres años estas enfermeras proporcionan información personal sobre su salud y alimentación a los investigadores de la Escuela de Salud Pública de la Universidad Harvard, y después ellos analizan esta información con el fin de tratar de identificar relaciones entre la alimentación y la aparición de diversas enfermedades. En uno de sus análisis, los investigadores revisaron un período de 10 años en las vidas de las enfermeras. Encontraron que las que comían una mayor cantidad de alimentos con valores *altos* en el IG corrían un riesgo casi dos veces mayor de sufrir un infarto que las que tenían dietas con valores bajos en el IG. Esta relación se daba de manera independiente de la fibra dietética o de otros factores de riesgo conocidos, como la edad y el índice de masa corporal (IMC). Dicho de otra manera, aunque el consumo de fibra fuera alto, las dietas con valores altos en el IG aún afectaban el riesgo de manera adversa. Resulta importante que no se haya descubierto ninguna relación entre el riesgo de sufrir un infarto y el azúcar o bien el consumo total de carbohidratos. Por lo tanto, no hubo pruebas de que reducir el consumo de carbohidratos o de azúcar fuera benéfico.

Uno de los hallazgos más importantes del Estudio de la Salud de las Enfermeras fue que el riesgo relacionado con una dieta de alimentos con valores altos en el IG crecía particularmente en las mujeres cuyo IMC era mayor que 23. Para calcular su IMC, multiplique su peso en libras por 705 y luego divida el resultado entre el cuadrado de su estatura en pulgadas: peso en libras $\times$ 705/estatura en pulgadas^2. También puede consultar la tabla del índice de masa corporal en la página siguiente. El riesgo no aumentó en las personas que tenían un IMC menor que 23. Sin embargo, la verdad es que en la gran mayoría de los adultos el IMC rebasa los 23; de hecho, un IMC de 23-25 se considera un peso normal. De ahí deriva, por lo tanto, que la resistencia a la insulina producida por un mayor peso forme una parte esencial del proceso de desarrollo de la enfermedad. Por lo tanto, si usted es muy delgado y sensible a la insulina, una dieta con un valor alto en el IG no lo hará más propenso a sufrir un infarto. Es posible que esta circunstancia explique por qué el riesgo de sufrir una enfermedad cardíaca no aumenta en las poblaciones asiáticas, como los chinos, que siguen una forma de vida tradicional y consumen un tipo de arroz con un valor alto en el IG como uno de sus alimentos principales. Su IMC bajo y nivel alto de actividad física colaboran para hacerlos sensibles a la insulina y muy tolerantes de los carbohidratos.

EL IG Y LA RESISTENCIA A LA INSULINA

Cuando el cuerpo sufre de esta afección, se vuelve insensible ante la insulina, es decir, no reacciona ante ella como es debido. Los órganos y tejidos que deberían responder incluso a un pequeño incremento en la insulina no lo hacen. Para lograr el mismo efecto y hacer que haya una respuesta por parte de los tejidos y órganos, el cuerpo se esfuerza más y segrega más insulina, tal como cuando uno levanta la voz o incluso grita para hacerse entender por una persona que no oye bien.

Tabla del índice de masa corporal (IMC)

	Normal						Con sobrepeso					Obeso										Extremadamente obeso														
IMC	19	20	21	22	23	24	25	26	27	28	29	30	31	32	33	34	35	36	37	38	39	40	41	42	43	44	45	46	47	48	49	50	51	52	53	54
Estatura (Pulgadas)												Peso corporal (libras)																								
58	91	96	100	105	110	115	119	124	129	134	138	143	148	153	158	162	167	172	177	181	186	191	196	201	205	210	215	220	224	229	234	239	244	248	253	258
59	94	99	104	109	114	119	124	128	133	138	143	148	153	158	163	168	173	178	183	188	193	198	203	208	212	217	222	227	232	237	242	247	252	257	262	267
60	97	102	107	112	118	123	128	133	138	143	148	153	158	163	168	174	179	184	189	194	199	204	209	215	220	225	230	235	240	245	250	255	261	266	271	276
61	100	106	111	116	122	127	132	137	143	148	153	158	164	169	174	180	185	190	195	201	206	211	217	222	227	232	238	243	248	254	259	264	269	275	280	285
62	104	109	115	120	126	131	136	142	147	153	158	164	169	175	180	186	191	196	202	207	213	218	224	229	235	240	246	251	256	262	267	273	278	284	289	295
63	107	113	118	124	130	135	141	146	152	158	163	169	175	180	186	191	197	203	208	214	220	225	231	237	242	248	254	259	265	270	278	282	287	293	299	304
64	110	116	122	128	134	140	145	151	157	163	169	174	180	186	192	197	204	209	215	221	227	232	238	244	250	256	262	267	273	279	285	291	296	302	308	314
65	114	120	126	132	138	144	150	156	162	168	174	180	186	192	198	204	210	216	222	228	234	240	246	252	258	264	270	276	282	288	294	300	306	312	318	324
66	118	124	130	136	142	148	155	161	167	173	179	186	192	198	204	210	216	223	229	235	241	247	253	260	266	272	278	284	291	297	303	309	315	322	328	334
67	121	127	134	140	146	153	159	166	172	178	185	191	198	204	211	217	223	230	236	242	249	255	261	268	274	280	287	293	299	306	312	319	325	331	338	344
68	125	131	138	144	151	158	164	171	177	184	190	197	203	210	216	223	230	236	243	249	256	262	269	276	282	289	295	302	308	315	322	328	335	341	348	354
69	128	135	142	149	155	162	169	176	182	189	196	203	209	216	223	230	236	243	250	257	263	270	277	284	291	297	304	311	318	324	331	338	345	351	358	365
70	132	139	146	153	160	167	174	181	188	195	202	209	216	222	229	236	243	250	257	264	271	278	285	292	299	306	313	320	327	334	341	348	355	362	369	376
71	136	143	150	157	165	172	179	186	193	200	208	215	222	229	236	243	250	257	265	272	279	286	293	301	308	315	322	329	338	343	351	358	365	372	379	386
72	140	147	154	162	169	177	184	191	199	206	213	221	228	235	242	250	258	265	272	279	287	294	302	309	316	324	331	338	346	353	361	368	375	383	390	397
73	144	151	159	166	174	182	189	197	204	212	219	227	235	242	250	257	265	272	280	288	295	302	310	318	325	333	340	348	355	363	371	378	386	393	401	408
74	148	155	163	171	179	186	194	202	210	218	225	233	241	249	256	264	272	280	287	295	303	311	319	326	334	342	350	358	365	373	381	389	396	404	412	420
75	152	160	168	176	184	192	200	208	216	224	232	240	248	256	264	272	279	287	295	303	311	319	327	335	343	351	359	367	375	383	391	399	407	415	423	431
76	156	164	172	180	189	197	205	213	221	230	238	246	254	263	271	279	287	295	304	312	320	328	336	344	353	361	369	377	385	394	402	410	418	426	435	443

Fuente: adaptado de las Pautas Clínicas sobre la Identificación, Evaluación y Tratamiento del Sobrepeso y la Obesidad en el informe *Adults: The Evidence Report*

Por lo tanto, un nivel alto de insulina es una parte inevitable de la resistencia a la misma. Diversas pruebas realizadas con pacientes que sufren enfermedades cardíacas y el síndrome de ovario poliquístico (o *PCOS* por sus siglas en inglés) demuestran que la resistencia a la insulina es muy común.

■

Síndrome de ovario poliquístico

EL síndrome de ovario poliquístico (PCOS) se da en las mujeres cuando se forman varios quistes en los ovarios durante el ciclo menstrual, los cuales interfieren con la ovulación normal. Con frecuencia el síndrome se descubre cuando las mujeres tienen reglas irregulares o bien se les dificulta embarazarse. Un exceso de vello facial y acné son otros síntomas.

Ahora se sabe que las mujeres afectadas por PCOS con frecuencia sufren una resistencia grave a la insulina y que cualquier método para incrementar la sensibilidad a esta (por medio de medicamentos o bajando de peso, por ejemplo) mejorará los resultados. Algunos médicos han observado que una dieta de alimentos con valores bajos en el IG resulta particularmente útil para las mujeres que padecen PCOS. Actualmente hay pocas investigaciones que respalden tal observación. No obstante, en vista de que una dieta de alimentos con valores bajos en el IG ayuda a bajar de peso, además de que se ha demostrado que aumenta la sensibilidad a la insulina en los individuos que corren riesgo de contraer una enfermedad cardíaca coronaria, tiene mucho sentido ponerla a prueba.

■

¿Ayuda una dieta de alimentos con valores bajos en el IG? En un estudio reciente, un grupo de pacientes afectados por una enfermedad grave de las arterias coronarias siguieron una dieta de alimentos con valores bajos —o bien altos— en el IG antes de someterse a cirugía para recibir injertos de derivación de la arteria coronaria. Se les hicieron análisis de sangre antes de empezar con la dieta y justo antes de la cirugía. Además, durante la intervención, se extrajeron pequeños pedazos de tejidos de grasa para analizarlos. Los análisis de la grasa revelaron que la dieta a base de alimentos con valores bajos en el IG había aumentado la sensibilidad de los tejidos de estos pacientes normalmente insensibles a la insulina; de hecho, esta sensibilidad regresó al mismo rango que los pacientes normales del grupo de control tras sólo unas cuantas semanas de seguir la dieta de valor bajo en el IG.

Si es posible mejorar la condición de las personas afectadas por graves enfermedades cardíacas, ¿sucederá lo mismo con personas más jóvenes? Para averiguarlo unos investigadores dividieron a un grupo de mujeres treintañeras jóvenes entre las que tenían antecedentes familiares de padecer enfermedades cardíacas y las que no. Ninguna de ellas había aún desarrollado la afección. Se les hicieron análisis de sangre antes de que empezaran a seguir durante cuatro semanas una dieta a base de alimentos con valores bajos (o bien altos) en el IG. A continuación se les hicieron más análisis de sangre, y cuando se sometieron a cirugía —por enfermedades no relacionadas con las enfermedades cardíacas— se les extrajeron trozos de grasa para analizar su sensibilidad a la insulina. Se observó que las mujeres jóvenes con antecedentes familiares de enfermedades cardíacas eran insensibles a la insulina (por su parte, las que no tenían antecedentes familiares de enfermedades cardíacas mostraron valores normales). No obstante, tras cuatro semanas de seguir la dieta a base de alimentos con valores bajos en el IG, la sensibilidad a la insulina de las mujeres jóvenes con antecedentes familiares de padecer enfermedades cardíacas se incrementó hasta alcanzar el rango normal.

En ambos estudios, las dietas se diseñaron con la intención de asegurar que todas las demás variables (como el número total de calorías o la cantidad total de carbohidratos) fueran idénticos. Por lo tanto, resulta probable que el cambio en la sensibilidad a la insulina se haya debido a la dieta con un valor bajo en el IG más que a cualquier otro factor.

Continúa el trabajo en torno a estos hallazgos emocionantes. Comoquiera que sea, lo que ya se sabe indica de manera clara que una dieta de alimentos con valores bajos en el IG no sólo mejora el peso corporal y la glucosa en la sangre en los diabéticos sino que también mejora la sensibilidad del cuerpo a la insulina. Se requerirá muchos años de investigaciones para demostrar que el simple hecho de cambiar la alimentación a una dieta de alimentos con valores bajos en el IG definitivamente vuelve más lento el avance de las enfermedades cardíacas arteroescleróticas. Por lo pronto resulta claro que los factores de riesgo para sufrir las enfermedades cardíacas se reducen al seguir una dieta de alimentos con valores bajos en el IG. Las dietas de alimentos con valores bajos en el IG van de acuerdo con otros cambios en la alimentación que se requieren para prevenir las enfermedades cardíacas.

(*Nota*: si encuentra en este capítulo nombres de alimentos que no entiende o que jamás ha visto, favor de remitirse al glosario en la página 407).

Un consumo bajo de grasa saturada y valores bajos en el IG ayudan a prevenir las enfermedades cardíacas.

13

ENSEÑE A LOS NIÑOS A COMER SEGÚN EL IG

AYUDAR A NUESTROS HIJOS a comer bien es una de las cosas más importantes que podemos hacer por ellos. Vivimos en un entorno que se caracteriza por un exceso de comida y poca actividad física, y la posibilidad de que sufran un desequilibrio de calorías es enorme, con consecuencias de alcances muy amplios. Más o menos el 13 por ciento de los niños y el 14 por ciento de los adolescentes que radican en los Estados Unidos tienen sobrepeso. Estas cifras se han triplicado a lo largo de los últimos veinte años.

Los niños pasados de peso corren el riesgo de padecer apnea del sueño, presión arterial alta (hipertensión) y un nivel demasiado alto de grasas en la sangre. Muchos de ellos también tienen un nivel muy alto de insulina en su sangre, uno de los primeros indicios del riesgo de desarrollar diabetes del tipo II, enfermedad que antaño sólo se daba en los adultos. Dicho en términos generales, es muy probable que un niño con sobrepeso sufra enfermedades cardiovasculares cuando llegue a la edad adulta, además de que se reduzcan sus expectativas de vida. Como si fuera poco, a los niños con sobrepeso se les suele tachar de vagos (flojos), poco sanos y menos inteligentes que los niños de peso normal.

Si pierden su autoestima y por lo tanto se aíslan socialmente, su vida puede convertirse en una tortura.

¿EN QUÉ AYUDA EL IG?

Para controlar la obesidad en los niños hace falta modificar el equilibrio de calorías. Es preciso que consuman menos calorías y que quemen más. Actualmente, la alimentación típica de los Estados Unidos tiende a contener un exceso de grasas y de carbohidratos que se digieren rápidamente y no llenan el estómago. Muchas de las féculas más comunes tienen un valor muy alto en el índice glucémico (IG), como la papa, el pan blanco, los cereales de caja y las galletas. Lo mismo puede decirse de los alimentos favoritos de muchos niños, como el puré de papas, el cereal de la marca *Rice Krispies*™, el *Gatorade*™ y los caramelos de goma. Debido a su valor alto en el IG, resulta muy fácil consumir un exceso de calorías al consumir estos alimentos. Por contraste, se ha demostrado que los alimentos con valores bajos en el IG, como la pasta, el yogur, la mayoría de las frutas y las galletitas de avena, sacian mejor el hambre y pueden ayudar a evitar que se coma de más.

En un estudio que se realizó con doce adolescentes varones obesos en los Estados Unidos, su consumo de alimentos se redujo de manera significativa después de que ingirieron una comida con un valor bajo en el IG, al contrario de lo que sucedió al ingerir comidas con valores altos. Los muchachos desayunaron y almorzaron de acuerdo con menús especiales que tenían valores bajos, medianos o altos en el IG, respectivamente, y luego se determinó cuántos alimentos comieron durante el resto del día. Los investigadores observaron que comieron dos veces más en la tarde después de haber consumido un desayuno y un almuerzo con valores altos en el IG que cuando su desayuno y almuerzo tuvieron valores bajos. Esta diferencia en la cantidad de alimentos ingeridos correspondió con alteraciones en los cambios hormonales y metabólicos. Los investigadores consideraron que estos cambios fueron lo que estimuló un exceso de apetito en los muchachos.

Después de las comidas con valores altos en el IG se detectaron niveles más altos de las hormonas insulina, noradrenalina y cortisol. Es posible que el incremento en la producción de insulina como reacción al consumo de carbohidratos con valores altos en el IG fomente los depósitos de grasa y la obesidad. También es posible que un nivel más alto de cortisol haga aumentar el apetito. La diferencia en el nivel de estas hormonas es una de las posibles explicaciones del hecho de que otro grupo de niños que siguió una dieta basada en alimentos con valores bajos en el IG haya perdido mucha más grasa que otros niños que siguieron una dieta convencional baja en grasa. En el caso de la dieta de alimentos con valores bajos en el IG, se les indicó a los niños que comieran hasta quedar satisfechos, que tomaran una merienda (refrigerio, tentempié) cuando les diera hambre y que consumieran carbohidratos con valores bajos en el IG, además de proteínas y grasa con cada comida y merienda. El índice de masa corporal y el peso corporal bajaron mucho más (a lo largo de los cuatro meses que duró el estudio) en los niños que observaron una dieta de alimentos con valores bajos en el IG.

■

La importancia de la actividad física

PARA CONTROLAR el peso en los niños, es imprescindible aumentar su actividad física. Esto incluye reducir los pasatiempos sedentarios (como ver la televisión, ocuparse con la computadora o dedicarse a juegos de video) y realizar más actividades físicas, ya sea planeadas o incidentales (como ayudar con los quehaceres de la casa y vestirse solos).

Ayuda muchísimo que los padres también participen en las actividades físicas, ya que de esta manera pueden apoyar a los niños y servirles de modelo. Hace falta planear actividades familiares como salir a caminar, nadar, andar en bicicleta o bien jugar fútbol o béisbol, entre otras. ¡La regla número uno es que sea divertido!

Si los niños aprenden a combinar actividades físicas regulares con una dieta sana que tenga un valor bajo en el IG, disfrutarán de una condición física excelente a lo largo de toda su vida.

■

PAUTAS ALIMENTICIAS PARA LA NIÑEZ

Una alimentación sana para niños:

- les brinda buena salud y crecimiento óptimo
- sacia el apetito
- fomenta buenos hábitos para comer
- incluye comidas y meriendas variadas e interesantes
- permite que el niño realice sus rutinas y actividades de costumbre
- mantiene un peso corporal sano

Los niños necesitan consumir una amplia variedad de alimentos nutritivos para crecer y desarrollar su potencial plenamente. Como padre o madre o bien tutor, usted puede ayudarles asegurándose de:

- ofrecer a los niños panes y cereales integrales, verduras y frutas
- incluir carnes magras (bajas en grasa), pescado y lácteos en su alimentación diaria
- animarlos a tomar mucha agua
- seguir estas pautas usted mismo, para que sus hijos puedan imitarlo

CÓMO INCORPORAR ALIMENTOS CON VALORES BAJOS EN EL IG EN LA DIETA DE SU HIJO

El valor en el IG de una dieta puede bajarse fácilmente por medio de un sistema sencillo de sustitución que reemplace por lo menos la mitad de los carbohidratos con valores altos en el IG por carbohidratos que tengan valores bajos.

Tenga presentes las siguientes características de los niños cuando intente cambiar su dieta:

Los niños son neofóbicos por naturaleza. Es decir, los alimentos desconocidos no les gustan. Es normal que los niños, particularmente cuando son pequeños, rechacen los alimentos nuevos. Es más fácil lograr que los acepten si se les ofrecen de manera reiterada en un ambiente positivo. Sin embargo, usted tiene que ser perseverante, pues es posible que el niño tenga que probar el alimento de cinco a diez veces, por lo menos, antes de aceptarlo.

A la mayoría de los niños por naturaleza les gusta comer con frecuencia. Por lo común les gusta consumir varias comidas y meriendas a lo largo del día. No es buena idea obligarlos a vaciar el plato, pues esto puede fomentar que coman demasiado. Es mejor que aprendan a conocer su apetito y que coman de acuerdo con lo que este les dicte.

Los niños tienen el estómago pequeño y grandes necesidades de nutrientes. Es posible que su consumo de alimentos varíe mucho entre una comida y otra, pero diversos estudios han demostrado que se mantiene asombrosamente constante entre un día y otro. Mientras los alimentos que se les ofrezcan sean nutritivos, el apetito es el mejor indicador de la cantidad que necesitan comer.

Tenga muy claro su papel cuando se trata de alimentar a sus hijos. La nutrióloga estadounidense Ellyn Satter lo expresa muy bien: "Los padres de familia son responsables de qué se da de comer. Los niños son responsables de la cantidad que comerán, e incluso de decidir si quieren comer".

LOS MEJORES CARBOHIDRATOS

Los siguientes alimentos tienen un valor bajo en el IG, un contenido alto de micronutrientes y muy poca grasa saturada. Se incluye el número recomendado de raciones diarias para niños entre 4 y 11 años de edad.

Cereales

Este grupo incluye el pan de cereales integrales, la avena y la cebada, los copos de avena, las palomitas (rositas) de maíz (cotufo), el arroz, el centeno, el trigo y todos los productos basados en estos alimentos, como el pan, los cereales para desayunar, la harina, los fideos, la pasta, la polenta, los ravioles y la sémola.

Raciones diarias: 3–6

Frutas

Este grupo incluye la manzana, el albaricoque (chabacano, damasco), el plátano amarillo (guineo, banana), la cereza, la uva, el kiwi, la naranja (china), el melocotón (durazno), la pera, la ciruela y la pasa. Sírvalas enteras, en ensaladas o como jugos y licuados (batidos).
    Raciones diarias: 2–4

Verduras y legumbres

Las verduras y legumbres proporcionan cantidades valiosas de vitaminas, minerales y fibra. Es posible consumir la mayoría de las verduras sin preocuparse por sus valores respectivos en el IG porque contienen muy pocos carbohidratos. Las verduras que más carbohidratos contienen son la papa, el maíz (elote, choclo), el chícharo (guisante) y la batata dulce (camote). Entre ellas, el maíz y la batata dulce son las opciones con el valor más bajo en el IG. Todas las legumbres —incluyendo los frijoles (habichuelas) al horno, los garbanzos, los frijoles colorados, las lentejas y los chícharos partidos— son fuentes de carbohidratos con valores bajos en el IG.
    Raciones diarias: 2–5

La leche y los lácteos

La leche baja en grasa y los alimentos que contienen lácteos, como el pudín (budín), el helado y el yogur, son fuentes excelentes de carbohidratos y de calcio. Hasta los dos años de edad los niños deben tomar leche entera, pero las leches semidescremadas son perfectamente aceptables para niños mayores.
    Raciones diarias: 2–3

    No hace falta que los niños sólo consuman alimentos con un valor bajo en el IG. Por el contrario, una comida equilibrada por lo común consiste en varios alimentos. Sabemos que el resultado de ingerir un alimento con un valor bajo en el IG junto con uno que tenga un valor alto en el IG es una comida con un valor medio en el IG.

Para que le resulte más fácil incluir alimentos con un valor bajo en el IG en las comidas diarias de su familia:

- conózcalos
- téngalos siempre en su despensa (alacena) y refrigerador
- experimente con ellos: pruebe nuevos alimentos y recetas y disfrute su comida

Trate de incluir por lo menos un alimento con un valor bajo en el IG en cada comida para cosechar sus beneficios.

EL PAPEL DEL AZÚCAR

Los niños por naturaleza disfrutan los alimentos dulces. El gusto por lo dulce no es adquirido; de hecho sería posible afirmar que todos nacemos con él. Nuestro primer alimento, la leche materna, es dulce. Los bebés sonríen cuando se les ofrece una solución dulce y rechazan los sabores ácidos y agrios.

Los científicos dedicados a estudiar el IG en la actualidad han demostrado que el azúcar no es una sustancia alimenticia tan terrible como antes se afirmaba. De hecho, usted y sus hijos pueden disfrutar el azúcar y los alimentos que la contienen con moderación, como parte de una dieta equilibrada de alimentos con valores bajos en el IG. En efecto, diversos estudios han revelado que las dietas a las que se les agrega una cantidad moderada de azúcares tienden a ser las más ricas en micro-nutrientes. Según lo explicamos en el tercer capítulo, el azúcar en sí sólo tiene un valor moderado en el IG y muchos de los alimentos que la contienen, como el yogur y la leche de sabor, son excelentes fuentes de nutrición con un valor bajo en esta escala.

EN LA ALIMENTACIÓN INFANTIL, ¿EN QUÉ CONSISTE UN "CONSUMO MODERADO" DE AZÚCAR?

Para un niño, un consumo moderado de azúcar refinada consiste en entre 7 y 12 cucharaditas al día. Esta cantidad corresponde al consumo infantil promedio y se refiere al azúcar que se encuentra en alimentos como el refresco (soda), los cereales para desayunar, las golosinas, el helado, las galletitas y la mermelada, así como la que agregamos a los alimentos, como al cereal para desayunar, por ejemplo. Agregar azúcar a una dieta bien equilibrada con un valor bajo en el IG puede hacer que los alimentos sean más apetitosos y aceptables para los niños, sin amenazar su consumo alimenticio ni los beneficios de los alimentos con valores bajos en el IG.

EDULCORANTES ARTIFICIALES

Si bien es posible que los productos con edulcorantes artificiales a veces sean apropiados para algunos niños, no le hacen falta al niño común. Muchos de estos productos simplemente son sustancias con sabor que proporcionan pocos o nada de nutrientes, como por ejemplo el refresco y las golosinas. Con frecuencia se les menciona como herramientas útiles para prevenir daños a la dentadura. Esto no es cierto en lo que se refiere a los refrescos bajos en calorías, pues son muy ácidos y disuelven el esmalte dental. Incluso es dudoso que ayuden a bajar de peso, puesto que los individuos que consumen productos de dieta tienden a compensarlos ingiriendo más calorías más adelante durante el día.

■

¿**SABÍA USTED QUE** se ha establecido una relación entre las dietas que contienen una cantidad moderada de azúcar y:
- ⊃ un nivel más alto de micronutrientes
- ⊃ un valor más bajo en el IG
- ⊃ un consumo menor de grasa saturada
- ⊃ un peso corporal más bajo

■

Una cantidad moderada de azúcar en la dieta de un niño de diez años

EL SIGUIENTE menú infantil incluye 12 cucharaditas de azúcar refinada. Proporciona 1.500 calorías de energía, el 23 por ciento procedentes de grasas y el 57 por ciento, de carbohidratos.

➡ *Desayuno*

¾ taza de cereal de la marca *Cocoa Puffs*™ con 4 onzas (120 ml) de
    leche semidescremada (al 1%)
½ plátano amarillo
4 onzas de jugo de fruta

➡ *Merienda*

1 barra de granola de la marca *Quaker chewy*™, baja en grasa
1 taza de leche semidescremada (al 1%)

➡ *Almuerzo*

1 sándwich de jamón y queso con lechuga y jitomate; el pan debe
    tener un valor bajo en el IG
6–8 zanahorias cambray
1 manzana pequeña
1 taza de agua

➡ *Merienda*

2 galletas de chispitas de chocolate, pequeñas
1 licuado de fruta (preparado con ½ taza de leche semidescremada
    al 1 por ciento y ½ taza de fruta en rebanadas)

➡ *Cena*

1 taza de espaguetis con salsa de tomate y 3 albóndigas pequeñas
    más ensalada verde mezclada con un poco de aliño, si así lo
    desea el niño
½ taza de habichuelas verdes
½ taza de pudín y 2–3 fresas
agua para tomar

➡ *Merienda*

1½ tazas de palomitas de maíz hechas a presión

■

¿AFECTA EL AZÚCAR EL COMPORTAMIENTO INFANTIL?

Algunas personas piensan que el azúcar causa el trastorno de déficit de atención (o *ADD* por sus siglas en inglés) en los niños, o bien hiperactividad. Sin embargo, el gran número de estudios publicados no ha producido pruebas científicas de ello. En situaciones en las que tanto el investigador como el niño y su padre o madre desconocían la composición del alimento o la cápsula, el azúcar refinada no afectó el rendimiento cognoscitivo; tampoco causó ni exacerbó el ADD.

Es posible que un número muy pequeño de niños responda de manera adversa a las fluctuaciones en los niveles de glucosa en la sangre que causa el azúcar. No obstante, en caso de ser así cualquier carbohidrato, incluyendo el pan y la papa, provocará la misma reacción.

En términos generales hay más pruebas de que el efecto del azúcar resulta calmante, en caso de que lo haya. La glucosa o el azúcar reducen la ansiedad que procedimientos médicos dolorosos causan en los bebés. En un estudio se observó menos llanto y un ritmo cardíaco menos acelerado en un grupo de bebés a quienes se les sacó sangre del talón enseguida de que bebieran una solución de azúcar, en comparación con los niños a quienes sólo se les había dado agua.

¿Y LA GRASA EN LA ALIMENTACIÓN INFANTIL?

Los niños pequeños (menores de dos años) requieren cierta cantidad de grasa en su alimentación como fuente de calorías y por lo general no deben tener una dieta baja en grasa. Una cantidad moderada de grasa también hace falta como fuente de ácidos grasos esenciales, así como de vitaminas solubles en grasa. Por lo tanto, los niños requieren algo de grasa, pero no hay que exagerar. Al igual que los adultos no deben consumir de manera regular alimentos preparados que contengan mucha grasa saturada, como galletitas, pasteles (bizcochos, tortas, *cakes*), pastelillos, comidas preparadas, golosinas y alimentos para merienda.

■

Un ejemplo de menú infantil de 7 días de alimentos con valores bajos en el IG

LUNES

➡ Desayuno

Un tazón de cereal de la marca *Mini-Wheats*™ con leche.
Medio plátano amarillo.
Merienda: una barra de *granola* baja en grasa. Un vaso pequeño de jugo de naranja.

➡ Almuerzo

Sándwich de crema de cacahuate natural y mermelada sobre pan de masa fermentada (*sourdough bread*). Una botella de agua.
½ taza de pudín de chocolate.
Merienda: galletas integrales *Graham* de miel.

➡ Cena

Camarones pequeños fritos y revueltos con verduras asiáticas y servidos con arroz de grano largo al vapor.
Merienda: 1–2 bolas de yogur congelado.

MARTES

➡ Desayuno

Un tazón de cereal de la marca *Cocoa Puffs*™ con leche. Rebanadas de manzana.
Merienda: ½ taza de yogur de fruta. Un racimo pequeño de uvas.

➡ Almuerzo

Ensalada de atún con pan multigrano. Una lata pequeña de melocotones.

Merienda: trozos de cantaloup acompañados de un helado *light*.

➡ *Cena*

Capas de pollo, verduras y batata dulce servidas con una mazorca de maíz.

Merienda: alambres de fruta (es decir, trozos de fruta fresca ensartados en alambres).

MIÉRCOLES

➡ *Desayuno*

Granola baja en grasa con yogur de fruta y fruta.

Merienda: una bolsa con cierre de palomitas de maíz.

➡ *Almuerzo*

Pechuga de pavo asada con miel en un panecillo de granos integrales para sándwich. ½ bolsita para sándwich de tomates pequeños. Néctar de albaricoque.

Merienda: una galletita de avena con leche.

➡ *Cena*

Papa *Tex-Mex* al horno (es decir, una batata dulce horneada con cebolla, tocino, sazonador para tacos, frijoles al horno, queso rallado, crema agria y totopos).

Merienda: Nutella® (una marca de crema de frutos secos) con pan tostado.

JUEVES

➡ *Desayuno*

Huevo revuelto con pan tostado.

Merienda: una galletita en barra de manzana con canela.

➡ *Almuerzo*

Sándwich de queso a la parrilla. Una manzana. Una botella de agua.

Merienda: licuado de fresa.

➡ *Cena*

Salchichas a la parrilla o a la barbacoa y rebanadas de batata
  dulce a la parrilla con maíz.
Merienda: ensalada de frutas frescas.

VIERNES

➡ *Desayuno*

Copos de avena tradicionales con leche. Pasas o melocotones en
  rebanadas.
Merienda: un *muffin* pequeño de arándano.

➡ *Almuerzo*

Un panecillo de trigo integral para sándwich con ensalada de
  huevo. Una bebida de yogur.
Merienda: un *dip* de aguacate o *hummus* servido con frutas o
  verduras.

➡ *Cena*

Pizza de queso. Ensalada verde.
Merienda: bebida de leche con chocolate.

SÁBADO

➡ *Desayuno*

Licuado de plátano amarillo y miel.
Merienda: pedacitos de *pretzel* de masa fermentada (*sourdough
  pretzel nuggets*).

➡ *Almuerzo*

Sopa de verduras con un panecillo no suave que sea integral.
Merienda: Trozos de queso y frutas secas (manzana, pasas,
  albaricoque y pera).

➡ *Cena*

Hamburguesa. Frijoles al horno y *coleslaw*.
Merienda: trozos de sandía.

DOMINGO

➡ *Desayuno*

Torrejas con fruta.

Merienda: una manzana al horno con canela.

➡ *Almuerzo*

Jamón cocido. Ensalada de habichuelas verdes y ensalada mixta.
Papas nuevas asadas.

Merienda: helado en un barquillo.

➡ *Cena*

Macarrones con queso. Peras cocidas a fuego lento.

Merienda: pan integral tostado con crema de cacahuate.

■

(*Nota:* si encuentra en este capítulo nombres de alimentos que no entiende o que jamás ha visto, favor de remitirse al glosario en la página 407).

14

ASEGURE EL MÁXIMO DESEMPEÑO DEPORTIVO

¿POR QUÉ EL IG INFLUYE EN EL RENDIMIENTO ATLÉTICO?

SEGÚN LO explicamos anteriormente, el índice glucémico (IG) clasifica los carbohidratos que contienen los alimentos de acuerdo con su impacto glucémico. El nivel de glucosa en la sangre, al elevarse, afecta la respuesta de la insulina a este alimento y, en ultima instancia, la mezcla de combustible y las reservas de carbohidratos disponibles para los músculos al hacer ejercicio. Para todos los atletas y las personas que hacen ejercicio, hay ocasiones en que los alimentos con valores bajos en el IG ofrecen una ventaja (por ejemplo, *antes* de realizar la actividad) y ocasiones en que son mejores los alimentos con valores altos en el IG (por ejemplo, *durante y después* de la actividad). Para lograr un rendimiento óptimo, el atleta serio necesita saber qué alimentos tienen valores altos o bajos en el IG y cuándo es conveniente consumirlos.

Sin embargo, no sólo importa el tipo de carbohidratos. También importa la cantidad. La dieta de un atleta que está entrenando debe contener una cantidad muy grande de carbohidratos si el IG ha de influir en su rendimiento.

Manipular los valores en el IG de la dieta puede brindar a un atleta la ventaja que requiere para ganar.

UNA DIETA ALTA EN CARBOHIDRATOS RESULTA ESENCIAL PARA EL RENDIMIENTO ATLÉTICO ÓPTIMO

Cuando se está entrenando, una dieta alta en carbohidratos es imprescindible para lograr un rendimiento deportivo óptimo, porque produce las reservas más grandes de glicógeno en los músculos. Tal como lo describimos anteriormente, los carbohidratos que consumimos se almacenan en el cuerpo —en los músculos y el hígado— en forma de glicógeno. Una cantidad pequeña de carbohidratos (aproximadamente 5 gramos) circula en la sangre en forma de glucosa. Cuando se hace ejercicio de manera muy intensa, los músculos dependen del glicógeno y de la glucosa como combustible. Si bien el cuerpo puede aprovechar la grasa para hacer ejercicio a una intensidad más baja, no le proporciona combustible con suficiente rapidez cuando debe trabajar muy arduamente. Entre más grandes sean las reservas de glicógeno y de glucosa, más tiempo se puede seguir antes de fatigarse.

A diferencia de las reservas de grasa en el cuerpo, las cuales pueden liberar una cantidad casi ilimitada de ácidos grasos, las reservas de carbohidratos son pequeñas. Se agotan totalmente tras dos o tres horas de ejercicio vigoroso. A este momento de acabarse las reservas de carbohidratos con frecuencia se le llama "chocar contra la pared". La concentración de glucosa en la sangre empieza a disminuir al llegar a este punto. Si se continúa haciendo ejercicio con la misma intensidad, es posible que el nivel de glucosa en la sangre baje al grado de interferir con el funcionamiento del cerebro y de producir desorientación y desmayos. Algunos atletas le llaman "hipo" a este estado; en el ciclismo se le dice *bonking* en inglés.

Si todos los demás factores son idénticos, el ganador de una competencia atlética será la persona que cuente con las reservas más grandes de glicógeno muscular. Cualquier buen libro de nutrición para atletas le indicará cómo aumentar las reservas de glicógeno muscular al máximo mediante una dieta alta en carbohidratos para los entrenamientos, además de proporcionarle más carbohidratos al cuerpo durante los días previos a una competencia. En este capítulo le daremos instrucciones acerca de cómo incrementar el glicógeno muscular y beneficiarse del IG en cualquier situación deportiva.

LOS ALIMENTOS CON VALORES BAJOS EN EL IG: ANTES DEL EVENTO

Se ha demostrado que los alimentos con valores bajos en el IG aumentan la resistencia cuando se comen solos una o dos horas antes de hacer ejercicio vigoroso de manera prolongada. Al compararse los efectos de comer lentejas (con un valor bajo en el IG) con los de comer papas (con un valor alto en el IG), un grupo de ciclistas siguió andando en bicicleta de manera muy intensa (al 65 por ciento de su capacidad máxima) por 20 minutos más cuando la comida había tenido un valor bajo en el IG. Sus niveles de glucosa en la sangre y de insulina permanecieron por encima de los niveles propios del ayuno al finalizar el ejercicio, lo cual indicaba que incluso después de haber hecho ejercicio de manera vigorosa durante 90 minutos se seguían absorbiendo los carbohidratos del intestino delgado. La Figura Nº8 muestra los niveles de glucosa en la sangre durante el ejercicio tras haber consumido alimentos con valores bajos —y altos— en el IG.

FIGURA Nº8. Comparación del efecto de alimentos con valores bajos y altos en el IG sobre los niveles de glucosa en la sangre cuando se realiza un ejercicio vigoroso por un tiempo prolongado.

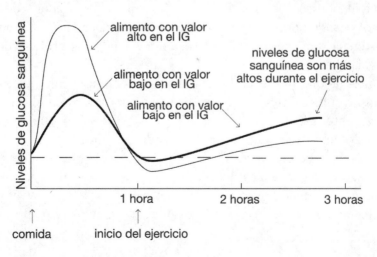

Estos resultados fueron confirmados posteriormente por otros grupos de investigadores en los Estados Unidos. No obstante, algunos estudios no han podido demostrar diferencia alguna entre los alimentos con valores altos en el IG y los que tienen valores bajos. Es posible que esto se deba al uso de diferentes protocolos experimentales. Los investigadores que han obtenido resultados positivos de manera invariable utilizaron el "tiempo hasta el agotamiento" como criterio de comparación, mientras que cuando no se observó ningún efecto se utilizó la "prueba del tiempo" (es decir, la cantidad de esfuerzo realizado o la distancia recorrida en un período determinado de tiempo). Si bien es posible que la prueba del tiempo sea más apropiada para algunos tipos de deportes (como por ejemplo una maratón), el tiempo hasta el agotamiento se acerca más a la realidad en otras situaciones (como un partido de tenis o el trabajo realizado por un bombero).

A pesar del hecho de que no hayan logrado establecer una diferencia en el rendimiento entre los alimentos con valores altos y bajos en el IG, *todos los estudios* revelaron una diferencia en los niveles de glucosa en la sangre y de insulina, y todos mostraron diferencias en la proporción de carbohidratos y grasa en la mezcla de combustible. En las pruebas de los alimentos con valores altos en el IG, se quemaron más carbohidratos y menos grasa a lo largo del ejercicio. Si esta circunstancia se lleva hasta su conclusión lógica, los alimentos con valores altos en el IG hacen que los carbohidratos se agoten de manera más acelerada y que un atleta se quede agotado en menos tiempo. Las pruebas anecdóticas confirman los beneficios de ingerir alimentos con valores bajos en el IG antes del evento deportivo. Muchos atletas de élite, entre ellos jugadores de tenis, han observado por experiencia personal que la pasta les proporciona la resistencia que requieren para sostener encuentros prolongados de actividad física vigorosa.

Antes de que siga leyendo, es importante entender para qué tipo de evento resultan útiles los alimentos con valores bajos en el IG: específicamente, es uno en que el atleta está realizando una forma de ejercicio muy extenuante durante más de 90 minutos. Los fisiólogos del ejercicio definen esta circunstancia al decir que el atleta está haciendo ejercicio a más del 65 por ciento de su capacidad máxima durante un período prolongado. Algunos ejemplos de tales eventos son una maratón de correr o de natación, un triatlón, un partido ininterrumpido de tenis o un partido de fútbol (según la posición del jugador). En algunas formas de recreación, como el esquí a campo traviesa (de fondo) o el alpinismo, también es posible que los alimentos con valores bajos en el IG beneficien al atleta. Para algunas ocupaciones que requieren de actividad vigorosa prolongada durante muchas horas (como los rescates policiacos o la lucha contra incendios forestales), los alimentos con valores bajos en el IG también quizás sean beneficiosos.

■

Algunos eventos en los que el IG puede brindar la ventaja decisiva

- ⊃ maratón de correr
- ⊃ maratón de natación
- ⊃ triatlón
- ⊃ partido ininterrumpido de tenis
- ⊃ partido de fútbol (según la posición del jugador)
- ⊃ esquí a campo traviesa (de fondo)
- ⊃ alpinismo
- ⊃ aeróbicos vigorosos realizados por un tiempo prolongado
- ⊃ ejercicios de gimnasio (realizados por más de 90 minutos)

■

Es mejor comer los alimentos con valores bajos en el IG unas dos horas antes del evento, para que la comida haya pasado del estómago al intestino delgado y de tal forma pueda liberar ahí la energía de la glucosa poco a poco durante varias horas. El ritmo lento de digestión de los carbohidratos contenidos en los alimentos con valores bajos en el IG ayuda a asegurar que una pequeña cantidad de glucosa llegue de manera constante al torrente sanguíneo a lo largo del evento. Lo más importante es que la glucosa adicional aún siga disponible hacia el final del ejercicio, cuando las reservas musculares están a punto de agotarse. De esta forma los alimentos con valores bajos en el IG incrementan la resistencia y prolongan el tiempo antes de llegarse al agotamiento total.

■

La comida previa al evento

➡ ¿Cuánto debo comer antes del evento?

Más o menos 1 gramo de carbohidrato por cada 2 libras (900 g)
de peso corporal (es decir, 55 gramos de carbohidratos si usted
pesa 110 libras/50 kg o 90 gramos de carbohidratos si usted pesa
180 libras/82 kg).

➡ ¿Con cuánto tiempo de anticipación?

Para empezar se puede intentarlo de 1 a 2 horas antes del evento.

Debe experimentar para determinar la cantidad de tiempo de
anticipación que le funciona mejor a usted.

Encontrará la cantidad de carbohidratos que contiene una ración
nominal de cada alimento (abreviado como nml.), así como su valor
en el IG y su carga glucémica, en las tablas que se presentan en la
Cuarta Parte de este libro.

■

En el contexto de cualquier deporte, es esencial que el atleta elija
alimentos con valores bajos en el IG que no produzcan molestias gas-
trointestinales es decir, retortijones (cólicos) estomacales y flatulencia.
Sucede lo siguiente: algunos alimentos con valores bajos en el IG, como
las legumbres, las cuales cuentan con un alto contenido de fibra o de
azúcares indigeribles, pueden producir síntomas en las personas que no
estén acostumbradas a consumirlos en grandes cantidades. No obstante,
existe un gran número de opciones bajas en fibra y con valores bajos en
el IG, entre ellas la pasta, los fideos y el arroz *basmati*.

LOS ALIMENTOS CON VALORES ALTOS EN EL IG: DURANTE EL EVENTO Y DESPUÉS DEL MISMO

Si bien la comida que se ingiera antes de un evento deportivo debe tener
un valor bajo en el IG, las pruebas científicas indican que en otros
momentos es mejor consumir alimentos con valores altos en el IG, como

por ejemplo durante el evento, después de este y después de un entrenamiento normal. Esta circunstancia se debe a que los alimentos con valores altos en el IG se absorben más rápidamente y estimulan más la producción de insulina, la hormona que se encarga de devolver la glucosa a los músculos, ya sea para uso inmediato o futuro.

■

El valor en el IG de las bebidas deportivas y las barras alimenticias para deportistas

DRINKS	VALOR EN EL IG
GatorLode® (con sabor a naranja)	100
Gatorade™ (con sabor a naranja)	89
XLR8® (con sabor a naranja)	68
Poweraid® (con sabor a naranja)	65
Cytomax™ (con sabor a naranja)	62
AllSport™ (con sabor a naranja)	53

BARRAS ALIMENTICIAS	VALOR EN EL IG
Clif® bar (con sabor a *cookies & cream*)	101
PowerBar® (de chocolate)	83
METRx® bar (de vainilla)	74

■

Durante el evento

Se debe recurrir a alimentos con valores altos en el IG durante cualquier evento deportivo que dure más de 90 minutos. Este tipo de carbohidrato se libera rápidamente dentro del torrente sanguíneo y asegura la disponibilidad de glucosa para el proceso de oxidación en las células de los músculos. Durante una carrera suelen tolerarse mejor los alimentos líquidos que los sólidos, ya que abandonan el estómago más rápidamente. Las bebidas deportivas son ideales para estos casos, ya que reponen agua y también electrolitos. La vieja costumbre de llevar unos plátanos

amarillos (guineos, bananas) amarrados a la bicicleta carece de base
científica. El plátano amarillo tiene un valor de sólo 55 en el IG y una
parte de sus carbohidratos se resiste completamente al proceso de digestión, lo cual puede producir gases y dolor de estómago. Si desea consumir algo sólido durante una carrera de ciclismo, pruebe los caramelos
de goma (*jelly beans*) —las cuales cuentan con un valor de 80 en el
IG— u otra golosina alta en glucosa.

Consuma de 30 a 60 gramos de carbohidratos por hora durante
el evento.

Después del evento (recuperación)

Algunos deportes les exigen a los atletas competir en días consecutivos,
por lo que las reservas de glicógeno deben estar siempre a su máxima
capacidad. En este caso es importante reponer las reservas de glicógeno
en los músculos lo más rápido posible después del evento. Los alimentos
con valores altos en el IG son los mejores para esta situación. La sensibilidad de los músculos a la glucosa en el torrente sanguíneo es mayor durante la primera hora después de haber hecho ejercicio, de modo que debe
realizarse un esfuerzo concentrado por consumir la mayor cantidad posible
de alimentos con valores altos en el IG lo más pronto posible.

En cuanto a qué alimentos consumir, se recomiendan la mayoría de
las bebidas deportivas disponibles (las cuales reponen tanto el agua
como los electrolitos perdidos) o bien algún arroz con un valor alto en
el IG (como por ejemplo el arroz jazmín), pan y cereales para desayunar
como *cornflakes* o *Rice Krispies*™. La papa cocida sin grasa también es
una buena opción, pero como satisface el apetito de manera muy rápida
resulta difícil consumirla en grandes cantidades. Los refrescos (sodas)
tienen un valor intermedio en el IG, de modo que no son ideales pero
tampoco hacen daño. La peor opción es el alcohol.

Un aviso con respecto al alcohol

El alcohol interfiere con la resíntesis del glicógeno y hace que baje el
nivel de glucosa en la sangre, a veces de manera peligrosa. Sólo consuma
una cantidad moderada de alcohol, es decir, no más que uno o dos tragos

por día, y trate de incluir dos días sin alcohol a la semana. Un trago promedio sería una copa de vino (5 onzas/150 ml), una lata de 12 onzas de cerveza o 1½ onzas (45 ml) de otras bebidas alcohólicas.

La cerveza no es una fuente buena de carbohidratos: una lata de 12 onzas sólo contiene unos 13 gramos.

■

Fórmula de recuperación

PROCURE ingerir aproximadamente 1 gramo de carbohidratos por 2 libras (900 g) de peso corporal 2 horas después de haber hecho ejercicio.

■

Una palabra con respecto al tamaño de las raciones

Los atletas serios necesitan consumir porciones grandes. Es posible que en ocasiones no se le antoje un plato grande de arroz o de pasta; en tales momentos le ayudarán las bebidas deportivas y los refrescos (sodas). Opte por algo que pueda tolerar y que sea fácil llevar o comprar. Lo principal es asegurarse de consumir y beber carbohidratos al poco tiempo de haber finalizado el ejercicio.

■

Para lograr la máxima reposición posible de glicógeno después de la competencia

1. Ingiera carbohidratos lo más pronto posible después del evento y siga consumiendo muchos carbohidratos durante las 24 horas siguientes.
2. Consuma por lo menos 5 gramos de carbohidrato por libra (450 g) de peso corporal durante 24 horas después de haber hecho ejercicio por tiempo prolongado.
3. Opte por alimentos con valores altos en el IG durante la fase de reposición.
4. Evite el alcohol (el alcohol retrasa la resíntesis de glicógeno).

■

LA DIETA PARA ENTRENAR Y LA CARGA DE CARBOHIDRATOS

Las comidas que se consumen antes y después de un evento no son lo único que influye en el rendimiento. Seguir una dieta alta en carbohidratos todos los días le ayudará a lograr su rendimiento máximo. En este caso el valor en el IG del carbohidrato no es importante, sino sólo la cantidad. La ciencia ha comprobado una y otra vez que consumir muchos alimentos altos en carbohidratos maximiza las reservas de glicógeno en los músculos y por consiguiente aumenta la resistencia. Por contraste, esto no sucede con muchos suplementos dietéticos. Hay que reponer las reservas de carbohidratos después de cada sesión de entrenamiento, no sólo después de una carrera. Si usted entrena varios días por semana, asegúrese de seguir una dieta alta en carbohidratos durante toda la semana.

Cuando los atletas no consumen una cantidad suficiente de carbohidratos diariamente, al final las reservas de glicógeno en los músculos y en el hígado se agotan. El Dr. Ted Costill de la Universidad de Texas demostró que el agotamiento gradual y crónico de las reservas de glicógeno posiblemente reduzca la resistencia y el rendimiento físico. Entrenar de manera intensa dos o tres veces al día les exige mucho a las reservas musculares de glicógeno de un atleta. Los atletas que tienen una dieta baja en carbohidratos no lograrán su mejor rendimiento porque las reservas de combustible en sus músculos estarán bajos.

Si la dieta proporciona cantidades inadecuadas de carbohidratos, la reducción en el glicógeno muscular será crítica. Un atleta que entrena de manera intensa debe consumir de 500 a 800 gramos de carbohidratos al día (de dos a tres veces la cantidad normal, más o menos) para ayudar a prevenir que las reservas se agoten. El adulto estadounidense típico consume entre 200 y 250 gramos de carbohidratos al día.

CÓMO ELEGIR UNA DIETA ALTA EN CARBOHIDRATOS

En esta sección hacemos algunas sugerencias adicionales, porque las personas muy activas necesitan consumir cantidades mucho mayores de carbohidratos que las personas inactivas.

Es posible que ya crea saber mucho sobre la alimentación. Sin embargo, los atletas, al igual que todos los demás, pueden equivocarse. Es posible que muchos de los alimentos que usted cree son buenas fuentes de carbohidratos lo sean aún más de grasa. Por ejemplo, el chocolate contiene un 55 por ciento de carbohidratos, pero también un 30 por ciento de grasa. Y la grasa no le ayudará a ganar la carrera.

Los consejos dietéticos pensados para las necesidades del público en general deberán modificarse para el atleta serio. Las necesidades de energía de los atletas son mucho mayores, quizá el doble de las de un empleado común de oficina. Muchos alimentos altos en carbohidratos y bajos en grasa que se le recomiendan a la persona común son demasiado voluminosos y llenadores para los atletas. Debido a su volumen se dificulta consumir la cantidad apropiada de comida. Por ejemplo, para contener 75 gramos de carbohidratos una porción de papa debe pesar más de una libra (450 g), o sea, aproximadamente cuatro porciones normales. La mayoría de las personas no pueden comer tanto en una sola sentada. Por el contrario, el pan blanco es fácil de consumir en grandes cantidades. Una porción de pan blanco que contiene 75 gramos de carbohidratos equivale a sólo cinco rebanadas. Otros alimentos que posiblemente no creía muy buenos para su salud, como los refrescos (sodas), las golosinas, la miel, el azúcar, la leche de sabor y el helado, en realidad son fuentes muy concentradas de carbohidratos que pueden utilizarse para complementar la alimentación.

■

¿Puede una dieta con un valor alto en el IG perjudicar a los atletas?

NO. Los atletas son muy activos y debido a ello poseen una sensibilidad óptima a la insulina. Cuando consumen alimentos altos en carbohidratos y con valores altos en el IG, sus niveles de glucosa en la sangre y de insulina se elevan muchísimo menos de los de las personas comunes. Por lo tanto, sus cuerpos no se ven expuestos a los niveles peligrosos que les causan enfermedades a los individuos sedentarios resistentes a la insulina.

■

 ## *Caso médico*

Ian entrenaba a un equipo varonil de hockey de jóvenes menores de 18 años. Además de entrenarlos, también estaba a cargo
del programa de acondicionamiento físico y nutrición del
equipo. Había leído mucho acerca del IG y decidió basar la
dieta de su equipo en él.

A pesar de protestar y de quejarse un poco al principio, los
jugadores observaron la dieta casi al 100 por ciento durante las
dos semanas que duró el torneo del campeonato. Ian planeó la
dieta con mucho cuidado para que consumieran los alimentos
indicados en los momentos justos: con valores bajos en el IG
antes del partido y con valores altos inmediatamente después
del mismo, ¡además de caramelos de goma (*jelly beans*) en el
medio tiempo!

Pudo observar los beneficios claramente casi desde el inicio
del campeonato. Los jugadores mismos se dieron cuenta de
que no se les acababa la energía durante los partidos y que
después de estos se recuperaban mucho más rápido que
antes.

¡Más o menos a la mitad del torneo, otras personas empezaron a preguntarse de dónde sacaba tanta energía su
equipo!

"Al principio se les hizo chistoso y quizá un poco raro que
comiéramos *Cocoa Puffs*™ y *Rice Krispies*™ en el autobús
(guagua, camión) inmediatamente después de los partidos, pero
al poco tiempo su risa se convirtió en curiosidad —dijo Ian—.
Mucha gente empezó a comentar la condición física del equipo,
pero yo sabía que no era sólo condición física. No había con-
tado con todo el tiempo que me hubiera gustado para trabajar
su condición física; de hecho, recuerdo haber sentido la preocupación, justo antes de salir para el torneo, de que su nivel de
condición física tal vez no fuera a alcanzar. Por lo tanto, yo sabía
que lo que estaba viendo no era sólo su condición física sino la
combinación de condición física y un suministro constante de
energía. Desde mi punto de vista quedó comprobado claramente que no es posible tener la una sin el otro.

"Terminamos ganando el campeonato por un margen relativamente amplio y nuestro nivel de condición física y de energía definitivamente representó un factor muy importante para lograrlo.

"Una de las cosas que me gustó de basar la dieta en el IG fue que los jugadores entendieron los principios básicos muy pronto; al finalizar la primera semana ya sabían exactamente qué comer.

"Al finalizar el torneo les pedí a los jugadores que llenaran un cuestionario y pensé que les interesaría escuchar algunos de sus comentarios".

> "Sentí que al jugar cada partido yo estaba en mi máximo nivel. Creo que la dieta fue muy importante para ello".

> "Tenía más energía al iniciar el partido y durante el mismo".

> "Mi energía y mis niveles de glicógeno estaban perfectos".

> "En ningún momento me sentí agotado o sin energía".

> "Me sentí muy bien después de cada partido; nunca me sentí agotado durante los partidos".

> "Todo hizo que me sintiera bien antes, durante y después de los partidos".

> "La dieta fue la razón principal de que sí nos fuera bien en el campeonato".

> "Me siento mejor después de los partidos, me recupero mejor, tengo más energía durante el partido".

> "Nunca me faltó energía. Mis niveles de glicógeno se conservaron y se repusieron constantemente en los momentos requeridos. Siempre me sentí en buena condición física y sano".

> "Mantuvo alto mi nivel de energía durante el partido y también después del mismo".

> "Después del partido, la recuperación es mucho más rápida".

■

¿Sirve su dieta para un rendimiento óptimo?

HAGA LA prueba que sigue sobre la dieta y la condición física para ver cuál es su resultado. Es buena idea utilizar esta prueba regularmente para identificar las áreas en las que tal vez necesite mejorar su dieta.

1. Haga un círculo alrededor de su respuesta.

⊃ Ingiero por lo menos 3 comidas al día   Sí/No
separados por no más de 5 horas

➡ *Patrones de alimentación*

Contador de carbohidratos

⊃ Como por lo menos 4 rebanadas de pan todos   Sí/No
los días (1 panecillo = 2 rebanadas de pan)

⊃ Como por lo menos 1 taza de cereal para   Sí/No
desayunar o una rebanada adicional de pan
todos los días

⊃ Suelo comer 2 o más piezas de fruta todos los días   Sí/No

⊃ Como por lo menos 3 verduras diferentes o una   Sí/No
ensalada la mayoría de los días

⊃ Incluyo carbohidratos como la pasta, el arroz y la   Sí/No
papa en mi dieta todos los días

Contador de proteínas

⊃ Como por lo menos 1 (y por lo general, 2) raciones   Sí/No
de carne o de alternativas a la carne (carne de ave,
mariscos, huevo, chícharo o frijoles secos o frutos
secos) todos los días

Contador de grasa

⊃ Unto el pan con sólo una capa delgada de   Sí/No
mantequilla o margarina o me lo como sin nada

⊃ No como alimentos fritos más que una vez por   Sí/No
semana

- ⊃ Utilizo aceite poliinsaturado o monoinsaturado   Sí/No
  (de *canola* u oliva) al cocinar (haga un círculo
  alrededor de "sí" si nunca fríe nada en aceite o
  grasa)
- ⊃ Evito los aliños basados en el aceite para mis   Sí/No
  ensaladas
- ⊃ Utilizo lácteos de grasa reducida o bajos en   Sí/No
  grasa
- ⊃ Le corto la grasa a la carne y le quito el pellejo   Sí/No
  al pollo
- ⊃ No como meriendas grasosas, como por ejemplo   Sí/No
  chocolate, hojuelas, galletitas, postres o pasteles
  etc., más que dos veces por semana
- ⊃ No como comida rápida o para llevar más que   Sí/No
  una vez por semana

Contador de hierro

- ⊃ Como carne de res magra por lo menos 3 veces   Sí/No
  a la semana; o bien como 2 raciones de carne
  blanca (cerdo o aves de corral) diariamente; por
  su parte, los vegetarianos deberán incluir en su
  dieta por lo menos 1 a 2 tazas de legumbres
  secas (como por ejemplo, lentejas, frijol de soya,
  garbanzos) diariamente.
- ⊃ Incluyo una fuente de vitamina C con las   Sí/No
  comidas basadas en pan, cereales, frutas y
  verduras, a fin de asistir con la absorción del
  hierro que contienen todas estas fuentes
  "vegetales" de hierro

Contador de calcio

- ⊃ Como por lo menos 3 raciones de lácteos o   Sí/No
  de sustitutos lácteos de soya todos los días
  (1 ración = 8 onzas/240 ml de leche o de leche de
  soya enriquecida; 1 trozo (1½ onzas/42 g) de queso
  duro; 8 onzas/224 g de yogur)

Líquidos

⊃ Tomo líquidos regularmente antes de hacer ejer-   Sí/No
cicio, durante el mismo y después

Alcohol

⊃ Cuando tomo alcohol, por lo común no me paso   Sí/No
de la cantidad recomendada para poder manejar
un carro sin peligro (haga un círculo alrededor de
"sí" si no toma alcohol)

2. Sume 1 punto por cada "sí"

Escala de puntuación

18–20 Excelente	15–17 Puede mejorar
12–14 Apenas pasa	0–12 Mal

Aviso: las personas que realizan muchas actividades físicas tendrán que comer más pan, cereales y fruta de lo que indica esta
prueba, pero para estar sano nadie debe comer menos.

■

(*Nota:* si encuentra en este capítulo nombres de alimentos que
no entiende o que jamás ha visto, favor de remitirse al glosario en la
página 407).

Parte

Las tablas del índice glucémico

■

CÓMO UTILIZARLAS

*E*N ESTA PARTE LE proporcionaremos *dos* juegos de tablas: una lista *condensada* de aproximadamente 400 alimentos muy comunes y una lista *amplia* de todos los alimentos cuyo valor en el índice glucémico (IG) ha sido analizado alguna vez. La lista amplia contiene más o menos 1.500 alimentos y platos.

La lista condensada de tablas viene en orden alfabético para facilitar el uso. Consúltela cuando desee encontrar rápidamente el valor de un alimento común en el IG.

La lista amplia no menciona todos los alimentos en orden alfabético, sino por categoría:

- azúcares y alcoholes de azúcar
- barras alimenticias para deportistas
- bebidas
- cereales
- cereales de desayuno y barras alimenticias
- cocinas indígenas e internacionales
- comidas y alimentos preparados
- complementos alimenticios

- frutas y derivados
- galletas
- galletitas
- lácteos
- legumbres y frutos secos
- meriendas y golosinas
- panes

- pasta y fideos
- productos panificados
- proteínas
- sopas
- sustitutos alimenticios
- verduras

Dentro de cada categoría alimenticia, los alimentos se presentan en orden alfabético para ayudarle a elegir las opciones con valores bajos en el IG dentro de cada grupo ("reemplazaré esto por aquello") y también para mezclar y combinar los alimentos mejor. Si su alimento preferido es de valor alto en el IG, fíjese en su carga glucémica (CG). Si esta es relativamente baja en comparación con otros alimentos del mismo grupo, no debe preocuparse demasiado por el valor alto en el IG. Si tanto el valor en el IG como la CG son altos, trate de reducir el tamaño de la ración o combínelo con un alimento de valor muy bajo en el IG (como el arroz de grano corto o las lentejas).

En ambas tablas no encontrará sólo el IG sino también la CG (CG = contenido en carbohidratos × IG/100). La CG se calcula utilizando una ración promedio y el contenido de carbohidratos de esa ración; ambos datos se encuentran en las tablas. De esta forma podrá elegir alimentos que tengan un valor bajo en el IG y/o una CG baja. Cuando no se indique el contenido de carbohidratos o la CG, consulte los promedios.

En las tablas condensadas proporcionamos el resultado *promedio* por cada alimento. En algunos casos este promedio se basa en 10 análisis que se han hecho del alimento en cuestión en todo el mundo. En otros, el promedio se ha obtenido de sólo dos a cuatro análisis. En varias ocasiones, los datos obtenidos en los Estados Unidos difirieron de los del resto del mundo; en estos casos, presentamos los datos estadounidenses en lugar de los promedios.

Las tablas amplias han cambiado de manera significativa en comparación con la edición anterior de este libro al presentar *todos* los datos disponibles, no sólo los promedios. Se incluyen los valores en el IG de todo el mundo, incluyendo los Estados Unidos, Canadá, Australia, Nueva Zelanda, Italia, Suecia, Japón y China, entre otros países. También se mencionan alimentos y platos internacionales e indígenas. En resumidas cuentas, se trata de las listas más amplias disponibles en este momento. Aún nos asombra y nos causa gran impresión el número de lectores que nos escriben solicitando información más detallada sobre los valores en el IG —y cada vez más también sobre la CG— y hemos incluido estos datos internacionales extensos sobre ambos para satisfacer este interés.

En estas nuevas ediciones de las tablas también incluimos alimentos que contienen muy pocos carbohidratos, por lo que automáticamente se omitieron en las ediciones anteriores. No obstante, en vista de que un gran número de personas nos han pedido los valores en el IG de estos alimentos, decidimos incluirlos con la indicación de que su valor en el IG equivale a cero, lo cual se señala así: [0]. Muchas verduras, como el aguacate (palta) y el brócoli, y también proteínas como el pollo, el queso y el atún, son alimentos con poco o nulo contenido de carbohidratos.

UNA NOTA CON RESPECTO A LA CARGA GLUCÉMICA

Algunos lectores indudablemente querrán saber cuál es la CG total a la que deben aspirar. La respuesta depende de muchos factores, entre ellos su ingesta total de calorías y también la cantidad de carbohidratos que usted pretende consumir (consumo moderado o alto, según se comenta en las páginas 30–34). Si pretende consumir 250 gramos de carbohidratos al día tan sólo a través de fuentes con valores bajos en el IG (alimentos con un valor máximo de 55), la CG total para todo el día deberá ser menor a $250 \times 55/100 = 138$ (redondeado).

Sin embargo, acuérdese de que no todos los carbohidratos tienen que provenir de alimentos con valores bajos en el IG. Si la mitad de sus carbohidratos corresponden a alimentos con valores bajos en el IG, lo está haciendo bien. En este caso deberá aspirar a una CG de más o menos $250 \times 65/100 = 163$ (redondeado).

Acuérdese también de que la ración promedio es eso precisamente, y tal vez no corresponda a lo que usted suele comer. Si tiene alguna duda al respecto, pese su ración y ajuste los valores correspondientes a los carbohidratos por ración y la CG.

Es muy importante no cometer el error de utilizar sólo la CG. Si así lo hiciera, usted podría terminar con una dieta que consistiera en muy pocos carbohidratos pero con mucha grasa, sobre todo grasa saturada, así como una cantidad excesiva de proteínas. Por las razones que se indican en las páginas 20 y 21 (vea "¿Qué tienen de malo las dietas bajas en carbohidratos?"), ese sería un error. Para mantener una buena salud en general, también es importante el contenido en grasa, fibra y micronutrientes de su dieta. Un dietista podrá orientarlo más al respecto.

Tal como lo hemos indicado, los investigadores siguen analizando los valores en el IG de los alimentos. No obstante, falta muchísimo trabajo para que se pueda precisar el valor en el IG de todos los alimentos. Si no encuentra el valor en el IG de un alimento que consume con frecuencia, por favor escriba o llame al fabricante, o bien mándele un mensaje por correo electrónico para solicitarle que haga analizar el valor en el IG del alimento por parte de un laboratorio reconocido, como el Servicio de Investigación en el Índice Glucémico de la Universidad de Sidney (SUGiRS por sus siglas en inglés), el cual se encuentra en sitio *web* www.glycemicindex.com.

Por último, los valores en el IG indicados en estas tablas eran exactos en el momento de su publicación. Sin embargo, es posible que cambie la composición de los productos alimenticios comerciales, por lo que puede variar su valor en el IG. De manera constante actualizamos nuestro sitio *web* www.glycemicindex.com con datos nuevos.

RECONOCIMIENTO

Estas tablas no serían tan completas sin los esfuerzos de la Dra. Susanna Holt de la Unidad de Nutrición Humana en la Universidad de Sidney. La Dra. Holt es la directora de investigación de SUGiRS. De manera particular se le agradece la alta calidad y gran cantidad de los datos australianos que incluimos en estas tablas.

Nota: si encuentra en este capítulo nombres de alimentos que no entiende o que jamás ha visto, favor de remitirse al glosario en la página 407). Hemos abreviado varios términos en las tablas, entre ellos tamaño (tmo.), carbohidratos (cbhtos.), nominal (nml.), disponibles (dspnbls.), mediano/mediana (med.), pequeño/pequeña (peq.), envolturas (envtras.), grandes (gr.), rebanadas (reb.), galletitas (gtas.), galletas (gal.), cucharada (cda.), cucharadita (cdta.), promedio (pdo.) y NE (no especificado).

Tablas condensadas

ALIMENTO	Valor en IG Glucosa = 100	Tmo. nml. de rac.	Cbhtos. dspnbls. por rac.	CG por rac.
Aguacate	[0]	¼	0	0
Albaricoque, de lata en sirope ligero	64	4 mitades	19	12
Albaricoque, crudo, 3 medianos	57	4 onzas	9	5
Albaricoque, seco	30	17 mitades	27	8
Alcachofas (de Jerusalén)	[0]	½ taza	0	0
Alforjón	54 (pdo.)	¾ taza	30	16
Almendras	[0]	1,75 onzas	0	0
All-Bran®, cereal de desayuno	30	½ taza	15	4
All Sport™ (naranja), bebida para deportistas	53	8 onzas	15	8
Apio	[0]	2 tallos	0	0
Arroz arborio, risotto, cocido	69	¾ taza	53	36
Arroz basmati, blanco, cocido	58	1 taza	38	22
Arroz blanco, cocido por 20–30 minutos, de la marca Uncle Ben's Converted®Brand Rice (EE.UU.)	38	1 taza	36	14
Arroz, Converted®, blanco, de grano largo, cocido por 20–30 minutos, de la marca Uncle Ben's Converted®Brand Long Grain Rice (EE.UU.)	50	1 taza	36	18
Arroz de grano largo, cocido por 10 minutos (EE.UU.)	61	1 taza	36	22
Arroz glutinoso blanco, cocido en la olla de arroz	92 (pdo.)	⅔ taza	48	44
Arroz instantáneo blanco, cocido 6 minutos	74	¾ taza	42	36
Arroz integral, al vapor (EE.UU.)	50	1 taza	33	16
Arroz jazmín blanco, cocido en la olla de arroz	109	1 taza	42	46
Arroz quebrado blanco, cocido en la olla de arroz	86	1 taza	43	37
Arroz sancochado (EE.UU.)	72	1 taza	36	26
Atún	[0]	4 onzas	0	0
Avellanas	[0]	1,75 onzas	0	0
Avena, copos de	42	1 taza	21	9
Bagel, blanco	72	½	35	25
Baguette de harina blanca, sin nada	95	1 onza	15	15
Barra alimenticia de muesli con fruta seca	61	1 onza	21	13
Barra para merienda, de cacahuate, mantequilla & Choc-Chip (Con Agra Inc., EE.UU.)	37	1,75 onzas	27	10

ALIMENTO	Valor en IG Glucosa = 100	Tmo. nml. de rac.	Cbhtos. dspnbls. por rac.	CG por rac.
Barra para merienda, de manzana y canela (Con Agra Inc., EE.UU.)	40	1,75 onzas	29	12
Batata dulce	44	5 onzas	25	11
Bengal gram dhal de garbanzo	11	5 onzas	36	4
Bok choy, crudo	[0]	1 taza	0	0
Bran Flakes™, cereal de desayuno	74	½ taza	18	13
Brócoli, crudo	[0]	1 taza	0	0
Cacahuate, promedio de tres estudios	14	1,75 onzas	6	1
Cacahuate, tostado y salado	14 (pdo.)	1,75 onzas	6	1
Cactus Nectar, Organic Agave, light, 90% de fructosa (Western Commerce, EE.UU.)	11	1 cda.	8	1
Cactus Nectar, Organic Agave, light, 97% de fructosa (Western Commerce, EE.UU.)	10	1 cda.	8	1
Calabaza	75	3 onzas	4	3
Caldo de frijoles negros	64	1 taza	27	17
Cantaloup, crudo	65	4 onzas	6	4
Caramelos de goma	78 (pdo.)	10 gr.	28	22
Cebada perla, cocida	25 (pdo.)	1 taza	42	11
Cerdo, carne de	[0]	4 onzas	0	0
Cereal caliente, de manzana y canela (Con Agra Inc., EE.UU.)	37	1,2 onzas en seco	22	8
Cereal caliente, sin saborizante (Con Agra Inc., EE.UU.)	25	1,2 onzas en seco	19	5
Cerezas, crudas	22	18	12	3
Chícharo, congelado, cocido	48 (pdo.)	½ taza	7	3
Chícharo partido, amarillo, cocido por 20 minutos	32	¾ taza	19	6
Chícharos verdes, promedio de tres estudios	48	⅓ taza	7	3
Chirivía	97	½ taza	12	12
Chocolate blanco de la marca *Milky Bar*®	44	1,75 onzas	29	13
Chocolate con leche	42	8 onzas	31	13
Chocolate en polvo, disuelto en agua	55	8 onzas	16	9
Choice DM™, complemento alimenticio, de vainilla (Mead Johnson, EE.UU.)	23	8 onzas	24	6
Ciruela, cruda	39	2 med.	12	5
Ciruelas secas, sin hueso	29	6	33	10
Clif® *Bar* (sabor *cookies & cream*)	101	2,4 onzas	34	34
Coca Cola®, refresco	53	8 onzas	26	14
Cocoa Puffs™, cereal de desayuno	77	1 taza	26	20
Cóctel de frutas, de lata	55	½ taza	16	9

ALIMENTO	Valor en IG Glucosa = 100	Tmo. nml. de rac.	Cbhtos. dspnbls. por rac.	CG por rac.
Coliflor	[0]	¾ taza	0	0
Complete™, cereal de desayuno	48	1 taza	21	10
Copos de avena	42	1 taza	21	9
Coquitos del Brasil	[0]	1,75 onzas	0	0
Cordero, carne de	[0]	4 onzas	0	0
Corn Flakes™, cereal de desayuno	92	1 taza	26	24
Corn Flakes™, sabor *Honey Crunch*, cereal de desayuno	72	1 taza	24	17
Corn Pops™, cereal de desayuno	80	1 taza	26	21
Corn Thins, tortitas de maíz inflado, sin gluten	87	1 onza	20	18
Crispix™, cereal de desayuno	87	1 taza	25	22
Croissant, 1 mediano	67	2 onzas	26	17
Crumpet	69	2 onzas	19	13
Cuscús, cocido por 5 minutos	65 (pdo.)	¾ taza	35	23
Cytomax™ (con sabor a naranja), bebida para deportistas	62	8 onzas	15	9
Dátiles secos tipo *bahri*	50	7	40	20
Donut	76	1,75 onzas	23	17
Enercal Plus™ (Wyeth-Ayerst, EE.UU.)	61	8 onzas	40	24
English Muffin™	77	1 onza	14	11
Ensure™ *bar*, sabor *fudge brownie* de chocolate	43	1,4 onzas	20	8
Ensure™, bebida de vainilla	48	8 onzas	34	16
Ensure Plus™, bebida de vainilla	40	8 onzas	47	19
Ensure Pudding™, pudín clásico de vainilla	36	4 onzas	26	9
Envoltura dura para tacos de harina de maíz, al horno	68	2 envtras.	12	8
Espaguetis, blancos, cocidos por 5 minutos	38 (pdo.)	1½ tazas	48	18
Espaguetis de arroz y chícharo partido sin gluten, de lata con salsa de tomate	68	8 onzas	27	19
Espaguetis de harina de trigo fanfarrón, cocidos por 20 minutos (EE.UU.)	64	1½ tazas	43	27
Espaguetis de trigo integral, cocidos por 5 minutos	32	1½ tazas	44	14
Espaguetis, sin gluten, de arroz y chícharo partido, de lata con salsa de tomate	68	8 onzas	27	19

ALIMENTO	Valor en IG Glucosa = 100	Tmo. nml. de rac.	Cbhtos. dspnbls. por rac.	CG por rac.
Fanta®, refresco de naranja	68	8 onzas	34	23
Fettucine de huevo, cocido	32	1½ tazas	46	15
Fideo cabellos de ángel blanco, cocido	35	1½ tazas	44	16
Fideo cabellos de ángel, de arroz	58	1½ tazas	39	22
Fideos de frijoles *mung* secos, cocidos	39	1½ tazas	45	18
Flan casero, preparado con leche, almidón de trigo y azúcar	43	½ taza	26	11
Flan con caramelo	65	½ taza	73	47
Flan de huevo, preparado con mezcla comercial y leche entera, sin hornear	35	½ taza	26	9
Flan, preparado con mezcla comercial y leche entera, sin hornear	35	½ taza	26	9
Frijoles al horno	38 (pdo.)	⅔ taza	31	12
Frijoles al horno, de lata con salsa de tomate	48 (pdo.)	⅔ taza	15	7
Frijoles colorados	46	¾ taza	18	8
Frijoles colorados, cocidos	23 (pdo.)	⅔ taza	25	6
Frijoles colorados, de lata	52	⅔ taza	17	9
Frijoles de caritas, de lata	42	⅔ taza	17	7
Frijoles de soya, de lata	14	1 taza	6	1
Frijoles de soya, secos, cocidos	20	1 taza	6	1
Frijoles negros, cocidos	30	⅘ taza	23	7
Frijoles pintos, de lata	45	⅔ taza	22	10
Frijoles pintos, secos, cocidos	39	¾ taza	26	10
Froot Loops™, cereal de desayuno	69	1 taza	26	18
Frosted Flakes™, cereal de desayuno	55	1 taza	26	15
Fructosa, pura	19 (pdo.)	1 cda.	10	2
Fruit Fingers, Heinz Kidz™, de plátano amarillo	61	30	20	12
Galleta de agua	78	7 gal.	18	14
Galleta de soda	74	5 gal.	17	12
Galleta de soda, de primera calidad	74	5 gal.	17	12
Galletas de trigo Breton	67	6 gal.	14	10
Galletitas de avena	55	4 peqs.	21	12
Galletitas de barquillo de vainilla	77	6 gtas.	18	14
Galletitas de mantequilla	64	1 onza	16	10
Garbanzos, de lata	42	⅔ taza	22	9
Garbanzos, secos, cocidos	28 (pdo.)	⅔ taza	30	8
Gatorade™ (con sabor a naranja), bebida para deportistas	89	8 onzas	15	13
GatorLode® (con sabor a naranja), bebida para deportistas	100	8 onzas	15	15

ALIMENTO	Valor en IG Glucosa = 100	Tmo. nml. de rac.	Cbhtos. dspnbls. por rac.	CG por rac.
Glucerna™, de vainilla (Abbott, EE.UU.)	31	8 onzas	23	7
Glucosa, promedio de 11 estudios	99	1 cda.	10	10
Gnocchi	68	6 onzas	48	33
Grapenuts™ (Kraft, EE.UU.)	75	¼ taza	22	16
Guanábana cruda, sólo la pulpa	54	4 onzas	19	10
Habas	79	½ taza	11	9
Habas (Canadá)	79	⅓ taza	11	9
Habas blancas pequeñas, conge- ladas y recalentadas en el horno de microondas	32	¾ taza	30	10
Habas blancas secas, de lata	31	⅔ taza	20	6
Habichuelas francesas cocidas	[0]	½ taza	0	0
Hamburguesa, panecillo para	61	1,5 onzas	22	13
Happiness™ (pan de canela, pasa y pacana) (Natural Ovens, EE.UU.)	63	1 onza	14	9
Harina de maíz, cocida con agua y sal por 2 minutos	68	1 taza	13	9
Healthy Choice™ *Hearty 7 Grain* (Con Agra Inc., EE.UU.)	55	1 onza	14	8
Healthy Choice™ *Hearty 100% Whole Grain* (Con Agra Inc., EE.UU.)	62	1 onza	14	9
Helado, bajo en grasa, de vainilla, "*light*"	50	½ taza	9	5
Helado, de grasa normal	61 (pdo.)	½ taza	20	12
Helado, de primera calidad, de vainilla francesa, 16% de grasa	38	½ taza	14	5
Helado, de primera calidad, sabor *ultra chocolate*, 15% de grasa	37	½ taza	14	5
Helado de vainilla francesa, de primera calidad, 16% de grasa	38	½ taza	14	5
Helado sabor *ultra chocolate*, de primera calidad, 15% de grasa	37	½ taza	14	5
Higos secos	61	3	26	16
Huevos, grandes	[0]	2	0	0
Hunger Filler™, pan integral de granos (Natural Ovens, EE.UU.)	59	1 onza	13	7
Ironman PR bar®, de chocolate	39	2,3 onzas	26	10
Jugo de arándano agrio	52	8 onzas	31	16
Jugo de manzana, puro, sin edulcorante, rehidratado	40	8 onzas	29	12
Jugo de naranja, sin edulcorante, rehidratado	53	8 onzas	18	9
Jugo de piña, sin edulcorante	46	8 onzas	34	15

ALIMENTO	Valor en IG Glucosa = 100	Tmo. nml. de rac.	Cbhtos. dspnbls. por rac.	CG por rac.
Jugo de toronja, sin edulcorante	48	8 onzas	20	9
Kavli™, pan crujiente noruego	71	5 piezas	16	12
Kiwi	53	4 onzas	12	7
Kudos® Whole Grain Bars, sabor chocolate chip	62	1,8 onzas	32	20
Lactosa pura	46 (pdo.)	1 cda.	10	5
L.E.A.N Fibergy™ (barra), sabor Harvest Oat	45	1,75 onzas	29	13
L.E.A.N Life long Nutribar™, sabor Peanut Crunch	30	1,5 onzas	19	6
L.E.A.N Life long Nutribar™, sabor Chocolate Crunch	32	1,5 onzas	19	6
L.E.A.N Nutrimeal™, mezcla en polvo para bebida, sabor Dutch Chocolate	26	8 onzas	13	3
Leche baja en grasa de chocolate, con azúcar	34	8 onzas	26	9
Leche condensada con edulcorante	61	2½ cdas.	27	17
Leche condensada con edulcorante	61	8 onzas	136	83
Leche descremada	32	8 onzas	13	4
Leche entera de vaca, fresca	31	8 onzas	12	4
Lechuga	[0]	4 hojas	0	0
Lenteja	29 (pdo.)	¾ taza	18	5
Lenteja, de lata	44	9 onzas	21	9
Lenteja roja, cocida	26	¾ taza	18	5
Lenteja verde, cocida	30 (pdo.)	¾ taza	17	5
Lichis de lata en almíbar, escurridos	79	4 onzas	20	16
Licuado, de frambuesa (Con Agra Inc., EE.UU.)	33	8 onzas	41	14
Life Savers®, golosinas de menta	70	18 piezas	30	21
Limonada, rehidratada	66	8 onzas	20	13
M & M's®, con cacahuate	33	15 piezas	17	6
Macarrones, cocidos	47 (pdo.)	1¼ tazas	48	23
Macarrones con queso, de desayuno	64	1 taza	51	32
Magdalena, con glaseado de fresa, pequeño	73	1,5 onzas	26	19
Maíz dulce, cocido (EE.UU.)	60	½ taza	18	11
Maíz dulce en granos, de lata, para dieta, escurrido	46	1 taza	28	13
Maltosa	105	1 cda.	10	11
Mango	51	4 onzas	15	8
Manzana, 1 mediana	38 (pdo.)	4 onzas	15	6
Manzana, seca	29	9 trozos	34	10
Mariscos	[0]	4 onzas	0	0

ALIMENTO	Valor en IG Glucosa = 100	Tmo. nml. de rac.	Cbhtos. dspnbls. por rac.	CG por rac.
Mars Bar®	68	2 onzas	40	27
Melocotón, de lata en sirope espeso	58	½ taza	15	9
Melocotón, de lata en sirope ligero	52	½ taza	18	9
Melocotón, crudo, grande	42 (pdo.)	4 onzas	11	5
Mermelada de albaricoque, baja en azúcar	55	1½ cdas.	13	7
Mermelada de fresa	51	1½ cdas.	20	10
Mermelada de naranja (Australia)	48	1½ cdas.	20	9
METRx® *Bar* (vainilla)	74	3,6 onzas	50	37
Miel	55 (pdo.)	1 cda.	18	10
Milk Arrowroot™, galletitas	69	5	18	12
Milky Bar® de chocolate blanco	44	1,75 onzas	29	13
Millo, cocido	71	⅔ taza	36	25
Mini Wheats™, cereal de desayuno de trigo integral	58	12 piezas	21	12
Mini Wheats™, cereal de desayuno de trigo integral con grosellas	72	1 taza	21	15
Mousse de avellana, 2,4% de grasa	36	1,75 onzas	10	4
Mousse de bayas mixtas, 2,2% de grasa	36	1,75 onzas	10	4
Mousse de caramelo con mantequilla, 1,9% de grasa	36	1,75 onzas	10	4
Mousse de chocolate, 2% de grasa	31	1,75 onzas	11	3
Mousse de chocolate, 2% de grasa	31	½ taza	22	7
Mousse de fresa, 2,3% de grasa	32	1,75 onzas	10	3
Mousse de mango, 1,8% de grasa	33	1,75 onzas	11	4
Muesli, fórmula suiza	56	1 onza	16	9
Muesli sin gluten, con leche semidescremada al 1,5%	39	1 onza	19	7
Muesli tostado	43	1 onza	17	7
Muffin de arándano, pequeño	59	3,5 onzas	47	28
Muffin de manzana, pequeño	44	3,5 onzas	41	18
Muffin de salvado, pequeño	60	3,5 onzas	41	25
Naranja mediana	42 (pdo.)	4 onzas	11	5
Nesquik™ de chocolate disuelto en leche semidescremada al 1,5%, sin azúcar adicional	41	8 onzas	11	5
Nesquik™ de fresa disuelto en leche semidescremada al 1,5%, sin azúcar adicional	35	8 onzas	12	4
Nuez	[0]	1,75 onzas	0	0
Nuez de la India, salada (Coles Supermarkets, Australia)	22	1,75 onzas	13	3
Nuez de macadamia	[0]	1,75 onzas	0	0

ALIMENTO	Valor en IG Glucosa = 100	Tmo. nml. de rac.	Cbhtos. dspnbls. por rac.	CG por rac.
Nutella®, pasta de avellana con chocolate	33	1 cda.	12	4
Nutrigrain™, cereal de desayuno	66	1 taza	15	10
Nutty Natural™, pan de grano integral (Natural Ovens, EE.UU.)	59	1 onza	12	7
Pacana	[0]	1,75 onzas	0	0
Palitos de pescado	38	3,5 onzas	19	7
Palomitas de maíz, sin nada, preparadas en el horno de microondas	72	1½ tazas	11	8
Pan *100% Whole Grain™* (Natural Ovens, EE.UU.)	51	1 onza	13	7
Pan árabe, blanco	57	1 onza	17	10
Pan blanco	70	1 onza	14	10
Pan blanco sin gluten, rebanado	80	1 onza	15	12
Pan crujiente inflado	81	1 onza	19	15
Pan *light* de centeno	68	1 onza	14	10
Pan multigrano de 9 cereales	43	1 onza	14	6
Pan multigrano sin gluten	79	1 onza	13	10
Pan de centeno	58 (pdo.)	1 onza	14	8
Pan de centeno con semillas	55	1 onza	13	7
Pan de centeno de masa fermentada	48	1 onza	12	6
Pan de la marca *Wonder™*, blanco	80	1 onza	14	11
Pan de *muesli*, preparado con mezcla comercial en un horno para pan (Con Agra Inc., EE.UU.)	54	1 onza	12	7
Pan de soya y semilla de lino (de mezcla comercial, pre-parado en un horno para pan) (Con Agra Inc., EE.UU.)	50	1 onza	10	5
Pan de trigo de masa fermentada (*sourdough*)	54	1 onza	14	8
Pan de trigo integral	77	1 onza	12	9
Pan de trigo integral molido por piedra al 100%	53	1 reb.	13	7
Panecillo *kaiser*	73	½	16	12
Panecillo para hamburguesa	61	1,5 onzas	22	13
Panetela	54	2 onzas	28	15
Panetela (*Sara Lee*)	54	2 onzas	28	15
Panqueques de alforjón, sin gluten, preparados con mezcla comercial para panqueques	102	2–4"	22	22
Panqueques, preparados con mezcla comercial para panqueques	67	2–4"	58	39
Papa al horno	85 (pdo.)	5 onzas	30	26

ALIMENTO	Valor en IG Glucosa = 100	Tmo. nml. de rac.	Cbhtos. dspnbls. por rac.	CG por rac.
Papa blanca para hornear, promedio de cuatro estudios	85	5 onzas	30	26
Papa *Desiree*, pelada, cocida por 35 minutos	101	5 onzas	17	17
Papa instantánea, preparada	85 (pdo.)	¾ taza	20	17
Papa pequeña de lata, calentada en el microondas por 3 minutos	65	5 onzas	18	12
Papa pequeña, sin pelar y cocida por 20 minutos	78	5 onzas	21	16
Papa roja, pelada, cocida por 35 minutos	88	5 onzas	18	16
Papa roja, pelada, picada en cubitos, cocida por 15 minutos y hecha puré	91	5 onzas	20	18
Papa roja, pelada y cocida con el microondas en *high* por 6–7,5 minutos	79	5 onzas	18	14
Papas a la francesa, congeladas, recalentadas en el microondas	75	30 piezas	29	22
Papa *Sebago*, pelada, cocida por 35 minutos	87	5 onzas	17	14
Papa, tipo NE ▲, cocida en el microondas (EE.UU.)	82	5 onzas	33	27
Papaya	56	4 onzas	8	5
Papitas fritas, sin nada, saladas	57	2 onzas	18	10
Pasas	64	½ taza	44	28
Pasta *capellini*, cocida	45	1½ tazas	45	20
Pasta de arroz, fresca, cocida	40	1½ tazas	39	15
Pasta de arroz integral, cocida por 16 minutos	92	1½ tazas	38	35
Pasta de arroz y maíz, sin gluten	76	1½ tazas	49	37
Pasta de concha de chícharo partido y soya, sin gluten	29	1½ tazas	31	9
Pasta de espirales de harina de trigo fanfarrón, blanca, cocida al punto	43	1½ tazas	44	19
Pasta de estrellita, blanca, cocida por 5 minutos	38	1½ tazas	48	18
Pasta de maíz, sin gluten	78	1¼ tazas	42	32
Pasta de maíz, sin gluten	78	1½ tazas	42	32
Pasta instantánea *Maggi®* "de dos minutos"	46	1½ tazas	40	19
Pasta *linguine* delgada, cocida	52	1½ tazas	45	23
Pasta *linguine* gruesa, cocida	46	1½ tazas	48	22
Pasta *tortellini* con queso	50	6,5 onzas	21	10
Pastel blanco esponjoso, 1 rebanada	67	1½ pastel	29	19
Pastel de chocolate preparado con mezcla comercial, con glaseado de chocolate	38	4 onzas	52	20

ALIMENTO	Valor en IG Glucosa = 100	Tmo. nml. de rac.	Cbhtos. dspnbls. por rac.	CG por rac.
Pastel de plátano amarillo, 1 rebanada	47	⅛ pastel	38	18
Pastel de vainilla preparado con mezcla comercial, con glaseado de vainilla	42	4 onzas	58	24
Pastel esponjoso de fresa	42	8 onzas	1	1
Pastel esponjoso, sin nada	46	2 onzas	36	17
Pastel francés de vainilla preparado con mezcla comercial, con glaseado de vainilla	42	4 onzas	58	24
Pastelillo	59	2 onzas	26	15
Pastillas de glucosa	102	3 piezas	15	15
Pepino	[0]	¾ taza	0	0
Pepitas de pollo, congeladas, recalentadas en el horno de microondas por 5 minutos	46	4 onzas	16	7
Pera, cruda	38 (pdo.)	4 onzas	11	4
Pera, en mitades, de lata en jugo natural	43	½ taza	13	5
Pescado	[0]	4 onzas	0	0
Pimiento, verde o rojo	[0]	3 onzas	0	0
Piña, fresca	66	4 onzas	10	6
Pizza de queso	60	1 trozo	27	16
Pizza *Super Supreme*, de bandeja (11,4% de grasa)	36	1 trozo	24	9
Pizza *Super Supreme*, delgada y crujiente (13,2% de grasa)	30	1 trozo	22	7
Pizza *Super Supreme*, de pan (11,4% de grasa)	36	1 trozo	24	9
Plátano amarillo crudo, 1 mediano	52 (pdo.)	4 onzas	24	12
Pop Tarts™, pastelillo de chocolate doble	70	1,8 onzas	36	25
Postre congelado basado en *tofu*, de chocolate con sirope de maíz alto en fructosa (al 24%)	115	1,75 onzas	9	10
Poweraid® (con sabor a naranja), bebida para deportistas	65	8 onzas	15	10
PowerBar® (con sabor a chocolate)	83	2,6 onzas	42	35
PR*Bar® (con sabor a *cookies & cream*)	81	4,2 onzas		
Pretzels horneados, sabor tradicional a trigo	83	1 onza	20	16
Pudín de chocolate, hecho con mezcla comercial y leche entera	47	½ taza	24	11
Pudín instantáneo, de chocolate, hecho con mezcla comercial y leche entera	47	½ taza	24	11

ALIMENTO	Valor en IG Glucosa = 100	Tmo. nml. de rac.	Cbhtos. dspnbls. por rac.	CG por rac.
Pudín instantáneo, de vainilla, hecho con mezcla comercial y leche entera	40	½ taza	24	10
Pumpernickel, pan de centeno integral	41	1 onza	12	5
Queso	[0]	4 onzas	0	0
Quik™, sabor chocolate (Nestlé, Australia), disuelto en leche semidescremada al 1,5%	41	8 onzas	11	5
Quik™, sabor fresa (Nestlé, Australia), disuelto en leche semidescremada al 1,5%	35	8 onzas	12	4
Raisin Bran™, cereal de desayuno	61	½ taza	19	12
Ravioles de harina de trigo fanfarrón, rellenos de carne, cocidos	39	6,5 onzas	38	15
Real Fruit Bars, barras de fruta procesada con sabor a fresa	90	1 onza	26	23
Refresco, *Coca Cola*®	53	8 onzas	26	14
Refresco, *Fanta*®, de naranja	68	8 onzas	34	23
Relleno de pan para ave	74	1 onza	21	16
Remolacha, de lata	64	½ taza	7	5
Repollo, crudo	[0]	1 taza	0	0
Res, carne de	[0]	4 onzas	0	0
Resource Diabetic™, complemento alimenticio, de vainilla (Novartis, EE.UU.)	34	8 onzas	23	8
Rice Krispies Treat™, barra alimenticia	63	1 onza	24	15
Rice Krispies™, cereal de desayuno	87	1¼ tazas	26	21
Risotto de arroz *arborio*, cocido	69	¾ taza	53	36
Rollo de fruta	61	2 piezas	24	15
Roll-Ups®, merienda de fruta procesada	99	1 onza	25	24
Ryvita®, galletas	69	3 reb.	16	11
Sacarosa	68 (pdo.)	1 cda.	10	7
Salami	[0]	4 onzas	0	0
Salchichas fritas	28	3,5 onzas	3	1
Salvado de arroz, procesado	19	1 onza	14	3
Salvado de avena, crudo	55 (pdo.)	2 cdas.	5	3
Sandía fresca	72	4 onzas	6	4
Scones, sin nada	92	1 onza	9	8
Sémola, al vapor	55	⅓ taza (seca)	50	28
Shredded Wheat™, biscuits	62	1 onza	18	11

ALIMENTO	Valor en IG Glucosa = 100	Tmo. nml. de rac.	Cbhtos. dspnbls. por rac.	CG por rac.
Shredded Wheat, cereal de desayuno	75 (pdo.)	⅔ taza	20	15
Skittles®	70	45 piezas	45	32
Smacks™, cereal de desayuno	71	¾ taza	23	11
Snickers Bar®	68	2,2 onzas	35	23
Social Tea Biscuits	55	6 gtas.	19	10
Sopa de chícharo partido	60	1 taza	27	16
Sopa de chícharo verde, de lata	66	8 onzas	41	27
Sopa de tomate	38	1 taza	17	6
Special K™, cereal de desayuno	69	1 taza	21	14
Squash, crudo	[0]	⅔ taza	0	0
Stay Trim™, pan de granos integrales (Natural Ovens, EE.UU.)	70	1 onza	15	10
Stoned Wheat Thins	67	14 gal.	17	12
Sushi de salmón	48	3,5 onzas	36	17
Tapioca cocida con leche	81	¾ taza	18	14
Ternera, carne de	[0]	4 onzas	0	0
Toronja, cruda, mediana	25	½	11	3
Tortitas de arroz, blancas	78	3 tortitas	21	17
Tortitas de arroz inflado, blancas	82	3 tortitas	21	17
Tostadas Melba, tipo *Old London*	70	6 piezas	23	16
Total™, cereal de desayuno	76	¾ taza	22	17
Totopos sin nada, salados	63	1,75 onzas	26	17
Trigo *bulgur*, cocido por 20 minutos	48 (pdo.)	¾ taza	26	12
Trigo inflado, cereal de desayuno	80	2 tazas	21	17
Twix® *Cookie Bar* de caramelo	44	2 gtas.	39	17
Ultracal™ con fibra (Mead Johnson, EE.UU.)	40	8 onzas	29	12
Uvas verdes	46 (pdo.)	¾ taza	18	8
Verduras de hoja, crudas	[0]	1½ taza	0	0
Waffles	76	1	13	10
Waffles de la marca *Aunt Jemima*®	76	½ *waffle*	13	10
Weet-Bix™, cereal de desayuno	69	2 *biscuits*	17	12
Wheaties™, cereal de desayuno	82	1 taza	21	17
XLR8® (de naranja) bebida para deportistas	68	8 onzas	15	10
Xylitol, promedio de dos estudios	8	1 cda.	10	1
Yam, pelado y cocido	37 (pdo.)	5 onzas	36	13
Yogur, bajo en grasa (0,9%), de fresa silvestre	31	8 onzas	34	11

ALIMENTO	Valor en IG Glucosa = 100	Tmo. nml. de rac.	Cbhtos. dspnbls. por rac.	CG por rac.
Yogur, bajo en grasa, de fruta, con azúcar	33	8 onzas	35	12
Yogur, bajo en grasa, de fruta, con edulcorante artificial	14	8 onzas	15	2
Zanahoria, pelada, cocida	49	½ taza	5	2
Zanahoria, promedio de cuatro estudios, cruda	47	1 med.	6	3

Tablas amplias

ALIMENTO	Valor en IG Glucosa = 100	Tmo. nml. de rac.	Cbhtos. dspnbls. por rac.	CG por rac.
AZÚCARES Y ALCOHOLES DE AZÚCAR				
Agave azul, néctar, alto en fructosa				
Organic Agave Cactus Nectar, light, 90% de fructosa (Western Commerce, EE.UU.)	11	10	8	1
Organic Agave Cactus Nectar, light, 97% de fructosa (Western Commerce, EE.UU.)	10	10	8	1
Alcoholes y sustitutos de azúcar				
Lactitol				
■ *promedio de dos estudios*	2	10	10	0
Litesse				
Litesse II (Danisco, Reino Unido)	7	10	10	1
Litesse III (Danisco, Reino Unido)	4	10	10	0
Maltitol (edulcorantes o sustancias para crear volumen basados en maltitol)				
Malbit CR (87% maltitol) (Cerestar, Bélgica)	30	10	10	3
Maltidex 100 (> 72% maltitol) (Cerestar, Bélgica)	44	10	10	4
Malbit CH (99% maltitol) (Cerestar, Bélgica)	73	10	10	7
Maltidex 200 (50% maltitol) (Cerestar, Bélgica)	89	10	10	9
Xylitol				
■ *promedio de dos estudios*	8	10	10	1
Fructosa				
Porción de 25 g (Canadá)	11			
Porción de 50 g (Canadá)	12			
Porción de 50 g	20			
Porción de 50 g	21			
Porción de 50 g (EE.UU.)	24			
Porción de 25 g, nutrida con avena	25			
■ *promedio de seis estudios*	19	10	10	2
Glucosa (dextrosa)				
■ *promedio de 11 estudios*	99	10	10	10
Glucosa consumida con 3 gramos de *ginseng* americano				
■ *promedio de dos grupos de sujetos*	78	10	10	8

ALIMENTO	Valor en IG Glucosa = 100	Tmo. nml. de rac.	Cbhtos. dspnbls. por rac.	CG por rac.
Glucosa consumida con goma/fibra				
15 g de fibra de manzana y naranja (FITA, Australia)	79	10	8	6
20 g de goma acacia	85	10	10	9
14,5 g de goma de avena (78% de beta glucano de avena)	57	10	10	6
14,5 g de goma de guar	62	10	10	6
Lactosa				
■ *promedio de tres estudios*	46	10	10	5
Maltosa	105	10	10	11
Miel				
Miel de acacia (Rumania)	32	25	21	7
Yellow box (Australia)	35	25	18	6
Stringy Bark (Australia)	44	25	21	9
Red Gum (Australia)	46	25	18	8
Iron Bark (Australia)	48	25	15	7
Yapunya (Australia)	52	25	17	9
Puro (Capilano, Australia)	58	25	21	12
Commercial Blend (Australia)	62	25	18	11
Salvation Jane (Australia)	64	25	15	10
Commercial Blend (Australia)	72	25	13	9
Miel NE ▲ (Canadá)	87	25	21	18
■ *promedio de 11 tipos de miel*	55	25	18	10
Sacarosa				
■ *promedio de 8 estudios*	61	10	10	6

BARRAS ALIMENTICIAS PARA DEPORTISTAS

PowerBar®

PowerBar®, de chocolate (EE.UU.)	58			
PowerBar®, de chocolate (EE.UU.)	53			
■ *promedio de dos estudios*	56	65	42	24
Ironman PR bar®, de chocolate (EE.UU.)	39	65	26	10

BEBIDAS

Coca Cola®, refresco (Australia)	53	250	26	14
Coca Cola®, refresco (EE.UU.)	63	250	26	16
Fanta®, refresco de naranja (Australia)	68	250	34	23
Licor de naranja, rehidratado (Berri)	66	250	20	13
Licuado de frambuesa (Con Agra)	33	250	41	14
Licuado de soya, sabor avellana y chocolate (So Natural)	34	250	25	8

ALIMENTO	Valor en IG Glucosa = 100	Tmo. nml. de rac.	Cbhtos. dspnbls. por rac.	CG por rac.
Licuado de soya, con sabor a plátano amarillo (So Natural)	30	250	22	7
Lucozade®, original (bebida de glucosa con gas)	95	250	42	40
Solo™, Squash de limón, refresco (Australia)	58	250	29	17
Up & Go, sabor malta con cocoa (Sanitarium)	43	250	26	11
Up & Go, sabor malta original (Sanitarium)	46	250	24	11
Xpress, de chocolate (So Natural, Australia)	39	250	34	13
Yakult® (Yakult, Australia)	46	65	12	6
Bebidas para deportistas				
Gatorade® (Australia)	78	250	15	12
Isostar® (Suiza)	70	250	18	13
Sports Plus® (Australia)	74	250	17	13
Sustagen Sport® (Australia)	43	250	49	21
Bebidas preparadas con mezclas comerciales en polvo				
Build-Up™ con fibra (Nestlé)	41	250	33	14
Chocolate en polvo Complete Hot Chocolate, preparado con agua caliente (Nestlé)	51	250	23	11
Hi-Pro, bebida energética en polvo, de vainilla (Harrod)	36	250	19	7
Leche malteada preparada con leche entera de vaca (Nestlé, Australia)	45	250	26	12
Milo™ (mezcla en polvo para bebida de chocolate enriquecida con nutrientes)				
Milo™ (Nestlé, Australia), preparada con agua	55	250	16	9
Milo™ (Nestlé, Auckland, Nueva Zelanda), preparada con agua	52	250	16	9
Milo™ (Nestlé, Australia), preparada con leche entera de vaca	35	250	25	9
Milo™ (Nestlé, Nueva Zelanda), preparada con leche entera de vaca	36	250	26	9
Nutrimeal™, sustituto alimenticio líquido, sabor Dutch Chocolate (EE.UU.)	26	250	17	4
Quik™, de chocolate (Nestlé, Australia), preparada con agua	53	250	7	4
Quik™, de chocolate (Nestlé, Australia), preparada con leche al 1,5%	41	250	11	5

ALIMENTO	Valor en IG Glucosa = 100	Tmo. nml. de rac.	Cbhtos. dspnbls. por rac.	CG por rac.
Quik™, de fresa (Nestlé, Australia), preparada con agua	64	250	8	5
Quik™, de fresa (Nestlé, Australia), preparada con leche al 1,5%	35	250	12	4

Jugos

Bebida de jugo de arándano agrio (*Ocean Spray*®, Reino Unido)	56	250	29	16
Jugo de arándano agrio (*Ocean Spray*®, Australia)	52	250	31	16
Jugo de arándano agrio (*Ocean Spray*®, EE.UU.)	68	250	36	24

Jugo de manzana

Jugo de manzana, puro, sin edulcorante, rehidratado (Australia)	39			
Jugo de manzana, sin edulcorante	40			
Jugo de manzana, sin edulcorante (Canadá)	41			
■ *promedio de tres estudios*	40	250	29	12
Jugo de manzana, puro, espeso, sin edulcorante (*Wild About Fruit*, Australia)	37	250	28	10
Jugo de manzana, puro, transparente, sin edulcorante (*Wild About Fruit*, Australia)	44	250	30	13

Jugo de naranja

Jugo de naranja (Canadá)	46	250	26	12
Jugo de naranja, sin edulcorante (*Quelch*®, Australia)	53	250	18	9
Jugo de piña, sin edulcorante (Dole, Canadá)	46	250	34	16
Jugo de tomate, de lata, sin azúcar adicional (Berri, Australia)	38	250	9	4
Jugo de toronja, sin edulcorante (Sunpac, Canadá)	48	250	22	11
Jugo de zanahoria fresco (Sidney, Australia)	43	250	23	10

CEREALES

Alforjón

Alforjón (Canadá)	49			
Alforjón (Canadá)	51			
Alforjón (Canadá)	63			
■ *promedio de tres estudios*	54	150	30	16

ALIMENTO	Valor en IG Glucosa = 100	Tmo. nml. de rac.	Cbhtos. dspnbls. por rac.	CG por rac.
Alforjón descascarado y medio molido, cocido por 12 minutos (Suecia)	45	150	30	13
Amaranto				
Amaranto reventado, con leche	97	30	22	21
Arroz				
Arroz *basmati*				
Arroz *basmati*, cocido (Mahatma, Australia)	58	150	38	22
Arroz *basmati* de cocción rápida, *Uncle Ben's® Superior* (Bélgica)	60	150	38	23
Arroz *basmati* precocido, *Uncle Ben's Express®* (Reino Unido)	57	150	41	24
Arroz blanco				
Arborio, arroz para *risotto*, cocido (*Sun Rice*, Australia)	69	150	53	36
Blanco (*Oryza sativa*), cocido (India)	69	150	43	30
Tipo NE ▲ (Francia)	45	150	30	14
Tipo NE ▲ (India)	48	150	38	18
Tipo NE ▲ (Canadá)	51	150	42	21
Tipo NE ▲ (Francia)	52	150	36	19
Tipo NE ▲ (Canadá)	56	150	42	23
Tipo NE ▲ (Pakistán)	69	150	38	26
Tipo NE ▲ (Canadá)	72	150	42	30
Tipo NE ▲, cocido en agua con sal (India)	72	150	38	27
Tipo NE ▲, cocido por 13 minutos (Italia)	102	150	30	31
Tipo NE ▲ (Kenia)	112	150	42	47
Tipo NE ▲, cocido (Francia)	43	150	30	13
Tipo NE ▲, cocido (Francia)	47	150	30	14
Tipo NE ▲, cocido en agua con sal, metido en el refrigerador de 16 a 20 horas, recalentado (India)	53	150	38	20
Tipo NE ▲, cocido por 13 minutos y luego horneado por 10 minutos (Italia)	104	150	30	31
Arroz blanco, alto en amilasa				
Arroz de Bangladesh variedad BR16 (28% amilasa)	37	150	39	14
Arroz de Bangladesh variedad BR16, de grano largo (27% amilasa)	39	150	39	15
■ *promedio de dos estudios*	38	150	39	15
Arroz *doongara*, blanco (Rice Growers, Australia)	50			

ALIMENTO	Valor en IG Glucosa = 100	Tmo. nml. de rac.	Cbhtos. dspnbls. por rac.	CG por rac.
Arroz *doongara*, blanco (Rice Growers, Australia)	64			
Arroz *doongara*, blanco (Rice Growers, Australia)	54			
■ *promedio de tres estudios*	56	150	39	22
Arroz *Koshikari (Japonica)*, de grano corto (Japón)	48	150	38	18
Arroz blanco, bajo en amilasa				
Arroz blanco, bajo en amilasa, cocido (Turquía)	139	150	43	60
Arroz blanco *Calrose*, de grano mediano, cocido (Rice Growers, Australia)	83	150	43	36
Arroz ceroso (0–2% de amilasa) (Rice Growers, Australia)	88	150	43	38
Arroz *Pelde*, blanco (Rice Growers, Australia)	93	150	43	40
Arroz *Sungold, Pelde,* sancochado (Rice Growers, Australia)	87	150	43	37
Arroz de grano largo, cocido				
De grano largo, cocido por 5 minutos (Canadá)	41	150	40	16
De grano largo, cocido por 15 minutos (Mahatma, Australia)	50	150	43	21
Gem de grano largo (Dainty Food, Canadá)	55	150	40	22
De grano largo (*Uncle Ben's*, Nueva Zelanda)	56	150	43	24
De grano largo, cocido por 25 minutos (Surinam)	56	150	43	24
Gem de grano largo (Dainty, Canadá)	57	150	40	23
De grano largo, cocido por 15 minutos	58	150	40	23
Gem de grano largo (Dainty, Canadá)	60	150	40	24
Gem de grano largo (Dainty, Canadá)	60	150	40	24
De grano largo, cocido por 7 minutos (Star, Canadá)	64	150	40	26
■ *promedio de 10 estudios*	56	150	41	23
Arroz de grano largo y cocción rápida				
De grano largo, cocido en el micro-ondas por 2 minutos (*Express Rice*, Masterfoods, Reino Unido)	52	150	37	19
De grano largo, sancochado por 10 minutos (*Uncle Ben's*, Bélgica)	68	150	37	25
De grano largo, sancochado por 20 minutos (*Uncle Ben's*, Bélgica)	75	150	37	28

ALIMENTO	Valor en IG Glucosa = 100	Tmo. nml. de rac.	Cbhtos. dspnbls. por rac.	CG por rac.
Arroz instantáneo o inflado				
Arroz *doongara* instantáneo, blanco, cocido por 5 minutos (Rice Growers, Australia)	94	150	42	35
Arroz instantáneo, blanco, cocido por 1 minuto (Canadá)	46	150	42	19
Arroz instantáneo, blanco, cocido por 6 minutos (*Trice Brand*, Australia)	87	150	42	36
Arroz inflado, blanco, cocido por 5 minutos, *Uncle Ben's Snabbris®* (Bélgica)	74	150	42	31
■ *promedio de tres estudios*	69	150	42	29
Arroz integral				
Arroz integral (Canadá)	66	150	33	21
Arroz integral al vapor (EE.UU.)	50	150	33	16
Arroz integral (*Oriza Sativa*), cocido (Sur de la India)	50	150	33	16
■ *promedio de tres estudios*	55	150	33	18
Arroz *Calrose* integral (Rice Growers, Australia)	87	150	38	33
Arroz *doongara* integral, alto en amilasa (Rice Growers, Australia)	66	150	37	24
Arroz *Pelde* integral (Rice Growers, Australia)	76	150	38	29
Sancochado, cocido por 20 minutos, de la marca *Uncle Ben's Natur-reis®* (Bélgica)	64	150	36	23
Sunbrown Quick™ (Rice Growers, Australia)	80	150	38	31
Arroz sancochado				
Arroz convertido blanco, de la marca *Uncle Ben's®* (Canadá)	45	150	36	16
Arroz convertido blanco, cocido por 20–30 minutos, de la marca *Uncle Ben's®* (EE.UU.)	38	150	36	14
Arroz convertido blanco, de grano largo, cocido por 20–30 minutos, *Uncle Ben's®* (EE.UU.)	50	150	36	18
Arroz sancochado (Canadá)	48	150	36	18
Arroz sancochado (EE.UU.)	72	150	36	26
Hervido por 12 minutos (Dinamarca)	39	150	36	14
Hervido por 12 minutos (Dinamarca)	42	150	36	15
Hervido por 12 minutos (Dinamarca)	43	150	36	16
Hervido por 12 minutos (Dinamarca)	46	150	36	17
De grano largo, cocido por 5 minutos (Canadá)	38	150	36	14

ALIMENTO	Valor en IG Glucosa = 100	Tmo. nml. de rac.	Cbhtos. dspnbls. por rac.	CG por rac.
De grano largo, cocido por 10 minutos (EE.UU.)	61	150	36	22
De grano largo, cocido por 15 minutos (Canadá)	47	150	36	17
De grano largo, cocido por 25 minutos (Canadá)	46	150	36	17
■ *promedio de trece estudios*	47	150	36	17
Arroz sancochado, alto en amilasa				
Arroz de Bangladesh, variedad BR16 (28% amilasa)	35	150	37	13
Arroz de Bangladesh, variedad BR16, método tradicional (27% amilasa)	32	150	38	12
Arroz de Bangladesh, variedad BR16, sancochado en olla de presión (27% amilasa)	27	150	41	11
Arroz de Bangladesh, variedad BR4 (27% amilasa)	33	150	38	13
Arroz *doongara* sancochado, alto en amilasa (28%) (Rice Growers, Australia)	50	150	39	19
■ *promedio de 5 estudios*	35	150	39	14
Arroz sancochado, bajo en amilasa				
Arroz de Bangladesh, variedad BR2, sancochado (12% amilasa)	51	150	38	19
Arroz sancochado, *Sungold* (Rice Growers, Australia)	87	150	39	34
Especialidades de arroz				
Cajun Style, Uncle Ben's® (Effem Foods, Canadá)	51	150	37	19
Garden Style, Uncle Ben's® (Effem Foods, Canadá)	55	150	37	21
Glutinoso (Tailandia)	98	150	32	31
Jazmín (Tailandia)	109	150	42	46
Long Grain and Wild, Uncle Ben's® (Effem Foods, Canadá)	54	150	37	20
Mexico Fast and Fancy, Uncle Ben's® (Effem Foods, Canadá)	58	150	37	22
Quebrado (Lion Alimentos, Tailandia)	86	150	43	37
Silvestre tipo Saskatchewan (Canadá)	57	150	32	18
Cebada				
Cebada perla				
Cebada perla (Canadá)	22			
Cebada (Canadá)	22			
Cebada escocesa, cocida en agua con sal por 20 minutos	25			

ALIMENTO	Valor en IG Glucosa = 100	Tmo. nml. de rac.	Cbhtos. dspnbls. por rac.	CG por rac.
Cebada (Canadá)	27			
Cebada perla (Canadá)	29			
■ *promedio de cinco estudios*	25	150	42	11
Cebada (*Hordeum vulgare*) (India)	37			
Cebada (*Hordeum vulgare*) (India)	48			
■ *promedio de dos grupos de sujetos*	43	150	42	26
Cebada quebrada (Malthouth, Túnez)	50	150	42	21
Copos de cebada (Australia)	66	50 (seca)	38	25

Centeno

Centeno, de granos enteros (Canadá)	29	50 (seco)	38	11
Centeno, de granos enteros, cocido en olla de presión (Canadá)	34	50 (seco)	38	13
Centeno, de granos enteros (Canadá)	39	50 (seco)	38	15
■ *promedio de tres estudios*	34	50 (seco)	38	13

Cuscús

Cuscús, cocido por 5 minutos (EE.UU.)	61			
Cuscús, cocido por 5 minutos (Túnez)	69			
■ *promedio de dos estudios*	65	150	35	23

Maíz

Harina de maíz

Harina de maíz, cocida en agua con sal por 2 minutos (Canadá)	68	150	13	9
Harina de maíz + margarina (Canadá)	69	150	12	9
■ *promedio de dos estudios*	69	150	13	9

Maíz

Maíz (*Zea mays*), harina, preparada como *chapatti* (India)	59	–	–	–
Papilla/gachas de maíz (Kenia)	109	–	–	–

Maíz dulce

Envoltura dura para tacos de harina de maíz, al horno (*Old El Paso*, Canadá)	68	20	12	8
Maíz dulce, variedad *"Honey & Pearl"* (Nueva Zelanda)	37	150	30	11
Maíz dulce, en la mazorca, cocido por 20 minutos (Australia)	48	150	30	14
Maíz dulce (Canadá)	59	150	33	20
Maíz dulce (EE.UU.)	60	150	33	20
Maíz dulce (Sudáfrica)	62	150	33	20
promedio de cinco estudios	53	150	32	17
Maíz dulce, congelado, recalentado en el microondas (Canadá)	47	150	33	16
Maíz dulce, de lata, para dieta (EE.UU.)	46	150	28	13

ALIMENTO	Valor en IG Glucosa = 100	Tmo. nml. de rac.	Cbhtos. dspnbls. por rac.	CG por rac.
Millo				
Millo, cocido (Canadá)	71	150	36	25
Papilla de harina de millo (Kenia)	107	–	–	–
Trigo				
Sémola				
Sémola, tostada a 247°F (105°C) y luego gelatinizada con agua (India)	55			
Sémola, al vapor y gelatinizada (India)	54			
■ *promedio de dos estudios*	55	150	11	6
Trigo, granos enteros				
Trigo, granos enteros *(Triticum aestivum)* (India)	30	50 (seco)	38	11
Trigo, granos enteros (Canadá)	42	50 (seco)	33	14
Trigo, granos enteros, cocidos a presión (Canadá)	44	50 (seco)	33	14
Trigo, granos enteros (Canadá)	48	50 (seco)	33	16
■ *promedio de cuatro estudios*	41	50 (seco)	34	14
Trigo, tipo NE ▲ (India)	90	50 (seco)	38	34
Trigo, granos precocidos				
De cocción rápida (White Wings, Australia)	54	150	47	25
Harina de trigo fanfarrón, precocida en una bolsa, recalentada (Francia)	40	125	39	16
Harina de trigo fanfarrón, precocida, cocida por 20 minutos (Francia)	52	50 (seca)	37	19
Harina de trigo fanfarrón, precocida, cocida por 10 minutos (Francia)	50	50 (seca)	33	17
Trigo quebrado (*bulgur*)				
Trigo *bulgur*, cocido (Canadá)	46			
Trigo *bulgur*, cocido en 26 onzas (800 ml) de agua por 20 minutos (Canadá)	46			
Trigo *bulgur*, cocido por 20 minutos (Canadá)	46			
Trigo *bulgur*, cocido por 20 minutos (Canadá)	53			
■ *promedio de cuatro estudios*	48	150	26	12

CEREALES DE DESAYUNO Y PRODUCTOS SIMILARES

All-Bran				
All-Bran™ (Kellogg's, Australia)	30	30	15	4
All-Bran® (Kellogg's, EE.UU.)	38	30	23	9

ALIMENTO	Valor en IG Glucosa = 100	Tmo. nml. de rac.	Cbhtos. dspnbls. por rac.	CG por rac.
All-Bran™ (Kellogg's Inc., Canadá)	50	30	23	9
All-Bran™ (Kellogg's Inc., Canadá)	51	30	23	9
■ *promedio de cuatro estudios*	42	30	21	9
All-Bran Fruit 'n' Oats™ (Kellogg's, Australia)	39	30	17	7
All-Bran Soy 'n' Fiber™ (Kellogg's, Australia)	33	30	14	4
Amaranto, reventado, con leche (India)	97	30	19	18
Avena, papillas preparadas con copos de				
Papilla (Uncle Toby's, Australia)	42	250	21	9
Papilla (Canadá)	49	250	23	11
Avena tradicional para papilla (Lowan, Australia)	51	250	21	11
Papilla (Hubbards, Nueva Zelanda)	58	250	21	12
Papilla (Australia)	58	250	21	12
Papilla (Canadá)	62	250	23	14
Papilla (Canadá)	69	250	23	16
Papilla (EE.UU.)	75	250	23	17
■ *promedio de ocho estudios*	58	250	22	13
Papilla de avena preparada con hojuelas delgadas tostadas (Suecia)	69	250	27	19
Papilla de avena preparada con hojuelas delgadas tostadas y cocidas al vapor (Suecia)	80	250	27	22
Papilla de avena preparada con hojuelas gruesas (Suecia)	55	250	27	15
Papilla de avena preparada con hojuelas gruesas (1 mm) descascaradas y cocidas al vapor (Suecia)	53	250	27	14
Papilla de avena preparada con hojuelas gruesas tostadas (Suecia)	50	250	27	14
Papilla de harinas de avena y trigo integral (Suecia)	74	50 (seca)	32	24
Papillas instantáneas				
Quick Oats (Quaker Oats, Canadá)	65			
One Minute Oats (Quaker Oats, Canadá)	66			
■ *promedio de dos estudios*	66	250	26	17
Biscuits de trigo				
Vita-Brits™ (Uncle Toby's, Australia)	61	30	20	12
Vita-Brits™ (Uncle Toby's, Australia)	68	30	20	13
Weet-Bix™ (Sanitarium, Australia)	69	30	17	12
Weet-Bix™ (Sanitarium, Australia)	69	30	17	12
Weetabix™ (Weetabix, Canadá)	74	30	22	16
Weetabix™ (Weetabix, Canadá)	75	30	22	16
Whole wheat Goldies™ (Kellogg's, Australia)	70	30	20	14
■ *promedio de siete estudios*	70	30	19	13

ALIMENTO	Valor en IG Glucosa = 100	Tmo. nml. de rac.	Cbhtos. dspnbls. por rac.	CG por rac.
Biscuits de trigo con ingredientes adicionales				
Good Start™, muesli de biscuits de trigo (Sanitarium, Australia)	68	30	20	14
Hi-Bran Weet-Bix™, biscuits de trigo (Sanitarium, Australia)	61	30	17	10
Hi-Bran Weet-Bix™ con soya y semilla de lino (Sanitarium, Australia)	57	30	16	9
Honey Goldies™ (Kellogg's, Australia)	72	30	21	15
Lite-Bix™, sin nada, sin azúcar adicional (Sanitarium, Australia)	70	30	20	14
Raisin Goldies™ (Kellogg's, Australia)	65	30	21	13
Salvado de avena Weet-Bix™ (Sanitarium, Australia)	57	30	20	11
Bran Buds™ (Kellogg's, Canadá)	58	30	12	7
Bran Buds con semilla de pulguera (zaragatona, psyllium) (Kellogg's, Canadá)	47	30	12	6
Bran Chex™ (Nabisco, Canadá)	58	30	19	11
Bran Flakes™ (Kellogg's, Australia)	74	30	18	13
Cebada, papillas de				
De harinas de cebada alta en fibra y trigo integral (Suecia)	55	50 (seca)	15	8
De harinas de cebada y trigo integral (100% cebada normal) (Suecia)	68	50 (seca)	34	23
De hojuelas descascaradas delgadas (Suecia)	62	50 (seca)	28	17
De hojuelas descascaradas gruesas (Suecia)	65	50 (seca)	28	18
Cheerios™ (General Mills, Canadá)	74	30	20	15
Chocapic™ (Nestlé, Francia)	84	30	25	21
Coco Pops™ (Kellogg's, Australia)	77	30	26	20
Corn Bran™ (Quaker Oats, Canadá)	75	30	20	15
Corn Chex™ (Nabisco, Canadá)	83	30	25	21
Corn Flakes™				
Cornflakes™ (Kellogg's, Nueva Zelanda)	72	30	25	18
Cornflakes™ (Kellogg's, Australia)	77	30	25	20
Cornflakes™ (Kellogg's, Canadá)	80	30	26	21
Cornflakes™ (Kellogg's, Canadá)	86	30	26	22
Corn Flakes™ (Kellogg's, EE.UU.)	92	30	26	24
■ promedio de cinco estudios	81	30	26	21
Cornflakes, altos en fibra (Presidents Choice, Canadá)	74	30	23	17
Cornflakes, Crunchy Nut™ (Kellogg's, Australia)	72	30	24	17
Corn Pops™ (Kellogg's, Australia)	80	30	26	21
Cream of Wheat™ (Nabisco, Canadá)	66	250	26	17

ALIMENTO	Valor en IG Glucosa = 100	Tmo. nml. de rac.	Cbhtos. dspnbls. por rac.	CG por rac.
Cream of Wheat™, instantáneo (Nabisco, Canadá)	74	250	30	22
Crispix™ (Kellogg's, Canadá)	87	30	25	22
Energy Mix™ (Quaker, Francia)	80	30	24	19
Froot Loops™ (Kellogg's, Australia)	69	30	26	18
Frosties™, Cornflakes azucarados (Kellogg's, Australia)	55	30	26	15
Fruitful Lite™ (Hubbards, Nueva Zelanda)	61	30	20	12
Fruity-Bix™, de bayas (Sanitarium, Nueva Zelanda)	113	30	22	25
Golden Grahams™ (General Mills, Canadá)	71	30	25	18
Golden Wheats™ (Kellogg's, Australia)	71	30	23	16
Grapenuts™				
Grapenuts™ (Post, Kraft, Canadá)	67	30	19	13
Grapenuts™ (Kraft, EE.UU.)	75	30	22	16
■ promedio de dos estudios	71	30	21	15
Grapenuts™ Flakes (Post, Canadá)	80	30	22	17
Guardian™ (Kellogg's, Australia)	37	30	12	5
Healthwise™, para la salud del corazón (Uncle Toby's, Australia)	48	30	19	9
Healthwise™, para la salud intestinal (Uncle Toby's, Australia)	66	30	18	12
Honey Rice Bubbles™ (Kellogg's, Australia)	77	30	27	20
Honey Smacks™ (Kellogg's, Australia)	71	30	23	16
Cereal caliente, de manzana y canela (Con Agra Inc., EE.UU.)	37	30	22	8
Cereal caliente, sin saborizante (Con Agra Inc., EE.UU.)	25	30	19	5
Just Right™ (Kellogg's, Australia)	60	30	22	13
Just Right Just Grains™ (Kellogg's, Australia)	62	30	23	14
Komplete™ (Kellogg's, Australia)	48	30	21	10
Life™ (Quaker Oats Co., Canadá)	66	30	25	16
Mini Wheats™, de grosella negra (Kellogg's, Australia)	72	30	21	15
Mini Wheats™, de trigo integral (Kellogg's, Australia)	58	30	21	12
Muesli				
Alpen Muesli (Wheatabix, Francia)	55	30	19	10
Muesli (Canadá)	66	30	24	16
Muesli, fórmula suiza (Uncle Toby's, Australia)	56	30	16	9
Muesli, sin gluten (Freedom Alimentos, Australia)	39	30	19	7
Muesli, Lite (Sanitarium, Nueva Zelanda)	54	30	18	10

ALIMENTO	Valor en IG Glucosa = 100	Tmo. nml. de rac.	Cbhtos. dspnbls. por rac.	CG por rac.
Muesli, natural (Sanitarium, Nueva Zelanda)	57	30	19	11
Muesli, natural (Sanitarium, Australia)	40	30	19	8
■ *promedio de dos estudios*	49	30	20	10
Muesli, No Name (Sunfresco, Canadá)	60	30	18	11
Muesli tostado (Purina, Australia)	43	30	17	7
Nutrigrain™ (Kellogg's, Australia)	66	30	15	10
Oat 'n' Honey Bake™ (Kellogg's, Australia)	77	30	17	13
Pop Tarts™ de doble chocolate (Kellogg's, Australia)	70	50	36	25
Pro Stars™ (General Mills, Canadá)	71	30	24	17
Raisin Bran™ (Kellogg's, EE.UU.)	61	30	19	12
Raisin Bran™ (Kellogg's, Australia)	73	30	19	14
Red River Cereal (Maple Leaf Mills, Canadá)	49	30	22	11
Rice Bubbles™ (arroz inflado)				
Rice Bubbles™ (Kellogg's, Australia)	81			
Rice Bubbles™ (Kellogg's, Australia)	85			
Rice Bubbles™ (Kellogg's, Australia)	95			
■ *promedio de tres estudios*	87	30	26	22
Rice Chex™ (Nabisco, Canadá)	89	30	26	23
Rice Krispies™ (Kellogg's, Canadá)	82	30	26	21
Salvado de arroz, procesado (Rice Growers, Australia)	19	30	14	3
Salvado de avena				
Salvado de avena, crudo (Quaker Oats, Canadá)	50	10	5	2
Salvado de avena, crudo	59	10	5	3
■ *promedio de dos estudios*	55	10	5	3
Shredded Wheat				
Shredded Wheat (Canadá)	67	30	20	13
Shredded Wheat™ *(Nabisco, Canadá)*	*83*	*30*	*20*	*17*
■ *promedio de dos estudios*	75	30	20	15
Soytana™ (Vogel's, Australia)	49	45	25	12
Soy Tasty™ (Sanitarium, Australia)	60	30	20	12
Special K™: *la formulación de este cereal varía en los distintos países*				
Special K™ (Kellogg's, Australia)	54	30	21	11
Special K™ (Kellogg's, EE.UU.)	69	30	21	14
Special K™ (Kellogg's, Francia)	84	30	24	20
Sustain™ (Kellogg's, Australia)	68	30	22	15
Team™ (Nabisco, Canadá)	82	30	22	17
Thank Goodness™ (Hubbards, Nueva Zelanda)	65	30	23	15
Total™ (General Mills, Canadá)	76	30	22	17

ALIMENTO	Valor en IG Glucosa = 100	Tmo. nml. de rac.	Cbhtos. dspnbls. por rac.	CG por rac.
Trigo inflado				
Trigo inflado (Quaker Oats, Canadá)	67	30	20	13
Trigo inflado (Sanitarium, Australia)	80	30	21	17
■ *promedio de dos estudios*	74	30	21	16
Ultra-bran™ (Vogel's, Australia)	41	30	13	5
Wheat-bites™ (Uncle Toby's, Australia)	72	30	25	18

BARRAS ALIMENTICIAS DE CEREAL

ALIMENTO				
Crunchy Nut Cornflakes™ (Kellogg's, Australia)	72	30	26	19
Fiber Plus™ (Uncle Toby's, Australia)	78	30	23	18
Fruity-Bix™, de bayas silvestres (Sanitarium, Australia)	51	30	19	9
Fruity-Bix™, de frutas y frutos secos (Sanitarium, Australia)	56	30	19	10
K-Time Just Right™ (Kellogg's, Australia)	72	30	24	17
K-Time Strawberry Crunch™ (Kellogg's, Australia)	77	30	25	19
Rice Bubble Treat™ (Kellogg's, Australia)	63	30	24	15
Sustain™ (Kellogg's, Australia)	57	30	25	14

COCINAS INDÍGENAS E INTERNACIONALES

ABORIGEN AUSTRALIANA

ALIMENTO				
Acacia aneura, semilla de mulga, tostada y molida húmeda hasta obtener una pasta	8	50	17	1
Acacia coriacea (desert oak), pan de semillas	46	75	24	11
Araucaria bidwillii, nuez del árbol bunya, horneada por 10 minutos	47	50	16	7
Castanospermum australe, semilla de frijol negro	8	50	9	1
Dioscorea bulbifera (nombre australiano)	34	150	36	12
Macrozamia communis, semilla de la palmera cicádea	40	50	25	10
Miel silvestre, bolsa de azúcar	43	30	25	11

AFRICANA

ALIMENTO				
Frijoles cafés (Sudáfrica)	24	50 (secos)	25	6
Ga kenkey, preparado con harina de maíz fermentada (Ghana)	12	150	13	7
Gari, masa de yuca asada (*Manihot utilissima*) (Ghana)	56	100	27	15
Gram dhal (Sudáfrica)	5	50 (secos)	29	1

ALIMENTO	Valor en IG Glucosa = 100	Tmo. nml. de rac.	Cbhtos. dspnbls. por rac.	CG por rac.
M'fino/Morogo, verduras silvestres de hoja verde (Sudáfrica)	68	120	50	34
Papilla de harina de maíz (Sudáfrica)	71	50 (seca)	36	25
Papilla de harina de maíz (Sudáfrica)	74	50 (seca)	40	30
Papilla de harina de maíz (Kenia)	109	50 (seca)	38	41
Papilla de harina de millo (Kenia)	107	–	–	–
Plátano (plátano macho) verde (Musa paradisiaca) (Ghana)	40	120 (crudo)	34	13
Ñame (Dyscoria species) (Ghana)	66	150	36	23
Yuca, cocida (Kenia)	46	100	27	12

ÁRABE Y TURCA

ALIMENTO	Valor en IG Glucosa = 100	Tmo. nml. de rac.	Cbhtos. dspnbls. por rac.	CG por rac.
Cuscús	58	250	29	17
Hojas de vid rellenas (de arroz y carne de cordero, con salsa de tomate)	30	100	15	5
Hummus	6	30	5	0
Kibbeh saynieh (preparado con carne de cordero y burghul)	61	120	15	9
Majadra (plato sirio de lenteja y arroz)	24	250	41	10
Panecillo libanés (pan, hummus, falafel y tabbouleh)	86	120	45	39
Pan turco blanco, de harina de trigo	87	30	17	15
Pan turco de trigo integral	49	30	16	8
Sopa tarhana (harina de trigo, yogur, tomate, pimiento verde)	20	–	–	–
Sopa turca de fideos	1	250	9	0

ASIÁTICA

ALIMENTO	Valor en IG Glucosa = 100	Tmo. nml. de rac.	Cbhtos. dspnbls. por rac.	CG por rac.
Albóndiga de arroz glutinoso con pastel glutinoso partido (mochi) (Japón)	48	75	28	14
Arroz blanco, algas secas y leche (Japón)	56	300	47	26
Arroz blanco bajo en proteínas con algas secas (Japón)	70	150	60	42
Arroz blanco con algas envueltos en una lámina de algas tostadas (Japón)	77	150	51	39
Arroz blanco con ciruela seca salada (umeboshi) (Japón)	80	150	49	39
Arroz blanco con frijol de soya asado y molido (Japón)	56	150	51	29
Arroz blanco con frijol de soya fermentado (natto) (Japón)	56	150	43	24
Arroz blanco con leche semidescremada (Japón)	69	300	47	32
Arroz blanco con mantequilla (Japón)	79	150	51	40
Arroz blanco con sopa instantánea de miso (Japón)	61	150	47	29
Arroz blanco con tira de pescado seco (okaka) (Japón)	79	150	50	40

ALIMENTO	Valor en IG Glucosa = 100	Tmo. nml. de rac.	Cbhtos. dspnbls. por rac.	CG por rac.
Arroz blanco con un huevo crudo y salsa de soya (Japón)	72	150	36	26
Arroz blanco con vinagre y pepino en escabeche (Japón)	63	150	43	27
Arroz blanco y yogur (Japón)	59	150	32	19
Arroz con *curry* (Japón)	67	150	61	41
Arroz con *curry* y queso (Japón)	55	150	49	27
Arroz glutinoso (Tailandia)	98	150	32	31
Arroz glutinoso (Japón)	86	150	65	55
■ *promedio de dos estudios*	92	150	48	44
Arroz jazmín (Tailandia)	109	150	42	46
Arroz quebrado, blanco (Tailandia)	86	150	43	37
Bola de arroz asada (Japón)	77	75	27	21
Bola salada de arroz (Japón)	80	75	26	20
Fideo cabellos de ángel, de arroz, *Kongmoon* (China)	58	180	39	22
Fideos chinos transparentes *Lungkow* (China)	26	180	45	12
Fideos de frijoles *mung* secos, cocidos (China)	39	180	45	18
Fideos secos de *soba*, instantáneos, recalentados (Japón)	46	180	49	22
Fideos *udon*, instantáneos, con salsa y queso de soya frito (Japón)	48	180	47	23
Fideos *udon*, frescos (Australia)	62	180	48	30
■ *promedio de dos estudios*	55	180	48	26
Gachas de arroz con algas secas (Japón)	81	250	19	15
Galleta de arroz, sin nada (Sakada, Japón)	91	30	25	23
Harina instantánea de arroz glutinoso, con frijoles de soya asadas (Japón)	65	100	41	27
Harina de arroz sin glutamina, como bebida (Japón)	68	100	50	34
Lichi, de lata en almíbar, escurrido (China)	79	120	20	16
Pasta de arroz, fresca, cocida (Australia)	40	180	39	15
Pasta de arroz, seca, cocida (Tailandia)	61	180	39	23
Sushi de salmón (Australia)	48	100	36	17
Sushi, algas asadas, vinagre y arroz (Japón)	55	100	37	20
■ *promedio de dos estudios*	52	100	37	19
Tortita de arroz glutinoso con algas secas (Japón)	83	75	39	32
Verduras, pollo y arroz fritos y revueltos al estilo asiático (Australia)	73	360	75	55

ASIÁTICA INDIA

Amaranto, *Amarantous esculentum*, reventado, con leche	97	30	19	18

ALIMENTO	Valor en IG Glucosa = 100	Tmo. nml. de rac.	Cbhtos. dspnbls. por rac.	CG por rac.
Arroz, con calabaza y *curry* con tomate	69	150	38	26
Bajra (*Penniseteum typhoideum*) como pan	55			
Bajra (*Penniseteum typhoideum*)	49			
Bajra (*Penniseteum typhoideum*)	67			
■ *promedio de tres estudios*	57	75 (seco)	50	29
Bengal gram dhal, de garbanzos	11	150	36	4
Cebada (*Hordeum vulgare*)	48			
Cebada (*Hordeum vulgare*)	37			
■ *promedio de dos estudios*	43	150	37	16
Chapatti				
Chapatti, de *baisen*	27	–	–	–
Chapatti, de *bajra*	67	–	–	–
Chapatti, de *bajra*	49	–	–	–
Chapatti, de cebada	37	–	–	–
Chapatti, de cebada	48	–	–	–
Chapatti, de harina de amaranto con calabaza y *curry* con tomate	76	60	30	23
Chapatti, de harina de trigo con calabaza y *curry* con tomate	66	60	30	20
Chapatti, de harina de trigo, delgada, con *gram* verde (*Phaseolus aureus*) dhal	44	200	50	22
Chapatti, de maíz (*Zea mays*)	64	–	–	–
Chapatti, de maíz (*Zea mays*)	59	–	–	–
Chapatti, de trigo, frijol indio pequeño (*moth bean*) y *bengal gram*	66	60	38	25
Chapatti, de trigo reventado, frijol indio pequeño (*moth bean*) y *bengal gram*	40	60	36	14
Chapatti, de trigo secado, frijol indio pequeño (*moth bean*) y *bengal gram*	60	60	38	23
Cheela (panqueque delgado picante preparado con harina de legumbres)				
Cheela, de *bengal gram* (*Cicer arietinum*)	42	150	28	12
Cheela, de *bengal gram* (*Cicer arietinum*), masa fermentada	36	150	28	10
Cheela, de *gram* verde (*Phaseolus aureus*)	45	150	26	12
Cheela, de *gram* verde (*Phaseolus aureus*), masa fermentada	38	150	26	10
Curry de lenteja y coliflor con arroz (Australia)	60	360	51	31
Dhokla, con levadura, fermentada, pastel cocido al vapor	35			
Dhokla, con levadura, fermentada, pastel cocido al vapor	31			

ALIMENTO	Valor en IG Glucosa = 100	Tmo. nml. de rac.	Cbhtos. dspnbls. por rac.	CG por rac.
■ promedio de dos grupos de sujetos	33	100	20	6
Dosai (arroz sancochado, fermentado y frito)	77	150	39	30
Dosai (arroz sancochado, fermentado y frito)	55	150	39	22
■ promedio de dos grupos de sujetos	66	150	39	26
Gram dhal negro (Phaseolus mungo)	43	150	18	8
Gram dhal verde con varagu (Paspalum scorbiculatum)	78	78 (seca)	50	39
Gram verde (Phaseolus aureus)	38	150	17	6
Gram verde, con varagu (Paspalum scorbiculatum)	57	80 (seca)	50	29
Horse gram (Dolichos biflorus)	51	150	29	15
Idli (arroz + dhal negro)	77	250	52	40
Idli (arroz + dhal negro)	60	250	52	31
■ promedio de dos grupos de sujetos	69	250	52	36
Jowar, pan de harina de Jowar (Sorghum vulgare)	77	70 (seca)	50	39
Laddu (amaranto reventado, millo/mijo de cola de zorro, harina de legumbres, fenogreco/alholva/rica/fenugreek)	24			
Laddu (amaranto reventado, millo/mijo de cola de zorro, harina de legumbres, fenogreco/alholva/rica/fenugreek)	29			
■ promedio de dos grupos de sujetos	27	50	31	8
Millo/ragi (Eleucine coracana), cocido por 1 hora	68	150	34	23
Millo/ragi (Eleucine coracana)	84	70 (seco)	50	42
Millo/ragi (Eleucine coracana) harina consumida en forma de pan asado	104	70 (seca)	50	52
■ promedio de dos estudios	94	70	50	47
Plátano amarillo (Musa sapientum) Nendra, verde, cocido al vapor por 1 hora	70	120	45	31
Pongal (arroz y gram dhal verde asado)	90			
Pongal (arroz y gram dhal verde asado)	45			
■ promedio de dos grupos de sujetos	68	250	52	35
Poori con palya de papa	82			
Poori con palya de papa	57			
■ promedio de dos grupos de sujetos	70	150	41	28
Rajmah, Phaseolus vulgaris	19	150	30	6
Sémola				
Sémola (Triticum aestivum), al vapor	55	67 (seca)	50	28
Sémola (Triticum aestivum) con bengal gram dhal	54	71 (seca)	50	27

ALIMENTO	Valor en IG Glucosa = 100	Tmo. nml. de rac.	Cbhtos. dspnbls. por rac.	CG por rac.
Sémola (*Triticum aestivum*) con gram dhal negro	46	71 (seca)	50	23
Sémola (*Triticum aestivum*) con gram dhal verde	62	71 (seca)	50	31
Sémola (*Triticum aestivum*), pretostada	76	67 (seca)	50	38
Tapioca (*Manihot utilissima*), cocida al vapor por 1 hora	70	250	18	12
Upittu (sémola tostada y cebolla)	67			
Upittu (sémola tostada y cebolla)	69			
■ *promedio de dos grupos de sujetos*	68	150	42	28
Uppuma kedgeree (millo, legumbres, semilla de fenogreco/ alholva/rica/fenugreek*)	18			
Uppuma kedgeree (millo, legumbres, semilla de fenogreco/ alholva/rica/fenugreek*))	19			
■ *promedio de dos grupos de sujetos*	18	150	33	6
Varagu (*Paspalum scorbiculatum*)	68	76 (seco)	50	34

INDIO PIMA

ALIMENTO	Valor en IG Glucosa = 100	Tmo. nml. de rac.	Cbhtos. dspnbls. por rac.	CG por rac.
Bellotas, cocidas con carne de venado (*Quercus emoryi*)	6	16	100	61
Caldo de habas blancas (*lima beans*) (*Phaseolus lunatus*)	36	250	32	12
Caldo de *teparies* blanco (*Phaseolus acutifolius*)	31	250	32	10
Caldo de *teparies* amarillo (*Phaseolus acutifolius*)	29	250	26	8
Maíz pelado y seco (*Zea mays*)	40	150	30	12
Mermelada de cacto (*Stenocereus thurberi*)	91	30	20	18
Rollo de fruta (*Stenocereus thurberi*)	70	30	24	17
Tortilla (*Zea mays* y Olneya tesota)	38	60	25	9
Tortitas de mesquite (*Prosopis velutina*)	25	60	4	1

ISLAS DEL PACÍFICO

Batata dulce

ALIMENTO	Valor en IG Glucosa = 100	Tmo. nml. de rac.	Cbhtos. dspnbls. por rac.	CG por rac.
Batata dulce, *Ipomoea batatas* (Australia)	44	150	25	11
Batata dulce, *kumara* (Nueva Zelanda)	77	150	25	19
Batata dulce, *kumara* (Nueva Zelanda)	78	150	25	20
■ *promedio de tres estudios*	66	150	25	17
Pana (*Artocarpus altilis*) (Australia)	68	120	27	18

ALIMENTO	Valor en IG Glucosa = 100	Tmo. nml. de rac.	Cbhtos. dspnbls. por rac.	CG por rac.
Plátanos y viandas				
Plátano amarillo verde, cocido (Nueva Zelanda)	38	120	21	8
Malanga				
Malanga (*Colocasia esculenta*) pelada, cocida (Australia)	54			
Malanga, pelada, cocida (Nueva Zelanda)	56			
■ *promedio de dos estudios*	55	150	8	4
Ñame				
Ñame, pelado, cocido (Nueva Zelanda)	25			
Ñame, pelado, cocido (Nueva Zelanda)	35			
■ *promedio de dos grupos de sujetos*	30	150	36	13
ISRAELÍ				
Melawach	61			
Melawach	71			
■ *promedio de dos estudios*	66	115	53	35
Melawach + 15 g de fibra (soluble) de algarrobo (*Ceratonia siliqua*)	31	130	53	16
Melawach + 15 g de fibra de lupino blanco (*Lupinus albus*)	72	130	53	38
Melawach + 15 g de fibra (insoluble) de mazorca de maíz	59	130	53	31
LATINOAMERICANA				
Arepa, panqueque de maíz, preparada con harina de maíz (México)	72	100	43	31
Arepa, preparada con harina de maíz común descascarada (25% de amilasa)	81	100	43	3
Arepa, preparada con harina de maíz descascarada alta en amilasa (70%)	44	100	25	11
Frijoles cafés	38	150	25	9
Frijoles negros	30	150	23	7
Frijoles pintos, cocidos en agua con sal	14	150	25	4
Nopal	7	100	6	0
Tortilla de maíz (México)	52	50	24	12
Tortilla de maíz, con frijoles pintos y salsa de tomate (México)	39	100	23	9
Tortilla de maíz, frita, con puré de papa, tomate y lechuga (México)	78	100	15	11
Tortilla de trigo (México)	30	50	26	8

ALIMENTO	Valor en IG Glucosa = 100	Tmo. nml. de rac.	Cbhtos. dspnbls. por rac.	CG por rac.
Tortilla de trigo con frijoles pintos y salsa de tomate (México)	28	100	18	5

COMIDAS Y ALIMENTOS PREPARADOS

Arroz blanco cocido, hamburguesa de carne de res a la parrilla, queso y mantequilla (Francia)	27	440	50	14
Arroz blanco cocido, hamburguesa de carne de res a la parrilla, queso y mantequilla (Francia)	22	440	50	11
■ *promedio de dos grupos de sujetos*	25	440	50	13
Chuleta de *sirloin* con verduras mixtas y puré de papas (Australia)	66	360	53	35
Espaguetis a la boloñesa, caseros (Australia)	52	360	48	25
Guiso griego de lentejas con un panecillo, casero (Australia)	40	360	37	15
Kugel (plato polaco que contiene pasta de huevo, azúcar, queso y pasas) (Israel)	65	150	48	31
Lean Cuisine™, pollo con arroz (Nestlé, Australia)	36	400	68	24
Nuggets de pollo, congelados, recalentados (Australia)	46	100	16	7

Pan blanco con aderezos

Pan blanco con mantequilla (Canadá)	59	100	48	29
Pan blanco con mantequilla, queso normal de leche de vaca y pepino fresco (Suecia)	55	200	68	38
Pan blanco con mantequilla, yogur y pepinillo (Suecia)	39	200	28	11
Pan blanco con mantequilla y queso de leche descremada (Canadá)	62	100	38	23
Pan blanco con queso de leche descremada (Canadá)	55	100	47	26
Pan de trigo integral o blanco con crema de cacahuate (Canadá)	51	100	44	23
Pan de trigo integral o blanco con crema de cacahuate (Canadá)	67	100	44	30
■ *promedio de dos estudios*	59	100	44	26
Pies de carne de res, tamaño extra-grande (Farmland, Australia)	45	100	27	12
Pescado, barritas (Canadá)	38	100	19	7

Pizza

Pizza de queso (Pillsbury, Canadá)	60	100	27	16

ALIMENTO	Valor en IG Glucosa = 100	Tmo. nml. de rac.	Cbhtos. dspnbls. por rac.	CG por rac.
Pizza, sin nada (Italia)	80	100	27	22
Pizza *Super Supreme*, de bandeja (Pizza Hut, Australia)	36	100	24	9
Pizza *Super Supreme*, delgada y crujiente (Pizza Hut, Australia)	30	100	22	7
Pizza *Vegetarian Supreme*, delgada y crujiente (Pizza Hut, Australia)	49	100	25	12
Salchichas NE ▲ (Canadá)	28	100	3	1
Sushi				
Sushi de salmón (Australia)	48	100	36	17
Sushi de algas marinas asadas, vinagre y arroz (Japón)	55	100	37	20
■ *promedio de dos estudios*	52	100	37	19
Verduras fritas y revueltas al estilo asiático con pollo y arroz, caseras (Australia)	73	360	75	55
COMPLEMENTOS ALIMENTICIOS				
Choice DM™, de vainilla (Mead Johnson, EE.UU.)	23	237 ml	24	6
Enercal Plus™ (Wyeth-Ayerst, EE.UU.)	61	237 ml	40	24
Ensure™ (Abbott, Australia)	50	237 ml	40	19
Ensure™, barra alimenticia, sabor *fudge brownie* de chocolate (Abbott, Australia)	43	38	20	8
Ensure™, de vainilla (Abbott, Australia)	48	250 ml	34	16
Ensure Plus™, de vainilla (Abbott, Australia)	40	237 ml	47	19
Ensure Pudding™, de vainilla (Abbott, EE.UU.)	36	113	26	9
Glucerna™, de vainilla (Abbott, EE.UU.)	31	237 ml	23	7
Jevity™ (Abbott, Australia)	48	237 ml	36	17
Resource™, bebida de frutas, con sabor a melocotón (Novartis, Nueva Zelanda)	40	237 ml	41	16
Resource™, jugo de naranja espeso (Novartis, Nueva Zelanda)	47	237 ml	39	18
Resource™, jugo de naranja espeso (Novartis, Nueva Zelanda)	54	237 ml	36	19
Resource Diabetic™, de chocolate (Novartis, Nueva Zelanda)	16	237 ml	41	7
Resource Diabetic™, de vainilla (Novartis, EE.UU.)	34	237 ml	23	8
Sustagen™, sabor *Dutch Chocolate* (Mead Johnson, Australia)	31	250 ml	41	13
Sustagen™ *Hospital* con fibra adicional (Mead Johnson, Australia)	33	250 ml	44	15

ALIMENTO	Valor en IG Glucosa = 100	Tmo. nml. de rac.	Cbhtos. dspnbls. por rac.	CG por rac.
Sustagen™ *Instant Pudding*, de vainilla (Mead Johnson, Australia)	27	250	47	13
Ultracal™ con fibra (Mead Johnson, EE.UU.)	40	237 ml	29	12

FRUTOS SECOS

Almendras	[0]	50	0	0
Avellanas	[0]	50	0	0

Cacahuate

Cacahuate, triturado (Sudáfrica)	7	50	4	0
Cacahuate (Canadá)	13	50	7	1
Cacahuate (México)	23	50	7	2
■ *promedio de tres estudios*	14	50	6	1
Coquito del Brasil (castaña de Pará)	[0]	50	0	0
Nuez	[0]	50	0	0
Nuez de la India, salada (Coles Supermarkets, Australia)	22	50	13	3
Nuez de macadamia	[0]	50	0	0
Pacana	[0]	50	0	0

GALLETAS

Corn Thins, tortitas de maíz inflado, sin gluten (Real Foods, Australia)	87	25	20	18
Cream Cracker (LU, Brazil)	65	25	17	11

Galleta de agua

Galleta de agua (Canadá)	63	25	18	11
Galleta de agua (Arnotts, Australia)	78	25	18	14
■ *promedio de dos estudios*	71	25	18	13
Galleta de soda *Premium* (Christie Brown, Canadá)	74	25	17	12
Galleta de trigo *Breton* (Dare Foods, Canadá)	67	25	14	10
Galleta rica en calcio (Danone, Malaysia)	52	25	17	9
Jatz™, galletas saladas sin nada (Arnotts, Australia)	55	25	17	10

Pan crujiente de centeno

Kavli™, pan crujiente noruego (Players, Australia)	71	25	16	12
Pan crujiente de centeno (Canadá)	63	25	16	10
Pan crujiente de centeno (*Ryvita*, Reino Unido)	63	25	18	11
Pan crujiente de centeno alto en fibra (*Ryvita*, Reino Unido)	59	25	15	9

ALIMENTO	Valor en IG Glucosa = 100	Tmo. nml. de rac.	Cbhtos. dspnbls. por rac.	CG por rac.
Ryvita™ (Canadá)	69	25	16	11
■ *promedio de cuatro estudios*	64	25	16	11
Puffed Crispbread (Westons, Australia)	81	25	19	15
Sao™, galletas cuadradas sin nada (Arnotts, Australia)	70	25	17	12
Stoned Wheat Thins (Christie Brown, Canadá)	67	25	17	12
Tortitas de arroz inflado				
Tortitas de arroz *Calrose* (bajas en amilasa) (Rice Growers, Australia)	91	25	21	19
Tortitas de arroz *Doongara* (altas en amilasa) (Rice Growers, Australia)	61	25	21	13
Tortitas de arroz inflado (Rice Growers, Australia)	82	25	21	17
■ *promedio de tres estudios*	78	25	21	17
Vita-wheat™ original, pan crujiente (Arnott's, Australia)	55	25	19	10
GALLETITAS				
Arrowroot (McCormick's, Canadá)	63	25	20	13
Arrowroot plus (McCormick's, Canadá)	62	25	18	11
Milk Arrowroot™ (Arnotts, Australia)	69	25	18	12
■ *promedio de tres estudios*	65	25	19	12
Barquette Abricot (LU, Francia)	71	40	32	23
Bebe Dobre Rano Chocolate (LU, República Checa)	57	50	33	19
Bebe Dobre Rano Honey and Hazelnuts (LU, República Checa)	51	50	34	17
Bebe Jemne Susenky (LU, República Checa)	67	25	20	14
Copos de avena (Canadá)	54	25	17	9
Digestivas (Canadá)	55			
Digestivas (Canadá)	59			
Digestivas, *Peak Freans* (Nabisco, Canadá)	62			
■ *promedio de tres estudios*	59	25	16	10
Digestivas, sin gluten (Nutricia, Reino Unido)	58	25	17	10
Evergreen met Krenten (LU, Netherlands)	66	38	21	14
Galletitas de barquillo de harina de malta (Griffin's, Nueva Zelanda)	50	25	17	9
Galletitas de barquillo de vainilla (Christie Brown, Canadá)	77	25	18	14
Galletitas de mantequilla (Arnotts, Australia)	64	25	16	10
Golden Fruit (Griffin's, Nueva Zelanda)	77	25	17	13

ALIMENTO	Valor en IG Glucosa = 100	Tmo. nml. de rac.	Cbhtos. dspnbls. por rac.	CG por rac.
Graham Wafers (Christie Brown, Canadá)	74	25	18	14
Gran'Dia Banana, Oats and Honey (LU, Brazil)	28	30	23	6
Grany en-cas Abricot (LU, Francia)	55	30	16	9
Grany en-cas Fruits des bois (LU, Francia)	50	30	14	7
Grany Rush Apricot (LU, Netherlands)	62	30	20	12
Highland Oatmeal™ (Westons, Australia)	55	25	18	10
Highland Oatcakes (Walker's, Scotland)	57	25	15	8
LU P'tit Déjeuner Chocolat (LU, Francia)	42	50	34	14
LU P'tit Déjeuner Miel et Pépites Chocolat (LU, Francia)	45	50	35	16
LU P'tit Déjeuner Miel et Pépites Chocolat (LU, Francia)	52	50	35	18
LU P'tit Déjeuner Miel et Pépites Chocolat (LU, Francia)	49	50	35	18
■ promedio de tres estudios	49	50	35	17
Morning Coffee™ (Arnotts, Australia)	79	25	19	15
Nutrigrain Fruits des bois (Kellogg's, Francia)	57	35	23	13
Oro (Saiwa, Italia)	61	40	32	20
Oro (Saiwa, Italia)	67	40	32	21
■ promedio de dos estudios	64	40	32	20
Petit LU Normand (LU, Francia)	51	25	19	10
Petit LU Roussillon (LU, Francia)	48	25	18	9
Prince Energie+ (LU, Francia)	73	25	17	13
Prince fourré chocolat (LU, Francia)	53			
Prince fourré chocolat (LU, Francia)	50			
■ promedio de dos estudios	52	45	30	16
Prince Meganana Chocolate (LU, España)	49	50	36	18
Prince Petit Déjeuner Vanille (LU, Francia y España)	45	50	36	16
Rich Tea (Canadá)	55	25	19	10
Sablé des Flandres (LU, Francia)	57	20	15	8
Shredded Wheatmeal™ (Arnotts, Australia)	62	25	18	11
Snack Right Fruit Slice (97% libre de grasa) (Arnott's, Australia)	45	25	19	9
Thé (LU, Francia)	41	20	16	6
Véritable Petit Beurre (LU, Francia)	51	25	18	9

LEGUMBRES Y FRUTOS SECOS

Chícharo marrowfat

Chícharo marrowfat, seco, cocido (EE.UU.)	31			

ALIMENTO	Valor en IG Glucosa = 100	Tmo. nml. de rac.	Cbhtos. dspnbls. por rac.	CG por rac.
Chícharo *marrowfat*, seco, cocido (Canadá)	47			
■ *promedio de dos estudios*	39	150	19	7
Chícharo partido, amarillo, cocido (Nupack, Canadá)	32	150	19	6
Chícharo seco, cocido (Australia)	22	150	9	2

Fideos de frijoles *mung*

Fideos de frijoles *mung* (*Phaseolus areus* Roxb), cocidos (Filipinas)	31	150	17	5
Fideos de frijoles *mung*, cocidos a presión (Australia)	42	150	17	7
Fideos de frijoles *mung*, fritos (Australia)	53			
Fideos de frijoles *mung*, germinados (Australia)	25	150	17	4

Frijoles al horno

Frijoles al horno, de lata (Canadá)	40			
Frijoles al horno, de lata en salsa de tomate (Libby, Canadá)	56			
■ *promedio de dos estudios*	48	150	15	7

Frijoles blancos pequeños

Frijoles blancos pequeños, cocidos a presión (King Grains, Canadá)	29	150	33	9
Frijoles blancos pequeños, secos, cocidos (Canadá)	30	150	30	9
Frijoles blancos pequeños, cocidos (Canadá)	31	150	30	9
Frijoles blancos pequeños (King Grains, Canadá)	39	150	30	12
Frijoles blancos pequeños, cocidos a presión (King Grains, Canadá)	59	150	33	19
■ *promedio de cinco estudios*	38	150	31	12

Frijoles colorados

Frijoles colorados (*Phaseolus vulgaris* Linn), cocido (Filipinas)	13	150	25	3
Frijoles colorados (*Phaseolus vulgaris*) (India)	19	150	25	5
Frijoles colorados (EE.UU.)	23	150	25	6
Frijoles colorados, secos, cocidos (Francia)	23	150	25	6
Frijoles colorados (*Phaseolus vulgaris* L.), cocidos (Suecia)	25	150	25	6
Frijoles colorados (Canadá)	29	150	25	7
Frijoles colorados, secos, cocidos (Canadá)	42	150	25	10

ALIMENTO	Valor en IG Glucosa = 100	Tmo. nml. de rac.	Cbhtos. dspnbls. por rac.	CG por rac.
Frijoles colorados (Canadá)	46	150	25	11
■ *promedio de ocho estudios*	28	150	25	7
Frijoles colorados, de lata (Lancia-Bravo, Canadá)	52	150	17	9
Frijoles colorados (*Phaseolus vulgaris* L.) (esterilizados)	34	150	25	8
Frijoles colorados, remojados por 12 horas, conservados húmedos por 24 horas, cocidos al vapor por 1 hora (India)	70	150	25	17
Frijoles de caritas (Canadá)	50	150	30	15
Frijoles de caritas (Canadá)	33	150	30	10
■ *promedio de dos estudios*	42	150	30	13

Frijoles de soya

ALIMENTO	Valor en IG Glucosa = 100	Tmo. nml. de rac.	Cbhtos. dspnbls. por rac.	CG por rac.
Frijoles de soya, cocidos (Canadá)	15	150	6	1
Frijoles de soya, cocidos (Australia)	20	150	6	1
■ *promedio de dos estudios*	18	150	6	1
Frijoles de soya, de lata (Canadá)	14	150	6	1
Frijoles negros (*Phaseolus vulgaris* Linn), cocidos (Filipinas)	20	150	25	5

Frijoles pintos

ALIMENTO	Valor en IG Glucosa = 100	Tmo. nml. de rac.	Cbhtos. dspnbls. por rac.	CG por rac.
Frijoles pintos, cocidos (Canadá)	39	150	26	10
Frijoles pintos, de lata en salmuera (Lancia-Bravo, Canadá)	45	150	22	10
Frijoles *romano* (Canadá)	46	150	18	8

Frijoles secos, cocidos

ALIMENTO	Valor en IG Glucosa = 100	Tmo. nml. de rac.	Cbhtos. dspnbls. por rac.	CG por rac.
Frijoles secos, tipo NE ▲ (Italia)	36	150	30	11
Frijoles secos, tipo NE ▲ (Italia)	20	150	30	6
■ *promedio de dos estudios*	29	150	30	9

Frijoles/chícharos de caritas (*cowpeas*), cocidos

ALIMENTO	Valor en IG Glucosa = 100	Tmo. nml. de rac.	Cbhtos. dspnbls. por rac.	CG por rac.
Gandules (*Cajanus cajan* Linn Huth), cocidos (Filipinas)	22	150	20	4

Garbanzos (*Bengal gram*), cocidos

ALIMENTO	Valor en IG Glucosa = 100	Tmo. nml. de rac.	Cbhtos. dspnbls. por rac.	CG por rac.
Garbanzos (*Cicer arietinum Linn*), cocidos (Filipinas)	10	150	30	3
Garbanzos, secos, cocidos (Canadá)	31	150	30	9
Garbanzos (Canadá)	33	150	30	10
Garbanzos (Canadá)	36	150	30	11
■ *promedio de cuatro estudios*	28	150	30	8
Garbanzos con *curry*, de lata (Canasia, Canadá)	41	150	16	7
Garbanzos, de lata en salmuera (Lancia-Bravo, Canadá)	42	150	22	9

ALIMENTO	Valor en IG Glucosa = 100	Tmo. nml. de rac.	Cbhtos. dspnbls. por rac.	CG por rac.
Habas blancas (*lima beans*) pequeñas, congeladas (York, Canadá)	32	150	30	10
Habas blancas secas				
Habas blancas secas (Sudáfrica)	28	150	20	5
Habas blancas secas, cocidas (Sudáfrica)	29	150	20	6
Habas blancas secas (Canadá)	36	150	20	7
■ *promedio de tres estudios*	31	150	20	6
Habas blancas secas, cocidas + 5 g de sacarosa (Sudáfrica)	30	150	20	6
Habas blancas secas, cocidas + 10 g de sacarosa (Sudáfrica)	31	150	20	6
Habas blancas secas, cocidas + 15 g de sacarosa (Sudáfrica)	54	150	20	11
Lenteja roja				
Lenteja roja, seca, cocida (Canadá)	18	150	18	3
Lenteja roja, seca, cocida (Canadá)	21	150	18	4
Lenteja roja, seca, cocida (Canadá)	31	150	18	6
Lenteja roja, seca, cocida (Canadá)	32	150	18	6
■ *promedio de cuatro estudios*	26	150	18	5
Lenteja, tipo NE				
Lenteja, tipo NE ▲ (EE.UU.)	28			
Lenteja, tipo NE ▲ (Canadá)	29			
■ *promedio de dos estudios*	29	150	18	5
Lenteja verde				
Lenteja verde, seca, cocida (Canadá)	22	150	18	4
Lenteja verde, seca, cocida (Francia)	30	150	18	6
Lenteja verde, seca, cocida (Australia)	37	150	14	5
■ *promedio de tres estudios*	30	150	17	5
Lenteja verde, de lata en salmuera (Lancia-Bravo Foods Ltd., Canadá)	52	150	17	9
MERIENDAS Y GOLOSINAS				
Barra alimenticia de *muesli* con fruta seca (Uncle Toby's, Australia)	61	30	21	13
Barras de fruta				
Barra de fruta rellena de albaricoque (Mother Earth, Nueva Zelanda)	50	50	34	17
***Fruity Bitz*™, meriendas de fruta seca enriquecidas con vitaminas y minerales**				
Fruity Bitz™, de albaricoque (Blackmores, Australia)	42	15	12	5

ALIMENTO	Valor en IG Glucosa = 100	Tmo. nml. de rac.	Cbhtos. dspnbls. por rac.	CG por rac.
Fruity Bitz™, de bayas (Blackmores, Australia)	35	15	12	4
Fruity Bitz™, tropical (Blackmores, Australia)	41	15	11	5
■ *promedio de tres sabores*	39	15	12	4
Heinz Kidz™ *Fruit Fingers*, de plátano amarillo (Heinz, Australia)	61	30	20	12
Real Fruit Bars, de fresa (Uncle Toby's, Australia)	90	30	26	23
Roll-Ups® (Uncle Toby's, Australia)	99	30	25	24

Barras para merienda

Barra para merienda, de crema de cacahuate y *Choc-Chip* (EE.UU.)	37	50	27	10
Barra para merienda, de manzana y canela (Con Agra, EE.UU.)	40	50	29	12
Snickers Bar®				
Snickers Bar® (Australia)	41	60	36	15
Snickers Bar® (EE.UU.)	68	60	34	23
■ *promedio de dos estudios*	55	60	35	19
Twisties™ (Smith's, Australia)	74	50	29	22
Twix® Cookie Bar, de caramelo (EE.UU.)	44	60	39	17
Burger Rings™ (Smith's, Australia)	90	50	31	28

Caramelos de goma (*jelly beans*)

Caramelos de goma, varios colores (Australia)	80			
Caramelos de goma, varios colores (Australia)	76			
■ *promedio de dos estudios*	78	30	28	22
Chocolate blanco, *Milky Bar®* (Nestlé, Australia)	44	50	29	13

Chocolate con leche, sin nada

Chocolate con leche, sin nada, con sacarosa (Bélgica)	34	50	22	7
Chocolate con leche (Cadbury's, Australia)	49	50	30	14
Chocolate con leche, *Dove®* (Mars, Australia)	45	50	30	13
Chocolate con leche (Nestlé, Australia)	42	50	31	13
■ *promedio de cuatro estudios*	43	50	28	12
Chocolate con leche, sin nada, bajo en azúcar con maltitol (Bélgica)	35	50	22	8

Frutos secos

Nuez de la India, salada (Coles Supermarkets, Australia)	22	50	13	3

ALIMENTO	Valor en IG Glucosa = 100	Tmo. nml. de rac.	Cbhtos. dspnbls. por rac.	CG por rac.
Cacahuate				
Cacahuate, triturado (Sudáfrica)	7	50	4	0
Cacahuate (Canadá)	13	50	7	1
Cacahuate (México)	23	50	7	2
■ *promedio de tres estudios*	14	50	6	1
Kudos Whole Grain Bars, sabor chocolate chip (EE.UU.)	62	50	32	20
Life Savers®, golosinas de menta (Nestlé, Australia)	70	30	30	21
M & M's®, con cacahuate (Australia)	33	30	17	6
Mars Bar®				
Mars Bar® (Australia)	62	60	40	25
Mars Bar® (EE.UU.)	68	60	40	27
■ *promedio de dos estudios*	65	60	40	26
Nutella®, pasta de avellana con chocolate (Australia)	33	20	12	4
Palomitas de maíz				
Palomitas de maíz, sin nada, cocidas en el horno de microondas (Green's, Australia)	55	20	11	6
Palomitas de maíz, sin nada, cocidas en el horno de microondas (Uncle Toby's, Australia)	89	20	11	10
■ *promedio de dos estudios*	72	20	11	8
Papitas fritas				
Hojuelas de papa, sin nada, saladas (Arnott's, Australia)	57	50	18	10
Hojuelas de papa, sin nada, saladas (Canadá)	51	50	24	12
■ *promedio de dos estudios*	54	50	21	11
Pop Tarts™, sabor *double choc* (Kellogg's, Australia)	70	50	35	24
Pretzels, (Parker's, Australia)	83	30	20	16
Skittles® (Australia)	70	50	45	32
Totopos				
Hojuelas de maíz, sin nada, saladas (Doritos™, Australia)	42	50	25	11
Nachips™ (Old El Paso, Canadá)	74	50	29	21
■ *promedio de tres estudios*	63	50	26	17
Turrón de almendras, *Jijona* (La Fama, España)	32	30	12	4

ALIMENTO	Valor en IG Glucosa = 100	Tmo. nml. de rac.	Cbhtos. dspnbls. por rac.	CG por rac.
PANES				
Bagel de harina refinada, congelado (Canadá)	72	70	35	25
Baguette (pan francés) con mantequilla y mermelada de fresa (Francia)	62	70	41	26
Baguette de harina refinada, sin nada (Francia)	95	30	15	15
Baguette (pan francés) untado con pasta de chocolate (Francia)	72	70	37	27
Pain au lait (Pasquier, Francia)	63	60	32	20
Relleno de pan para aves, *Paxo* (Canadá)	74	30	21	16
Pan blanco con fibra soluble				
Pan blanco + 15 g de fibra de *psyllium*	41	30	17	7
Pan blanco + 15 g de fibra de *psyllium*	65	30	17	11
■ *promedio de dos grupos de sujetos*	53	30	17	9
Pan blanco con almidón de maíz alto en amilasa *Eurylon®* (Francia)	42	30	19	8
Pan blanco consumido con algas secas en polvo	48	30	15	7
Pan blanco consumido con vinagre en vinagreta (Suecia)	45	30	15	7
Pan blanco con inhibidores de enzimas				
Pan blanco + acarbosa (200 mg) (México)	18	30	17	3
Pan blanco + acarbosa (200 mg) (México)	50	30	17	8
■ *promedio de dos grupos de sujetos*	34	30	17	6
Panecillo de harina blanca + 3 mg trestatina (inhibidor pancreático de alfa-amilasa)	48	30	12	6
Panecillo de harina blanca + 6 mg trestatina	29	30	12	4
Pan blanco enriquecido con fibra				
Blanco, alto en fibra (Dempster's, Canadá)	67			
Blanco, alto en fibra (Weston's Bakery, Toronto, Canadá)	69			
■ *promedio de dos estudios*	68	30	13	9
Pan blanco resistente enriquecido con almidón				
Fiber White™ (Nature's Fresh, Nueva Zelanda)	77	30	15	11
Wonderwhite™ (Buttercup, Australia)	80	30	14	11

ALIMENTO	Valor en IG Glucosa = 100	Tmo. nml. de rac.	Cbhtos. dspnbls. por rac.	CG por rac.
Pan con frutas				
Bürgen™ pan con frutas (Tip Top, Australia)	44	30	13	6
Happiness™ (pan de canela, pasa y pacana/Pacana (*pecan*)) (Natural Ovens, EE.UU.)	63	30	14	9
Pan con frutas y especias, rebanadas gruesas (Mantequillacup, Australia)	54	30	15	8
Pan "continental" con frutas, de trigo con fruta seca (Australia)	47	30	15	7
Pan de *muesli*, preparado con mezcla comercial en un horno para pan (Con Agra Inc., EE.UU.)	54	30	12	7
Pan de alforjón				
Alforjón con un 50% de harina refinada de trigo (Suecia)	47	30	21	10
Pan de arroz				
De arroz *Calrose*, bajo en amilasa (Pav's, Australia)	72	30	12	8
De arroz *Doongara*, alto en amilasa (Pav's, Australia)	61	30	12	7
Pan de avena				
Granos de avena molido grueso, 80% de granos intactos de avena (Suecia)	65	30	19	12
Pan de cebada				
Molido grueso				
75% de granos	27	30	20	5
80% de granos intactos escaldados (20% harina refinada de trigo)	34	30	20	7
80% de granos intactos (20% harina refinada de trigo)	40	30	20	8
Pan de cebada con granos, 50% de granos				
50% de granos (Canadá)	43	30	20	9
50% de cebada de molido grueso (Australia)	48	30	20	10
Pan de girasol y cebada (Riga, Sydney, Australia)	57	30	11	
100% harina de cebada (Canadá)	67	30	13	9
Cebada y trigo integral, plano, delgado y suave	50	30	15	7
Cebada y trigo integral, plano, delgado y suave, alto en fibra (Suecia)	43	30	11	5

ALIMENTO	Valor en IG Glucosa = 100	Tmo. nml. de rac.	Cbhtos. dspnbls. por rac.	CG por rac.
Harinas de cebada (80%) y trigo integral (Suecia)	67	30	20	13
Harinas de cebada y trigo integral	70	30	20	14
Harinas de cebada y trigo integral con ácido láctico	66	30	19	12
Harinas de cebada y trigo integral con lactato de calcio	59	30	20	12
Harinas de cebada y trigo integral con masa fermentada (ácido láctico)	53	30	20	10
Harinas de cebada y trigo integral con propionato de sodio	65	30	20	13
Harinas de cebada y trigo integral con una dosis más alta de propionato de sodio	57	30	19	11

Pan de centeno

Granos de centeno (*pumpernickel*)

ALIMENTO	Valor en IG	Tmo.	Cbhtos.	CG
Granos de centeno molido grueso, 80% de granos intactos (Suecia)	41	30	12	5
Granos de centeno (*pumpernickel*) (Canadá)	41	30	12	5
Pumpernickel de granos enteros (Holtzheuser Brothers Ltd., Toronto, Canadá)	46	30	11	5
Granos de centeno, *pumpernickel* (80% de granos de centeno) (Canadá)	55	30	12	7
Para cóctel, rebanado (Kasselar Alimento Products, Toronto, Canadá)	55	30	12	7
Para cóctel, rebanado (Kasselar Alimento Products, Canadá)	62	30	12	8
■ *promedio de seis estudios*	50	30	12	6

Pan de centeno especial

ALIMENTO	Valor en IG	Tmo.	Cbhtos.	CG
Bürgen™ Oscuro/suizo de centeno (Tip Top Bakeries, Australia)	55			
Bürgen™ Oscuro/suizo de centeno (Tip Top Bakeries, Australia)	74			
■ *promedio de dos estudios*	65	30	10	7
De centeno claro (Silverstein's, Canadá)	68	30	14	10
De centeno con semilla de lino (Rudolph's, Canadá)	55	30	13	7
De centeno de masa fermentada (*sourdough*) (Canadá)	57			
De centeno de masa fermentada (*sourdough*) (Australia)	48			
■ *promedio de dos estudios*	53	30	12	6
Klosterbrot, pan de trigo integral de centeno (Dimpflmeier, Canadá)	67	30	13	9

ALIMENTO	Valor en IG Glucosa = 100	Tmo. nml. de rac.	Cbhtos. dspnbls. por rac.	CG por rac.
Negro, *Riga* (Berzin's, Sydney, Australia)	76	30	13	10
Roggenbrot, Vogel's (Stevns & Co, Sydney, Australia)	59	30	14	8
Schinkenbrot, Riga (Berzin's, Sydney, Australia)	86	30	14	12
Volkornbrot, pan de trigo integral de centeno (Dimpflmeier, Canadá)	56	30	13	7

Panes de harina de trigo integral

Harina de trigo integral (Canadá)	52	30	12	6
Harina de trigo integral (Canadá)	64	30	12	8
Harina de trigo integral (Canadá)	65	30	12	8
Harina de trigo integral (Canadá)	67	30	12	8
Harina de trigo integral (Canadá)	67	30	12	8
Harina de trigo integral (Canadá)	69	30	12	8
Harina de trigo integral (Canadá)	71	30	12	8
Harina de trigo integral (Canadá)	72	30	12	8
Harina de trigo integral (EE.UU.)	73	30	14	10
Harina de trigo integral (Sudáfrica)	75	30	13	9
Harina de trigo integral (Tip Top Bakeries, Australia)	77	30	12	9
Harina de trigo integral (Tip Top Bakeries, Australia)	78	30	12	9
Harina de trigo integral (Kenia)	87	30	13	11
■ *promedio de trece estudios*	71	30	13	9
Pan turco de harina de trigo integral	49	30	16	8

Pan de harina refinada de trigo

Harina blanca (Canadá)	69	30	14	10
Harina blanca (EE.UU.)	70	30	14	10
Harina blanca, *Sunblest*™ (Tip Top, Australia)	70	30	14	10
Harina blanca (Dempster's Corporate Alimentos Ltd., Canadá)	71	30	14	10
Harina blanca (Sudáfrica)	71	30	13	9
Harina blanca (Canadá)	71	30	14	10
■ *promedio de seis estudios*	70	30	14	10
Harina refinada de trigo, pan duro, tostado (italiano)	73	30	15	11
Pan blanco turco (Turquía)	87	30	17	15
Wonder™, pan blanco enriquecido (EE.UU.)	71			
Wonder™, pan blanco enriquecido (EE.UU.)	72			
Wonder™, pan blanco enriquecido (EE.UU.)	77			
■ *promedio de tres estudios*	73	30	14	10

ALIMENTO	Valor en IG Glucosa = 100	Tmo. nml. de rac.	Cbhtos. dspnbls. por rac.	CG por rac.
Pan de salvado de avena				
50% salvado de avena (Australia)	44	30	18	8
45% salvado de avena y 50% harina de trigo (Suecia)	50	30	18	9
■ *promedio de dos estudios*	47	30	18	9
Pan de trigo				
50% granos de trigo quebrado (Canadá)	58	30	20	12
75% granos de trigo quebrados (Canadá)	48	30	20	10
■ *promedio de dos estudios*	53	30	20	11
Granos de trigo de molido grueso, 80% de granos intactos (Suecia)	52	30	20	10
Granos de trigo quebrado (*bulgur*)				
Pan de trigo integral y de centeno				
Pan de trigo integral y de centeno (Canadá)	41			
Pan de trigo integral y de centeno (Canadá)	62			
Pan de trigo integral y de centeno (Canadá)	63			
Pan de trigo integral y de centeno (Canadá)	66			
■ *promedio de cuatro estudios*	58	30	14	8
Pan de trigo *spelt*				
Granos intactos escaldados de trigo *spelt* (Slovenia)	67	30	22	15
Integral (Slovenia)	63	30	19	12
Multigrano de *spelt*® (Pav's, Australia)	54	30	12	7
Refinado (Slovenia)	74	30	23	17
Panecillo *kaiser* (Loblaw's, Canadá)	73	30	16	12
Panecillo para hamburguesa (Loblaw's, Toronto, Canadá)	61	30	15	9
Pan especial de trigo				
Bürgen® *Mixed Grain* (Australia)				
Bürgen® *Mixed Grain* (Tip Top, Australia)	34			
Bürgen® *Mixed Grain*	45			
Bürgen® *Mixed Grain*	69			
■ *promedio de tres estudios*	49	30	11	6
Bürgen®, pan de salvado de avena & miel con cebada (Tip Top, Australia)	31	30	10	3
Bürgen® *Soy-Lin*, pan de soya de molido grueso (8%) y semilla de lino (8%) (Tip Top)	36	30	9	3
English Muffin™ (Natural Ovens, EE.UU.)	77	30	14	11

ALIMENTO	Valor en IG Glucosa = 100	Tmo. nml. de rac.	Cbhtos. dspnbls. por rac.	CG por rac.
Healthy Choice™ Hearty 7 Grain (Con Agra Inc., EE.UU.)	55	30	14	8
Healthy Choice™ Hearty 100% Whole Grain (Con Agra Inc., EE.UU.)	62	30	14	9
Helga's™ Classic Seed Loaf (Quality Bakers, Australia)	68	30	14	9
Helga's™ pan de trigo integral tradicional (Quality Bakers, Australia)	70	30	13	9
Hunger Filler™, pan integral de granos (Natural Ovens, EE.UU.)	59	30	13	7
Molenberg™ (Goodman Fielder, Auckland, Nueva Zelanda)	75			
Molenberg™ (Goodman Fielder, Nueva Zelanda)	84			
■ promedio de dos estudios	80	30	14	11
9-Grain Multi-Grain (Tip Top, Australia)	43	30	14	6
Multigrain Loaf, de harina de trigo spelt (Australia)	54	30	15	8
Multigrain (50% de granos de trigo de molido grueso) (Australia)	43	30	14	6
Nutty Natural™, pan de granos integrales (Natural Ovens, EE.UU.)	59	30	12	7
Pan de girasol y cebada, Riga (Berzin's, Australia)	57	30	13	7
Pan de miel y avena Vogel's (Stevns & Co., Australia)	55	30	14	7
Pan de sémola (Kenia)	64			
Pan de soya y semilla de lino (preparado con mezcla comercial en un horno para pan) (Con Agra Inc., EE.UU.)	50	30	10	5
Pan de trigo de masa fermentada (sourdough) (Australia)	54	30	14	8
Pan de trigo integral para merienda (Ryvita Co Ltd., Reino Unido)	74	30	22	16
Pan sin levadura de harina refinada de trigo (Suecia)	79	30	16	13
Performax™ (Country Life Bakeries, Australia)	38	30	13	5
Ploughman's™ Whole wheat, de molido fino (Quality Bakers, Australia)	64	30	13	9
Ploughman's™ Whole grain, receta original (Quality Bakers, Australia)	47	30	14	7
Stay Trim™, pan integral de granos (Natural Ovens, EE.UU.)	70	30	15	10
Vogel's Roggenbrot (Stevns & Co., Australia)	59	30	14	8
100% Whole Grain™ (Natural Ovens, EE.UU.)	51	30	13	7

ALIMENTO	Valor en IG Glucosa = 100	Tmo. nml. de rac.	Cbhtos. dspnbls. por rac.	CG por rac.
Pan sin gluten				
Pan blanco sin gluten, sin rebanar (de almidón de trigo sin gluten) (Reino Unido)	71	30	15	11
Pan blanco sin gluten, rebanado (de almidón de trigo sin gluten) (Reino Unido)	80	30	15	12
■ *promedio de dos estudios*	76	30	15	11
Pan multigrano sin gluten (Country Life Bakeries, Australia)	79	30	13	10
Sin gluten y enriquecido con fibra, sin rebanar (de almidón de trigo sin gluten y salvado de soya) (Reino Unido)	69	30	13	9
Sin gluten y enriquecido con fibra, rebanado (de almidón de trigo sin gluten y salvado de soya) (Reino Unido)	76	30	13	10
■ *promedio de dos estudios*	73	30	13	9
Pan sin levadura				
De amaranto y trigo (25:75) (India)	66	30	15	10
De amaranto y trigo (50:50) (India)	76	30	15	11
De harina de trigo (India)	66	30	16	10
Del Oriente Medio	97	30	16	15
Libanés blanco (Seda Bakery, Australia)	75	30	16	12
Pan árabe blanco (Canadá)	57	30	17	10
Tostadas Melba, tipo *Old London* (Best Alimentos Canadá Inc.)	70	30	23	16
PASTA* y *FIDEOS				
Capellini (Primo, Canadá)	45	180	45	20
Espaguetis				
Espaguetis blancos, cocidos por 5 minutos				
Cocidos por 5 minutos (Lancia-Bravo, Canadá)	32	180	48	15
Cocidos por 5 minutos (Canadá)	34	180	48	16
Cocidos por 5 minutos (Canadá)	40	180	48	19
Cocidos por 5 minutos (Middle East)	44	180	48	21
■ *promedio de cuatro estudios*	38	180	48	18
Blancos, de harina de trigo fanfarrón, cocinados por 10 minutos (Barilla, Italia)	58	180	48	28
Blancos, de harina de trigo fanfarrón, cocidos por 12 minutos (Starhushålls, Suecia)	47	180	48	23

ALIMENTO	Valor en IG Glucosa = 100	Tmo. nml. de rac.	Cbhtos. dspnbls. por rac.	CG por rac.
Blancos, de harina de trigo fanfarrón, cocidos por 12 minutos (Suecia)	53	180	48	25
Cocidos por 15 minutos (Lancia-Bravo, Canadá)	32	180	48	15
Cocidos por 15 minutos (Lancia-Bravo, Canadá)	36	180	48	17
Cocidos por 15 minutos (Canadá)	41	180	48	20
Blancos, cocidos por 15 minutos en agua con sal (Unico, Canadá)	44	180	48	21
■ promedio de siete estudios	44	180	48	21
Espaguetis, blancos, cocidos				
Blancos (Dinamarca)	33	180	48	16
Blancos, de harina de trigo fanfarrón (Catelli, Canadá)	34	180	48	16
Blancos (Australia)	38	180	44	17
Blancos (Canadá)	42	180	48	20
Blancos (Canadá)	48	180	48	23
Blancos (Vetta, Australia)	49	180	44	22
Blancos (Canadá)	50	180	48	24
■ promedio de siete estudios	42	180	47	20
Espaguetis, blancos, de sémola de harina de trigo fanfarrón (Panzani, Francia)				
Cocidos por 11 minutos	59	180	48	28
Cocido por 16,5 minutos	65	180	48	31
Cocido por 22 minutos	46	180	48	22
■ promedio de tres tiempos de cocción	57	180	48	27
Espaguetis, blancos o tipo NE ▲, cocidos de 10 a 15 minutos				
Espaguetis, blancos o tipo NE ▲, cocidos por 20 minutos				
Blancos, de harina de trigo fanfarrón, cocidos por 20 minutos (Australia)	58	180	44	26
De harina de trigo fanfarrón, cocidos por 20 minutos (EE.UU.)	64	180	43	27
■ promedio de dos estudios	61	180	44	27
Espaguetis, de trigo integral, cocidos				
Trigo integral (EE.UU.)	32	180	44	14
Trigo integral (Canadá)	42	180	40	17
■ promedio de dos estudios	37	180	42	16
Espaguetis, enriquecidos con proteínas, cocidos por 7 minutos (Catelli, Canadá)	27	180	52	14
Espaguetis sin gluten, de lata con salsa de tomate (Orgran, Australia)	68	220	27	19

ALIMENTO	Valor en IG Glucosa = 100	Tmo. nml. de rac.	Cbhtos. dspnbls. por rac.	CG por rac.
Fettucine de huevo				
Fettucine de huevo	32	180	46	15
Fettucine de huevo (Mother Earth, Australia)	47	180	46	22
■ promedio de dos estudios	40	180	46	18
Fideo cabellos de ángel blanco, cocido (Australia)	35	180	44	16
Fideos de frijoles mung				
Fideos de celofán Lungkow (National Cereals, China)	26	180	45	12
Fideos de frijoles mung (Longkou de celofán) (Yantai, China)	39	180	45	18
■ promedio de dos estudios	33			
Fideos instantáneos				
Fideos instantáneos "de dos minutos", Maggi® (Australia)	46			
Fideos instantáneos "de dos minutos", Maggi® (Nueva Zelanda)	48			
Fideos instantáneos (Mr Noodle, Canadá)	47			
■ promedio de tres estudios	47	180	40	19
Fideos o pasta de arroz				
Fideo cabellos de ángel, de arroz, Kongmoon (China)	58	180	39	22
Pasta de arroz, fresca, cocida (Sidney, Australia)	40	180	39	15
Pasta de arroz integral, cocida por 16 minutos (Rice Growers, Australia)	92	180	38	35
Pasta de arroz, seca, cocida (Thai World, Tailandia)	61	180	39	23
Pasta de arroz y maíz , sin gluten, Ris'O'Mais (Orgran, Australia)	76	180	49	37
Gnocchi, NE ▲ (Latina, Australia)	68	180	48	33
Fideos udon, sin nada, recalentados por 5 minutos (Australia)	62	180	48	30
Linguine				
Delgados, de harina de trigo fanfarrón (Suecia)	49	180	48	23
Delgados, frescos, de harina de trigo fanfarrón (Suecia)	61	180	48	29
Delgados, frescos, de harina de trigo fanfarrón con un 39% w/w de huevo (Suecia)	45	180	41	18
Delgados, frescos, 30% w/w de huevo (Suecia)	53	180	41	22

ALIMENTO	Valor en IG Glucosa = 100	Tmo. nml. de rac.	Cbhtos. dspnbls. por rac.	CG por rac.
■ *promedio de cuatro estudios*	52	180	45	23
Gruesos, de harina de trigo fanfarrón, blanca, fresca (Suecia)	43	180	48	21
Gruesos, frescos, de harina de trigo fanfarrón (Suecia)	48	180	48	23
promedio de dos estudios	46	180	48	22

Macarrones

ALIMENTO				
Macarrones, sin nada, cocidos por 5 minutos (Lancia-Bravo, Canadá)	45	180	49	22
Macarrones, sin nada, cocidos (Turquía)	48	180	49	23
■ *promedio de dos estudios*	47	180	48	23
Macarrones y queso, de desayuno (Kraft, Canadá)	64	180	51	32
Pasta de concha, de chícharo partido y soya, sin gluten (Orgran, Australia)	29	180	31	9
Pasta de estrellita, blanca, cocida por 5 minutos (Lancia-Bravo, Canadá)	38	180	48	18
Pasta de maíz, sin gluten (Orgran, Australia)	78	180	42	32
Pasta sin gluten, de almidón de maíz, cocida (Reino Unido)	54	180	42	22
Ravioles (Australia)	39	180	38	15
Spirali, de harina de trigo fanfarrón, blancas, cocidas (Vetta, Australia)	43	180	44	19
Tortellini con queso (Stouffer, Canadá)	50	180	21	10

LÁCTEOS Y SUSTITUTOS DE LÁCTEOS

Flan

ALIMENTO				
Flan de huevo sin hornear (Nestlé, Australia)	35	100	17	6
Flan casero (Australia)	43	100	17	7
TRIM™, flan (natilla) de grasa reducida (Pauls, Australia)	37	100	15	6
■ *promedio de tres estudios*	38	100	16	6

Helado de grasa reducida o bajo en grasa

ALIMENTO				
Helado de vainilla (Peter's, Australia)	50	50	6	3
Helado (1,4% de grasa) *Prestige Light* de *toffee* (Norco, Australia)	37	50	14	5
Helado (7,1 % de grasa) *Prestige* de nuez de macadamia (Norco, Australia)	39	50	12	5
Helado (1,.2 % de grasa) *Prestige Light* de vainilla (Norco, Australia)	47	50	10	5

Helado, de primera calidad

ALIMENTO				
Helado sabor *Ultra chocolate*, 15% de grasa (Sara Lee, Australia)	37	50	9	4

ALIMENTO	Valor en IG Glucosa = 100	Tmo. nml. de rac.	Cbhtos. dspnbls. por rac.	CG por rac.
Helado sabor vainilla francesa, 16% de grasa (Sara Lee, Australia)	38	50	9	3
Helado normal/NE ▲				
Helado, NE ▲ (Canadá)	36			
Helado (mitad vainilla, mitad chocolate) (Italia)	57			
Helado, NE ▲ (EE.UU.)	62			
Helado con sabor a chocolate (EE.UU.)	68			
Helado (mitad vainilla, mitad chocolate) (Italia)	80			
■ *promedio de cinco estudios*	61	50	13	8
Leche baja en grasa de chocolate, con aspartame, *Lite White*™ (Australia)	24	250	15	3
Leche baja en grasa de chocolate, con azúcar, *Lite White*™ (Australia)	34	250	26	9
Leche condensada con edulcorante (Nestlé, Australia)	61	50	136	33
Leche de grasa entera				
Leche de grasa entera (Italia)	11			
Leche de grasa entera (3% de grasa, Suecia)	21			
Leche de grasa entera (Italia)	24			
Leche de grasa entera (Australia)	31			
Leche de grasa entera (Canadá)	34			
Leche de grasa entera (EE.UU.)	40			
■ *promedio de cinco estudios*	27	250	12	3
Leche de grasa entera con salvado				
De grasa entera + 20 g de salvado de trigo (Italia)	25			
De grasa entera + 20 g de salvado de trigo (Italia)	28			
■ *promedio de dos estudios*	27	250	12	3
Leche descremada (Canadá)	32	250	13	4
Leche fermentada de vaca (ropy milk, Suecia)	11			
Leche fermentada de vaca (filmjölk, Suecia)	11			
■ *promedio de dos alimentos*	11	–	–	–
Leche de soya				
Leche de soya de grasa entera, *Calciforte* (So Natural, Australia)	36	250	18	6
Leche de soya de grasa entera, *Original* (So Natural, Australia)	44	250	17	8
Leche de soya de grasa reducida, *Light* (So Natural, Australia)	44	250	17	8

ALIMENTO	Valor en IG Glucosa = 100	Tmo. nml. de rac.	Cbhtos. dspnbls. por rac.	CG por rac.
Smoothie de soya, de plátano amarillo, 1% de grasa (So Natural, Australia)	30	250	22	7
Smoothie de soya, de avellana y chocolate, 1% de grasa (So Natural, Australia)	34	250	25	8
■ *promedio de dos bebidas*	32	250	23	7
Up & Go™, sabor malta con cocoa (Sanitarium, Australia)	43	250	26	11
Up & Go™, sabor malta original (Sanitarium, Australia)	46	250	24	11
■ *promedio de dos bebidas*	45	250	25	11
Xpress™, de chocolate (So Natural, Australia)	39	250	34	13

Mousse de grasa reducida, mezcla comercial para preparar con agua

Sabor a avellana, 2,4% de grasa (Nestlé, Australia)	36	50	10	4
Sabor a bayas mixtas, 2,2% de grasa (Nestlé, Australia)	36	50	10	4
Sabor a caramelo con mantequilla, 1,9% de grasa (Nestlé, Australia)	36	50	10	4
Sabor a chocolate, 2% de grasa (Nestlé, Australia)	31	50	11	3
Sabor a fresa, 2,3% de grasa (Nestlé, Australia)	32	50	10	3
Sabor a mango, 1,8% de grasa (Nestlé, Australia)	33	50	11	4
■ *promedio de seis alimentos*	34	50	10	4

Pudín

Instantáneo de chocolate, hecho con mezcla comercial y leche (White Wings, Australia)	47	100	16	7
Instantáneo de vainilla, hecho con mezcla comercial y leche (White Wings, Australia)	40	100	16	6
■ *promedio de dos alimentos*	44	100	16	7

Yogur

Yogur, tipo ▲ (Canadá)	36	200	9	3

Yogur bajo en grasa

Bajo en grasa de fruta, con aspartame, *Ski*™ (Dairy Farmers, Australia)	14	200	13	2
Bajo en grasa de fruta, con azúcar, *Ski*™ (Dairy Farmers, Australia)	33	200	31	10
Bajo en grasa (0,9%) de fruta, sabor fresa silvestre (*Ski d'lite*™, Dairy Farmers, Australia)	31	200	30	9

ALIMENTO	Valor en IG Glucosa = 100	Tmo. nml. de rac.	Cbhtos. dspnbls. por rac.	CG por rac.
Yogur de grasa reducida				
Vaalia™ de grasa reducida, de albaricoque y mango (Pauls, Australia)	26	200	30	8
Vaalia™ de grasa reducida, de vainilla francesa (Pauls, Australia)	26	200	10	3
Extra-Lite™ de grasa reducida, de fresa (Pauls, Australia)	28	200	33	9
■ promedio de tres alimentos	27	200	24	7
Bebida de yogur de grasa reducida Vaalia™, de granadilla (parchita, maracuyá) (Pauls, Australia)	38	200	29	11
Yogur sin grasa, endulzado con acesulfame K y Splenda				
Diet Vaalia™, de bayas mixtas (Pauls, Australia)	25	200	13	3
Diet Vaalia™, de fresa (Pauls, Australia)	23	200	13	3
Diet Vaalia™, de frutas exóticas (Pauls, Australia)	23	200	16	4
Diet Vaalia™, de mango (Pauls, Australia)	23	200	14	3
Diet Vaalia™, de vainilla (Pauls, Australia)	23	200	13	3
■ promedio de cinco alimentos	24	200	14	3
Yogur de soya				
Postre congelado basado en tofu, de chocolate (EE.UU.)	115	50	9	10
Yogur de soya de melocotón y mango, 2% de grasa, con azúcar (So Natural, Australia)	50	200	26	13
PREPARADOS Y ALIMENTOS PARA BEBÉ				
Alimentos para bebé				
Cereal de manzana, albaricoque and plátano amarillo	56	75	13	7
Farex™, arroz para bebé (Heinz, Australia)	95	87	6	6
Heinz for Baby, desde los cuatro meses (Heinz, Australia)				
Maíz y arroz	65	120	15	10
Papilla de avena	59	75	9	5
Pollo y fideos con verduras, colado	67	120	7	5
Pudín de arroz	59	75	11	6
Robinsons First Tastes, desde los cuatro meses (Nutricia, Reino Unido)				
Preparado				
Infasoy™, de soya, sin leche (Wyeth, Australia)	55	100 ml	7	4

ALIMENTO	Valor en IG Glucosa = 100	Tmo. nml. de rac.	Cbhtos. dspnbls. por rac.	CG por rac.
Karicare™, fórmula con ácidos grasos omega-3 (Nutricia, Nueva Zelanda)	35	100 ml	7	2
Nan-1™, fórmula para bebé con hierro (Nestlé, Australia)	30	100 ml	8	2
S-26™, fórmula para bebé (Wyeth, Australia)	36	100 ml	7	3

PRODUCTOS PANIFICADOS

Muffins

De albaricoque, coco y miel, preparado con mezcla comercial	60	50	26	16
De arándano	59	57	29	17
De caramelo con mantequilla y chocolate, preparado con mezcla comercial	53	50	28	15
De copos de avena, preparado con mezcla comercial (Quaker Oats)	69	50	35	24
De maíz, alto en amilasa	49	57	29	14
De maíz, bajo en amilasa	102	57	29	30
De manzana, avena y pasas, preparado con mezcla comercial	54	50	26	14
De manzana, preparado con azúcar	44	60	29	13
De manzana, preparado sin azúcar	48	60	19	9
De plátano amarillo, avena y miel, preparado con mezcla comercial	65	50	26	17
De salvado	60	57	24	15
De zanahoria	62	57	32	20
Panqueques de alforjón, sin gluten, preparados con mezcla comercial (Orgran)	102	77	22	22
Panqueques, preparados con mezcla comercial para agitar	67	80	58	39
Pastelillo	59	57	26	15
Pikelets, marca *Golden* (Tip Top)	85	40	21	18
Scones, sin nada, preparados con mezcla comercial	92	25	9	8
Waffles de la marca *Aunt Jemima*	76	35	13	10

Pasteles

Croissant	67	57	26	17
Crumpet	69	50	19	13
Donut	76	47	23	17
Lamingtons (pastel esponjoso bañado con chocolate y coco)	87	50	29	25
Magdalena, con glaseado de fresa	73	38	26	19
Panetela de la marca *Sara Lee*	54	53	28	15
Pastel blanco esponjoso (Loblaw's, Toronto, Canadá)	67	50	29	19

ALIMENTO	Valor en IG Glucosa = 100	Tmo. nml. de rac.	Cbhtos. dspnbls. por rac.	CG por rac.
Pastel con flan	65	70	48	31
Pastel de chocolate, preparado con mezcla comercial, con glaseado de chocolate (*Betty Crocker*)	38	111	52	20
Pastel de plátano amarillo, preparado con azúcar	47	80	38	18
Pastel de plátano amarillo, preparado sin azúcar	55	80	29	16
Pastel de vainilla, preparado con mezcla comercial con glaseado de vainilla (*Betty Crocker*)	42	111	58	24
Pastel esponjoso, sin nada	46	63	36	17

PROTEÍNAS

ALIMENTO	Valor en IG Glucosa = 100	Tmo. nml. de rac.	Cbhtos. dspnbls. por rac.	CG por rac.
Atún	[0]	120	0	0
Carne de cerdo	[0]	120	0	0
Carne de cordero	[0]	120	0	0
Carne de res	[0]	120	0	0
Carne de ternera	[0]	120	0	0
Huevos	[0]	120	0	0
Mariscos (camarón, cangrejo, langosta, etc.)	[0]	120	0	0
Pescado	[0]	120	0	0
Queso	[0]	120	0	0
Salami	[0]	120	0	0

SOPAS

ALIMENTO	Valor en IG Glucosa = 100	Tmo. nml. de rac.	Cbhtos. dspnbls. por rac.	CG por rac.
De chícharo, de lata (*Campbell's*, Canadá)	66	250	41	27
De chícharo partido (Wil-Pak, EE.UU.)	60	250	27	16
De frijoles negros (Wil-Pack, EE.UU.)	64	250	27	17
De lenteja, de lata (Unico, Canadá)	44	250	21	9
De pasta (sopa turca con consomé y pasta)	1	250	9	0
De tomate (Canadá)	38	250	17	6
Minestrón, *Country Ladle*™ (*Campbell's*, Australia)	39	250	18	7
Tarhana (sopa turca)	20	–	–	–

SUSTITUTOS ALIMENTICIOS

ALIMENTO	Valor en IG Glucosa = 100	Tmo. nml. de rac.	Cbhtos. dspnbls. por rac.	CG por rac.
Barra de avellana y albaricoque (Dietworks, Australia)	42	50	22	9

L.E.A.N™, productos diversos (Usana, EE.UU.)

ALIMENTO	Valor en IG Glucosa = 100	Tmo. nml. de rac.	Cbhtos. dspnbls. por rac.	CG por rac.
L.E.A.N *Fibergy*™, barra alimenticia, sabor *Harvest Oat*	45	50	29	13
L.E.A.N *(Life long) Nutribar*™, barra alimenticia, sabor *Peanut Crunch*	30	40	19	6

ALIMENTO	Valor en IG Glucosa = 100	Tmo. nml. de rac.	Cbhtos. dspnbls. por rac.	CG por rac.
L.E.A.N (Life long) Nutribar™, barra alimenticia, sabor Chocolate Crunch	32	40	19	6
■ promedio de las dos Nutribars	31	40	19	6
Nutrimeal™, mezcla en polvo para bebida, sabor Dutch Chocolate	26	250	13	3

Worldwide Sport Nutrition, productos bajos en carbohidratos (EE.UU.)

Chocolate Designer, sin azúcar	14	35	22	3

Burn-it™, barras alimenticias

Chocolate deluxe	29	50	8	2
Crema de cacahuate	23	50	6	1

Puro-protein™, barras alimenticias

Chewy choc-chip	30	80	14	4
Chocolate deluxe	38	80	13	5
Crema de cacahuate	22	80	9	2
Mousse blanco de chocolate	40	80	15	6
Pastel esponjado de fresa	43	80	13	6

Puro-protein™, galletitas

Coco	42	55	9	4
Crema de cacahuate	37	55	9	3
Masa para galletitas Choc-chip	25	55	11	3

Ultra puro-protein™, licuados

Cappuccino	47	250	1	1
Frosty chocolate	37	250	3	1
Helado de vainilla	32	250	3	1
Pastel esponjoso de fresa	42	250	1	1

VERDURAS

Aguacate	[0]	80	0	0
Alcachofas (de Jerusalén)	[0]	80	0	0
Apio	[0]	80	0	0
Bok choy, crudo	[0]	80	0	0
Brócoli, crudo	[0]	80	0	0
Calabaza (calabaza de Castilla) (Sudáfrica)	75	80	4	3

Chícharo verde

Chícharo, congelado, cocido (Canadá)	39	80	7	3
Chícharo, congelado, cocido (Canadá)	51	80	7	4
Chícharo verde (Pisum sativum) (India)	54	80	7	4
■ promedio de tres estudios	48	80	7	3
Chirivía	97	80	12	12

ALIMENTO	Valor en IG Glucosa = 100	Tmo. nml. de rac.	Cbhtos. dspnbls. por rac.	CG por rac.
Coliflor	[0]	80	0	0
Habas (Canadá)	79	80	11	9
Habichuelas francesas cocidas	[0]	80	0	0
Jugo de tomate, de lata, sin azúcar adicional (Berri, Australia)	38	250	9	4
Lechuga	[0]	80	0	0

Maíz (dulce)

ALIMENTO	Valor en IG Glucosa = 100	Tmo. nml. de rac.	Cbhtos. dspnbls. por rac.	CG por rac.
Maíz dulce, variedad *Honey & Pearl* (Nueva Zelanda)	37	80	16	6
Maíz dulce en la mazorca, cocido (Australia)	48	80	16	8
Maíz dulce (Canadá)	59	80	18	11
Maíz dulce, cocido (EE.UU.)	60	80	18	11
Maíz dulce (Sudáfrica)	62	80	18	11
■ *promedio de cinco estudios*	54	80	17	9
Maíz dulce, congelado (Canadá)	47	80	15	7
Maíz dulce, para dieta, (EE.UU.)	46	80	14	7

Malanga

ALIMENTO	Valor en IG Glucosa = 100	Tmo. nml. de rac.	Cbhtos. dspnbls. por rac.	CG por rac.
Malanga (*Colocasia esculenta*), cocida (Australia)	54			
Malanga, cocida (Nueva Zelanda)	56			
■ *promedio de dos estudios*	55	150	8	4
Nabo sueco (*rutabaga*) (Canadá)	72	150	10	7

Ñame

ALIMENTO	Valor en IG Glucosa = 100	Tmo. nml. de rac.	Cbhtos. dspnbls. por rac.	CG por rac.
Ñame, pelado, cocido (Nueva Zelanda)	25			
Ñame, pelado, cocida (Nueva Zelanda)	35			
Ñame (Canadá)	51			
■ *promedio de tres estudios*	37	150	36	13

PAPA

Batata dulce

ALIMENTO	Valor en IG Glucosa = 100	Tmo. nml. de rac.	Cbhtos. dspnbls. por rac.	CG por rac.
Batata dulce, *Ipomoea batatas* (Australia)	44	150	25	11
Batata dulce, ▲ (Canadá)	48	150	34	16
Batata dulce (Canadá)	59	150	30	18
Batata dulce, tipo *kumara* (Nueva Zelanda)	77	150	25	19
Batata dulce, tipo *kumara* (Nueva Zelanda)	78	150	25	20
■ *promedio de cinco estudios*	61	150	28	17

Papa al horno

ALIMENTO	Valor en IG Glucosa = 100	Tmo. nml. de rac.	Cbhtos. dspnbls. por rac.	CG por rac.
Ontario, blanca, al horno con cáscara (Canadá)	60	150	30	18

ALIMENTO	Valor en IG Glucosa = 100	Tmo. nml. de rac.	Cbhtos. dspnbls. por rac.	CG por rac.
Papa blanca *Russet Burbank*, al horno				
Russet, al horno sin grasa (Canadá)	56			
Russet, al horno sin grasa, de 45 a 60 minutos (EE.UU.)	78			
Russet, al horno sin grasa (EE.UU.)	94			
Russet, al horno sin grasa (EE.UU.)	111			
■ *promedio de cuatro estudios*	85	150	30	26
Papa al vapor				
Albóndigas de papa (Italia)	52	150	45	24
Papa, pelada, al vapor (India)	65	150	27	18
Papa cocida				
Blanca (Rumania)	41	150	30	12
Blanca (Canadá)	54	150	27	15
Desiree (Australia)	101	150	17	17
Nardine (Nueva Zelanda)	70	150	25	18
Ontario (Canadá)	58	150	27	16
Pontiac (Australia)	88	150	18	16
Prince Edward Island (Canadá)	63	150	18	11
Sebago (Australia)	87	150	17	14
Tipo NE ▲ (Kenia)	24	150	28	7
Tipo NE ▲ (India)	76	150	34	26
Tipo NE ▲ metida en el refrigerador, recalentada (India)	23	150	34	8
Papa cocida en el microondas				
Pontiac, pelada y cocida con el microondas en *high* por 6–7,5 minutos (Australia)	79	150	18	14
Tipo NE ▲, cocida en el microondas (EE.UU.)	82	150	33	27
Papa de lata				
Prince Edward Island (Cobi Alimentos, Canadá)	61	150	18	11
Pequeña (Edgell's, Australia)	65	150	18	12
■ *promedio de dos estudios*	63	150	18	11
Papa pequeña				
Pequeña (Canadá)	47			
Pequeña (Canadá)	54			
Pequeña (Canadá)	70			
Pequeña (Australia)	78			
■ *promedio de cuatro estudios*	62	150	21	13

ALIMENTO	Valor en IG Glucosa = 100	Tmo. nml. de rac.	Cbhtos. dspnbls. por rac.	CG por rac.
Papas a la francesa				
Papas a la francesa, congeladas y re-calentadas (Cavendish Farms, Canadá)	75	150	29	22
Puré de papa				
Tipo NE ▲ (Canadá)	67			
Tipo NE ▲ (Sudáfrica)	71			
Tipo NE ▲ (Francia)	83			
Prince Edward Island (Canadá)	73	150	18	13
Pontiac (Australia)	91	150	20	18
■ *promedio de cinco estudios*	92	150	20	18
Puré de papa instantáneo				
Puré instantáneo (Francia)	74			
Puré instantáneo (Canadá)	80			
Puré instantáneo (Edgell's, Australia)	86			
Puré instantáneo (Carnation, Canadá)	86			
Puré instantáneo (Canadá)	88			
Puré instantáneo (EE.UU.)	97			
■ *promedio de seis estudios*	85	150	20	17
Pepino	[0]	80	0	0
Pimiento	[0]	80	0	0
Remolacha (Canadá)	64	80	7	5
Repollo, crudo	[0]	80	0	0
Squash, crudo	[0]	80	0	0
Tapioca				
Tapioca cocida con leche (General Mills, Canadá)	81	250	18	14
Tapioca (*Manihot utilissima*), cocida 1 hora al vapor (India)	70	250	18	12
Verduras de hoja, crudas	[0]	80	0	0
Yuca, cocida, con sal (Kenia, Africa)	46	100	27	12
Zanahoria				
Zanahoria, cruda (Rumania)	16	80	8	1
Zanahoria, pelada, cocida (Australia)	32	80	5	1
Zanahoria, pelada, cocida (Australia)	49	80	5	2
Zanahoria, NE ▲ (Canadá)	92	80	6	5
■ *promedio de cuatro estudios, cruda*	47	80	6	3

FUENTES Y REFERENCIAS

TABLAS DE VALORES EN EL IG

Foster-Powell, K., J. C. Brand-Miller y S. H. A. Holt. 2002. "International table of glycemic index and glycemic load values: 2002." *American Journal of Clinical Nutrition* 76:5–56.

RECOMENDACIONES ACERCA DEL IG

American Diabetes Association. 2001. "Nutrition recommendations and principles for people with diabetes mellitus." *Diabetes Care* 24(S1).

The Diabetes and Nutrition Study Group (DNSG) of the European Association for the Study of Diabetes (EASD). 2000. "Recommendations for the nutritional management of patients with diabetes mellitus." *European Journal of Clinical Nutrition* 54:353–55.

Dietitians Association of Australia review paper. 1997. "Glycaemic index in diabetes management." *Australian Journal of Nutrition and Dietetics* 54(2):57–63.

Food and Agriculture Organisation/World Health Organisation. 1998. "Carbohydrates in Human Nutrition, Report of a Joint FAO/WHO Expert Consultation." Roma, 14–18 April 1997. FAO Food and Nutrition Paper 66.

National Health and Medical Research Council. 1999. "Dietary Guidelines for Older Australians." *Ausinfo*, Canberra.

Position Statement by the Canadian Diabetes Association. 1999. "Guidelines for the nutritional management of diabetes mellitus in the new millenium." *Canadian Journal of Diabetes Care* 23(3):56–69.

EL IG Y LA SALUD EN GENERAL

Frost, G., y A. Dornhorst. 2000. "The relevance of the glycaemic index to our understanding of dietary carbohydrates." *Diabetic Medicine* 17:336–45.

Jenkins, D. J. A., L. S. A. Augustin, C. W. C. Kendall, et al. 2002. "Glycemic index: overview of implications in health and disease." *American Journal of Clinical Nutrition* 76:266S–273S.

Ludwig, D. S. 2002. "The glycemic index. Physiological mechanisms relating to obesity, diabetes, and cardiovascular disease." *Journal of the American Medical Association* 287:2414–2423.

Ludwig, D. S. y R. H. Eckel. 2002. "The glycemic index at 20y." *American Journal of Clinical Nutrition* 76:264S–265S.

Pi-Sunyer, F. X. 2002. "Glycemic index and disease." *American Journal of Clinical Nutrition* 76:290S–298S.

EL IG Y LA DIABETES

Buyken, A. E., M. Toeller, G. Heitkamp, B. Karamanos, R. Rottiers, M. Muggeo, J. H. Fuller y EURODIAB IDDM Complications Study Group. 2001. "Glycemic index in the diet of European outpatients with type 1 diabetes: relations to glycated hemoglobin and serum lipids." *American Journal of Clinical Nutrition* 73:574–81.

Giacco, R., M. Parillo, A. A. Rivellese, G. Lasorella, A. Giacco, L. D'episcopo y G. Riccardi. 2000. "Long-term dietary treatment with increased amounts of fibre-rich low-glycemic index natural foods improves blood glucose control and reduces the number of hypoglycemic events in type 1 diabetic patients." *Diabetes Care* 23:1461–66.

Gilbertson, H. R., J. C. Brand-Miller, A. W. Thorburn, S. Evans, P. Chondros y G. A. Werther. 2001. "The effect of flexible low glycemic index dietary advice versus measured carbohydrate exchange diets on glycemic control in children with type 1 diabetes." *Diabetes Care* 24:1137–43.

Salmeron, J., A. Ascherio, E. B. Rimm, et al. 1997. "Dietary fiber, glycemic load, and risk of NIDDM in men." *Diabetes Care* 20:545–50.

Salmeron, J., J. E. Manson, M. F. Stampfer, G. A. Colditz, A. L. Wing y W. C. Willett. 1997. "Dietary fiber, glycemic load, and risk of non-insulin-dependent diabetes mellitus in women." *Journal of the American Medical Association* 277:472–77.

Willett, W., J. Manson y S. Liu. 2002. "Glycemic index, glycemic load, and risk of type 2 diabetes." *American Journal of Clinical Nutrition* 76:274S–280S.

EL IG Y LA OBESIDAD

Agus, M. S. D., J. F. Swain, C. L. Larson, E. A. Eckert y D. S. Ludwig. 2000. "Dietary composition and physiologic adaptations to energy restriction." *American Journal of Clinical Nutrition* 71:901–7.

Brand-Miller, J. C., S. H. A. Holt, D. B. Pawlak y J. McMillan. 2002. "Glycemic index and obesity." *American Journal of Clinical Nutrition* 76: 281S–285S.

Ludwig, D. S. 2000. "Dietary glycemic index and obesity." *Journal of Nutrition* 130:280S–83S.

Ludwig, D. S., J. A. Majzoub, A. Al-Zahrani, G. E. Dallal, I. Blanco y S. B. Roberts. 1999. "High glycemic index foods, overeating, and obesity." *Pediatrics* 103(3).

Spieth, L. E., J. D. Harnish, C. M. Lenders, L. B. Raezer, M. A. Pereira, J. Hangen y D. S. Ludwig. 2000. "A low-glycemic index diet in the treatment of pediatric obesity." *Archives of Pediatric and Adolescent Medicine* 154:947–51.

EL IG Y LAS ENFERMEDADES CARDÍACAS

Dumesnil, J. G., J. Turgeon, A. Tremblay, et al. 2001. "Effect of a low-glycaemic index-low-fat-high protein diet on the atherogenic metabolic risk profile of abdominally obese men." *British Journal of Nutrition* 86:557–568.

Ford, E. S., y S. Liu. 2001. "Glycemic index and serum high-density-lipoprotein cholesterol concentration among US adults." *Archives of Internal Medicine* 161:572–6.

Frost, G., A. Leeds, D. Dore, S. Madeiros, S. Brading y A. Dornhorst. 1999. "Glycaemic index as a determinant of serum HDL-cholesterol concentration." *Lancet* 353:1045–48.

Leeds, A. R. 2002. "Glycemic index and heart disease." *American Journal of Clinical Nutrition* 76:286S–289S.

Liu, S., J. E. Manson, J. E. Buring, M. J. Stampfer, W. C. Willett y P. M. Ridker. 2002. "Relation between a diet with a high glycemic load and plasma concentrations of high-sensitivity C-reactive protein in middle-aged women." *American Journal of Clinical Nutrition* 75:492–498.

Liu, S., J. E. Manson, M. J. Stampfer, M. D. Holmes, F. B. Hu, S. E. Hankinson y W. C. Willett. 2001. "Dietary glycemic load assessed by food-frequency questionnaire in relation to plasma high-density-lipoprotein cholesterol and fasting plasma triacylglycerols in postmenopausal women." *American Journal of Clinical Nutrition* 73:560–6.

Liu, S., W. C. Willett, M. J. Stampfer, F. B. Hu, M. Franz, L. Sampson, C. H. Hennekens y J. E. Manson. 2000. "A prospective study of dietary glycemic load, carbohydrate intake and risk of coronary heart disease in US women." *American Journal of Clinical Nutrition* 71:1455–61.

EL IG Y EL CÁNCER DEL COLON

Bruce, W. R., T. M. S. Wolever y A. Giacca. 2000. "Mechanisms linking diet and colorectal cancer: the possible role of insulin resistance." *Nutrition and Cancer* 37:19–26.

Franceschi, S., L. Dal Maso, L. Augustin, E. Negri, M. Parpinel, P. Boyle, D. J. A. Jenkins y C. La Vecchia. 2001. "Dietary glycemic load and colorectal cancer risk." *Annals of Oncology* 12:1–6.

GLOSARIO

Dado que la nutrición cuenta con una terminología muy especializada, hemos creado este glosario para aclarar algunos de los términos utilizados en este libro. Además, cabe notar que hay diferencias regionales entre los hispanohablantes en lo que se refiere a los nombres de los alimentos. Por lo tanto, también hemos incluido ciertos alimentos en este glosario. En la mayoría de los casos ofrecemos una definición junto con sus sinónimos en español y su nombre en inglés. Sin embargo, para algunos términos una definición no es necesaria; por lo tanto, en tales casos sólo indicamos los sinónimos regionales del alimento y su nombre en inglés. Esperamos que le sea útil.

Aceite de alazor. Sinónimo: aceite de cártamo. En inglés: *safflower oil*.

Aceite de *canola*. Este aceite se deriva de la semilla de la colza, la cual es baja en grasa saturada. Sinónimo: aceite de colza. En inglés: *canola oil*.

Aceitunas *kalamata*. Un tipo de aceituna griega con forma de almendra, de color oscuro parecido al de la berenjena y con un sabor sustancioso a frutas. Se consiguen en la mayoría de los supermercados y en las tiendas *gourmet*. En inglés: *kalamata olives*.

Ácido alfalipoico (ALA). La forma vegetal de las grasas poliinsaturadas omega-3. El ALA se encuentra en los aceites de semilla de lino (linaza), *canola*, nuez y soya. También está presente en pequeñas cantidades en la nuez, la semilla de lino, la pacana, el frijol de soya, los frijoles al horno, el germen de trigo, las carnes magras (bajas en grasa) y las verduras de hoja verde.

Ácido docosahexanoico (ADH). Este ácido graso esencial ayuda a controlar la presión arterial alta (hipertensión) y se relaciona con un menor riesgo de sufrir artritis reumatoide, depresión y cáncer. Los pescados y mariscos grasos, como la caballa (escombro, macarela), el atún, el salmón, el pomátomo (*bluefish*), la lisa (mújol), el esturión, la anchoa, el arenque, la trucha y las sardinas, son buenas fuentes alimenticias del ADH.

Ácido eicosapentanoico (EPA). Vea **Ácido docosahexanoico.**

Ácidos transgrasos. Estas grasas, las cuales se producen al fabricar la margarina, tienen los mismos efectos que la grasa saturada tanto en el producto (incrementan su firmeza) como en nuestros cuerpos (incrementan el riesgo de sufrir un infarto). Algunos alimentos altos en transgrasas son la comida rápida frita, algunas margarinas, las galletas, las galletitas y los pastelillos para merienda.

Ají. *Vea* **Pimiento.**

Albaricoque. Sinónimos: chabacano, damasco. En inglés: *apricot.*

Alforjón. Un cereal de sabor fuerte utilizado para preparar varios alimentos, entre ellos panqueques (vea la página 420). Se consigue en algunos supermercados y en las tiendas de productos naturales. Sinónimo: trigo sarraceno. En inglés: *buckwheat.*

Alimento con un valor alto en el IG. Un alimento con un valor de más de 70 en el índice glucémico (IG). Los alimentos con valores altos en el IG son los que más elevan el nivel de glucosa en la sangre.

Alimento con un valor bajo en el IG. Un alimento con un valor de menos de 55 en el índice glucémico (IG). Los alimentos con un valor bajo en el IG son los que menos elevan el nivel de glucosa en la sangre.

Aliño. Un tipo de salsa, muchas veces hecha a base de vinagre y de algún tipo de aceite, que se les echa a las ensaladas para darles más sabor. Sinónimo: aderezo. En inglés: *salad dressing.*

Almíbar de arce. Sinónimo: miel de maple. En inglés: *maple syrup.*

Antioxidante. Cualquier sustancia que inhibe la oxidación de otra. La oxidación es un proceso natural que ocurre en nuestros cuerpos todo el tiempo, pero que está relacionado de manera específica con afecciones como las enfermedades cardiovasculares, el cáncer y el envejecimiento. Se cree que los antioxidantes alimenticios, como las vitaminas C y E, limitan el desarrollo de estas enfermedades.

Arándano. Baya azul pariente del arándano agrio. En inglés: *blueberry.*

Arándano agrio. Baya roja de sabor agrio usada para elaborar postres y bebidas. Sinónimo: arándano rojo. En inglés: *cranberry.*

Arroz *arborio*. Un tipo de arroz de origen italiano de grano corto. Es feculento, por lo que se emplea mucho en platos como el *risotto* para darles una textura cremosa.

Arroz *basmati*. Un tipo de arroz asiático de grano largo que se caracteriza por ser aromático y por su textura fina. Se consigue en algunos supermercados, en tiendas que venden alimentos de la India y en las tiendas de productos naturales. En inglés: *basmati rice.*

Arroz silvestre. Una hierba de grano largo que crece en pantanos. Tiene un sabor a frutos secos y una textura correosa. Se consigue en las tiendas de productos naturales y en algunos supermercados. En inglés: *wild rice.*

Arrurruz. Un polvo derivado de un tubérculo tropical que se usa para espesar ciertos platos como los pudines (budines), las sopas y las salsas. En inglés: *arrowroot.*

Arteroesclerosis. También conocida como endurecimiento de las arterias, con el tiempo esta afección puede producir enfermedades cardíacas.

Arugula. Una verdura de origen italiano empleada en las ensaladas. Tiene un sabor a mostaza picante y se consigue en ciertos supermercados y en las tiendas de productos naturales.

Azúcar. Los alimentos contienen seis azúcares comunes: glucosa (en todas las frutas y algunas verduras); fructosa (en todas las frutas); galactosa (en la leche); sucrosa (que se convierte en azúcar de mesa); lactosa (en la leche) y maltosa (azúcar de malta).

Bagel. Panecillo en forma de rosca que se prepara al hervirse y luego hornearse. Se puede preparar con una gran variedad de sabores y normalmente se sirve con queso crema.

Batatas dulces. Tubérculos cuyas cáscaras y pulpas tienen el mismo color amarillo-naranja. No se deben confundir con las batatas de Puerto Rico (llamadas "boniatos" en Cuba), que son tubérculos redondeados con una cáscara rosada y una pulpa blanca. Sinónimos de batata dulce: boniato, camote, moniato. En inglés: *sweet potatoes.*

Biscuit. Un tipo de panecillo que la mayoría de las veces se hace con polvo de hornear en vez de levadura. Tiene una textura tierna y ligera y es muy popular en los EE. UU., especialmente en el sur.

Blanquear. Una técnica de cocina en que se sumergen alimentos en agua hirviendo, luego en agua fría con el fin de hacer la pulpa (en el caso de las verduras) más firme, aflojar las cáscaras (en el caso de los melocotones y de los tomates) y también para aumentar y fijar el sabor (en el caso de las verduras antes de congelarlas).

Bok choy. Un tipo de repollo (vea la definición de este en la página 421) chino que se consigue en algunos supermercados y en las tiendas que venden alimentos asiáticos.

Bulgur. *Vea* **Trigo bulgur.**

Butternut squash. *Vea* **Squash.**

Cacahuate. Sinónimos: cacahuete, maní. En inglés: *peanut*.

Cacerola. Comida horneada en un recipiente hondo tipo cacerola. Sinónimo: guiso. En inglés: *casserole*. También puede ser un recipiente metálico de forma cilíndrica que se usa para cocinar. Por lo general, no es muy hondo y tiene un mango o unas asas. Sinónimo: cazuela. En inglés: *saucepan*.

Cantaloup. Melón de cáscara grisosa-beige con un patrón parecido a una red. Su pulpa es de color naranja pálida y es muy jugosa y dulce. Sinónimo: melón chino. En inglés: *cantaloupe*.

Carbohidratos. Los carbohidratos son la fuente favorita de combustible de nuestro cuerpo. Consisten en glucosa, además de uno o varios compuestos adicionales que contienen átomos de carbono, hidrógeno y oxígeno. Debido a su composición química, a nuestros cuerpos les resulta más fácil descomponer los alimentos con carbohidratos para obtener energía.

Carga glucémica. Una medida del nivel de glucosa en la sangre y la demanda de insulina producidos por una ración normal de alimento. La carga glucémica se calcula multiplicando el valor en el índice glucémico de un alimento por el tamaño de una ración común y dividiendo el resultado entre 100.

Carnes tipo fiambre. Carnes cocinadas y a veces curadas que se comen frías, por lo general en sándwiches (emparedados) a la hora de almuerzo. Ejemplos de las carnes tipo fiambre incluyen el jamón, la salchicha de boloña, el *salami* y el rosbif. En inglés: *lunchmeats*.

Cebollín. Variante de la familia de las cebollas. Tiene una base blanca que todavía no se ha convertido en bulbo y hojas verdes que son largas y rectas. Ambas partes son comestibles. Son parecidos a los chalotes, y la diferencia está en que los chalotes tienen el bulbo ya formado y son más maduros. Sinónimos: escalonia, cebolla de cambray. En inglés: *scallion*.

Cebollino. Hierba que es pariente de la cebolla cuyas hojas altas y finas dan un ligero sabor a cebolla a los alimentos. Uno de sus usos comunes es como ingrediente de salsas cremosas. También se agrega a las papas horneadas. Debido a las variaciones regionales entre los hispanohablantes, a veces se confunde al cebollino con el cebollín. Vea las definiciones de estos en este glosario para evitar equivocaciones. Sinónimo: cebolleta. En inglés: *chives*.

Center cut. La porción interior de diferentes cortes de carne despues de que se hayan recortado los bordes exteriores o puntas con el fin de crear una porción más atractiva que tendrá una apariencia más uniforme. Es un término que verá en diferentes tipos de carnes en el supermercado, como las chuletas de cerdo, por ejemplo.

Cereales integrales. *Vea* **Integral.**

Chalote. Hierba que es pariente de la cebolla y de los puerros (poros). Sus bulbos están agrupados y sus tallos son huecos y de un color verde vívido. De sabor suave, se recomienda agregarlo al final del proceso de cocción. Es muy utilizado en la cocina francesa. En inglés: *shallots*.

Champiñón. Vea **Hongo.**

Chícharos. Semillas verdes de una planta leguminosa euroasiática. Sinónimos: alverjas, arvejas, guisantes, *petit pois*. En inglés: *peas*.

Chile. *Vea* **Pimiento.**

Chili. Un guiso (estofado) oriundo del suroeste de los Estados Unidos que consiste en carne de res molida, chiles, frijoles (habichuelas) y otros condimentos.

Coleslaw. Ensalada de col (repollo) con mayonesa.

Colesterol LAD. Colesterol lipoproteínico de alta densidad, el cual también se conoce como colesterol "bueno". Un nivel elevado de esta grasa sanguínea protege contra las enfermedades cardíacas. En inglés: *HDL cholesterol*.

Colesterol LBD. Colesterol lipoproteínico de baja densidad, el cual también se conoce como colesterol "malo". Un nivel elevado de este tipo de grasa sanguínea es un factor de riesgo en relación con las enfermedades cardíacas. En inglés: *LDL cholesterol*.

Comelotodo. Un tipo de legumbre con una vaina delgada de color verde brillante que contiene semillas pequeñas que son tiernas y dulces. Es un alimento de rigor de la cocina china. Son parecidos a los tirabeques (vea la página 424) pero la diferencia está en que las vainas de los comelotodos son más planas y sus semillas no son tan dulces como las de la otra verdura. Sinónimo: arveja china. En inglés: *snow peas*.

Comida rápida. Alimentos de preparación rápida que casi siempre se fríen en cantidades abundantes de aceites altos en grasa saturada. Se consiguen en varias cadenas de restaurantes y ejemplos de estos incluyen el pollo frito, las hamburguesas, las papas a la francesa, las pepitas de pollo, etc.

Copos de avena tradicionales. Este término se refiere a los granos de avena aplanados por rodillos y tostados. Toma aproximadamente 15 minutos para cocinar este tipo de copos de avena. Los autores de este libro los recomiendan en lugar de los copos de avena de cocción rápida (*quick-cooking oats*) o los instantáneos (*instant oats*) porque conservan más de los granos originales, por lo que tendrán un menor impacto en el nivel de glucosa en la sangre. En inglés los copos de avena tradicionales se llaman *"old-fashioned oats"*, así que asegúrese de que los copos que compre digan esto en la etiqueta.

Crema de cacahuate. Una pasta para untar hecha de cacahuates. También conocida como mantequilla de maní o de cacahuate. En inglés: *peanut butter.*

Crema *half and half*. Mezcla comercial de partes iguales de crema y de leche que en los EE. UU. se echa al café matutino.

Croissant. Sinónimos: medialuna, cuernito, cachito.

Crostini. Unas pequeñas rebanadas de pan italiano tostado que por lo general vienen untadas con aceite de oliva. Se consiguen en algunos supermercados y en las tiendas de productos *gourmet.*

Crumpet. Un tipo de panecillo de origen inglés.

Curry. Un condimento indio utilizado en la India oriental para sazonar diferentes platos.

Cúscus. Un cereal blanco oriundo de África del Norte que se sirve como postre, como parte de una ensalada o bien con leche como parte del desayuno. Se consigue en algunos supermercados, en las tiendas de productos naturales y en las tiendas que venden alimentos del Medio Oriente. En inglés: *couscous.*

Dals. Plato hindú que consiste en lentejas o chícharos (guisantes) cocidos en agua y sazonados con una variedad de especias. A veces se sirve en forma de puré. *Dal* también se puede referir a lentejas o chícharos como tales y podrá encontrarlos en las tiendas de productos hindúes.

Dieta paleolítica. Una dieta alta en fibra que probablemente consistía en un 65 por ciento de alimento animal y un 35 por ciento de alimento vegetal, incluyendo frutas, tubérculos, legumbres y frutos secos. Los expertos especulan que esta dieta alta en fibra posiblemente haya bajado la incidencia de la diabetes, el cáncer del colon y la anemia.

Dip. Una salsa o mezcla blanda (como el guacamole, por ejemplo), en que se mojan los alimentos para picar, como por ejemplo frituras de maíz, papitas fritas, totopos (tostaditas, nachos), zanahorias o apio.

Donut. Un pastelito con forma de rosca que se prepara con levadura o polvo de hornear. Se puede hornear pero normalmente se fríe. Hay muchas variedades de *donuts*; algunas se cubren con una capa de chocolate y otras se rellenan con jalea o con crema.

Eggbeaters. Una marca comercial de sustituto de huevos.

Eicosanoide. Una sustancia en la sangre que activa la respuesta inmunitaria del cuerpo, así como la inflamación que se deriva de ella. Los científicos creen que los ácidos grasos omega-3 reducen estas reacciones.

Ejotes. *Vea* **Habichuelas verdes.**

Fideos *soba*. Un tipo de fideos de origen japonés hechos de alforjón (trigo sarraceno) mezclado con trigo normal. Su color es marrón oscuro. Se consiguen en la sección de productos asiáticos en los supermercados y en las tiendas de productos *gourmet*.

Fideos *vermicelli*. *Vea* **Vermicelli.**

Fitoquímicos. Unas sustancias químicas naturales que se encuentran en todos los alimentos vegetales y que pueden beneficiar la salud.

Flavonoides. Estos fitoquímicos con propiedades antioxidantes ayudan a prevenir la formación de tumores. Los flavonoides existen en cantidades particularmente grandes en los derivados de la soya.

Frijoles. Una de las variedades de plantas con frutos en vaina del género *Phaselous*. Vienen en muchos colores: rojos, negros, blancos, etcétera. Sinónimos: alubia, arvejas, caraotas, fasoles, fríjoles, habas, habichuelas, judías, porotos, trijoles. En inglés: *beans*.

Frijoles *cannellini*. Frijoles de origen italiano de color blanco que típicamente se utilizan en ensaladas y en sopas. Se consiguen en la mayoría de los supermercados y en las tiendas de productos *gourmet*.

Frijoles de caritas. Frijoles pequeños de color beige con una "carita" negra. Sinónimos: guandúes, judías de caritas. En inglés: *blackeyed peas*.

Frijoles *mung*. Un tipo de frijol asiático con una cáscara verde y un interior amarillo. A diferencia de los otros tipos de frijoles, no hay que remojarlos antes de cocinarlos. Su sabor es ligeramente dulce. En la cocina china se dejan germinar estos frijoles y se usan sus brotes para agregar a diferentes platos. Se consiguen en algunos supermercados y en las tiendas de productos naturales o de productos asiáticos. En inglés: *mung beans*.

Frittata. *Vea* **Omelette.**

Fruto seco. Alimento común que consiste en una semilla comestible encerrada en una cáscara. Entre los ejemplos más comunes de este alimento están las almendras, las avellanas, los cacahuates (maníes), los pistachos y las nueces. Aunque muchas personas utilizan el termino "nueces" para referirse a los frutos secos en general, en realidad "nuez" significa un tipo común de fruto seco en particular.

Fudge. Un dulce semiblando hecho con azúcar, mantequilla, sirope de maíz y otros saborizantes. El tipo más popular es el *fudge* de chocolate. Se prepara al cocinar los ingredientes en una cacerola hasta que se "cuajen", entonces se pasa la masa líquida a un molde, se deja enfriar y se pica en cuadros. Dado su contenido de azúcar y grasa, no es recomendable si quiere seguir una dieta a base de alimentos con valores bajos en el índice glucémico.

Galletas y galletitas. Tanto "galletas" como "galletitas" se usan en Latinoamérica para referirse a dos tipos de comidas. El primer tipo es un barquillo delgado no dulce (en muchos casos es salado) hecho de trigo que se come como merienda (refrigerio, tentempié) o que acompaña una sopa. El segundo tipo es una especie de pastel (véase la página 420) plano y dulce que normalmente se come como postre o merienda. En este libro, usamos "galleta" para describir los barquillos salados y "galletita" para los pastelitos pequeños y dulces. En inglés, una galleta se llama "*cracker*" y una galletita se llama "*cookie*".

Galletas *Graham*. Galletas dulces hechas de harina de trigo integral y típicamente saborizadas con miel.

Galletitas *gingersnap*. Galletitas crujientes hechas de jengibre y saborizadas con melado (melaza).

Granola. Una mezcla de copos de avena y otros ingredientes como azúcar morena, pasas, cocos y frutos secos. Se prepara al horno y se sirve en pedazos o en barras.

Grasas monoinsaturadas (GMIS). El ácido oleico es un ejemplo de una GMIS. Estas grasas saludables para el corazón son líquidas a temperatura ambiente.

Grasas poliinsaturadas (GPIS). Estas grasas son líquidas a temperatura ambiente. Algunos ejemplos de GPIS son el ácido linoleico y el ácido linolénico. Las GPIS se encuentran en todos los aceites vegetales, sobre todo los de alazor (cártamo), girasol, maíz, soya y semilla de algodón.

Gravy. Una salsa hecha del jugo (zumo) de la carne asada.

Great Northern beans. Un tipo de frijoles oriundos del centro de los EE.UU. Los *Great Northern beans* son blancos y algo parecidos a las habas blancas (vea abajo) pero con un sabor algo diferente. Se consiguen en la mayoría de los supermercados tanto secos como enlatados. De hecho, la empresa alimenticia Goya los vende bajo su nombre en inglés y los ofrece en ambas formas.

Guiso. Un plato que generalmente consiste en carne y verduras (o a veces tubérculos) que se cocina en una olla a una temperatura baja con poco líquido. Sinónimo: estofado. En inglés: *stew.*

Habas. Frijoles (véase la página 413) planos de color oscuro y de origen mediterráneo que se consiguen en las tiendas de productos naturales. En inglés: *fava beans.*

Habas blancas. Frijoles planos de color verde pálido, originalmente cultivados en la ciudad de Lima en el Perú. Sinónimos: alubias, ejotes verdes chinos, frijoles de Lima, judías blancas, porotos blancos. En inglés: *lima beans.*

Habichuelas verdes. Frijoles verdes, largos y delgados. Sinónimos: habichuelas tiernas, ejotes. En inglés: *green beans* o *string beans.*

Half and half. *Vea* **Crema** *half and half.*

Harina pastelera integral. Una harina para preparar panes, pasteles (vea la página 420) y *pies* (vea la página 420). A diferencia de la harina pastelera blanca, la integral aporta más fibra y más vitaminas. Este tipo de harina se consigue en algunos supermercados y en la mayoría de las tiendas de productos naturales. En inglés: *whole wheat pastry flour.*

Hoisin. *Vea* **Salsa** *hoisin.*

Hongo. En este libro usamos este término para referirnos a los hongos grandes como el *portobello.* Usamos "champiñones" para referirnos a la variedad pequeña y blanca, la que se conoce como "seta" en Puerto Rico. En inglés esta variedad se llama *"button mushroom"* mientras que *"mushroom"* se usa para referirse a los hongos en general.

Hummus. Una pasta hecha de garbanzos aplastados mezclados con jugo de limón, aceite de oliva, ajo y aceite de sésamo (ajonjolí). Es muy común en la cocina del Medio Oriente, donde se come con pan árabe (pan de *pita*).

Índice glucémico (IG). Una clasificación numérica de los alimentos basada en el efecto inmediato que tienen sobre el nivel de azúcar en la sangre. Los carbohidratos que se descomponen rápidamente durante el proceso de digestión poseen los valores más altos en el IG porque la respuesta de la glucosa en la sangre es acelerada e intensa. Los carbohidratos que se descomponen lentamente y liberan la glucosa de manera gradual dentro del torrente sanguíneo tienen valores bajos en el IG.

Insulina. Una hormona producida por el páncreas, la cual ayuda a que el metabolismo asimile los carbohidratos; se utiliza para manejar y tratar la diabetes.

Integral. Este término se refiere a la preparación de los cereales (granos) como arroz, maíz, avena, pan, etcétera. En su estado natural, los cereales tienen una capa exterior muy nutritiva que aporta fibra dietética, carbohidratos complejos, vitaminas del complejo B, vitamina E, hierro, zinc y otros minerales. No obstante, para que tengan una presentación más atractiva, muchos fabricantes les quitan las capas exteriores a los cereales. La mayoría de los nutriólogos y médicos recomiendan que comamos los cereales integrales (excepto en el caso del alforjón o trigo sarraceno) para aprovechar los nutrientes que nos aportan. Estos productos se consiguen en algunos supermercados y en las tiendas de productos naturales. Entre los productos integrales más comunes están el arroz integral (*brown rice*), pan integral (*whole-wheat bread* o *whole-grain bread*), cebada integral (*whole-grain barley*) y avena integral (*whole oats*).

Kefir. Una bebida hecha de leche fermentada; su sabor y textura se parecen a los del yogur. Se consigue en las tiendas de productos naturales.

Lechuga mâche. Una verdura de origen europeo con hojas oscuras muy tiernas. Tiene un sabor picante parecido al de los frutos secos. Se utiliza en las ensaladas o se prepara al vapor como una guarnición. Se consigue en algunos supermercados y en la mayoría de las tiendas de productos *gourmet*. En inglés se conoce bajo varios nombres, entre ellos *mâche, corn salad, field lettuce* y *field salad*.

Lechuga repollada. Cualquiera de los diversos tipos de lechugas que tienen cabezas compactas de hojas grandes y crujientes que se enroscan. En inglés: *iceberg lettuce*.

Lechuga romana. Variedad de lechuga con un largo y grueso tallo central y hojas verdes y estrechas. Sinónimo: orejona. En inglés: *romaine lettuce*.

Liquid smoke. Un saborizante comercial de carnes que les da un sabor ahumado. Se consigue en la sección de condimentos de los supermercados.

London Broil. *Vea* **Round.**

Macronutrientes. Los nutrientes principales que nuestros cuerpos requieren, entre ellos las proteínas, la grasa, los carbohidratos y el agua.

Magdalena. Una especie de pastel (véase la página 420) pequeño que normalmente se prepara al hornear la masa en un molde con espacios individuales, parecido a los moldes para hacer panecillos. Por lo general las magdalenas son de chocolate y a veces se rellenan con crema. Sinónimo: mantecada. En inglés: *cupcake*.

Manta de cielo. Un tipo de tela utilizada para escurrir ciertos alimentos. También sirve para formar un paquetito de especias que luego se puede echar a una sopa o a un guiso (estofado). Sinónimos: bambula, estopilla. En inglés: *cheesecloth*.

Manzana *Granny Smith*. Un tipo de manzana con una cáscara moteada de color verde claro. Su sabor es ligeramente ácido y su pulpa es moderadamente jugosa. Se encuentra fácilmente en los supermercados. En inglés: *Granny Smith apple*.

Margarina sin transgrasas. Un tipo de margarina que no contiene transgrasas, un tipo de grasa que ha sido vinculada a las enfermedades cardíacas. Por lo general este tipo de margarina lleva las palabras *"trans-free"* ("libre de transgrasas") o *"no transfats"* (sin transgrasas) en el envase.

Masa fermentada. *Vea* **Pan de masa fermentada.**

Melocotón. Fruta originaria de la China que tiene un color amarillo rojizo y cuya piel es velluda. Sinónimo: durazno. En inglés: *peach*.

Merienda. En este libro, es una comida entre las comidas principales del día, sin importar ni lo que se come ni a la hora en que se come. Sinónimos: bocadillo, bocadito, botana, refrigerio, tentempié. En inglés: *snack*.

Mesclun. Una mezcla de diferentes verduras jóvenes para ensalada. Se incluye una variedad de verduras en la mezcla pero por lo general el *mesclun* incluye *arugula* (vea la página 409), diente de león, lechuga *mâche* (véase la página 416) y *radicchio*.

Metabolismo. El proceso por medio del cual nuestros cuerpos utilizan los nutrientes para obtener energía y deshacerse de los productos de desecho.

Micronutrientes. Unos nutrientes que se encuentran en los alimentos y que nuestros cuerpos requieren en cantidades relativamente pequeñas, como las vitaminas y los minerales, entre otros.

Miel de maple. Sinónimo: almíbar de arce. En inglés: *maple syrup*.

Minestrón. Una sopa italiana de verduras que lleva pasta, chícharos (guisantes) y frijoles (habichuelas). Típicamente se remata con un poco de queso parmesano. El minestrón se puede preparar en casa o conseguirse enlatado en los supermercados. En inglés: *minestrone*.

Molido por piedra. Un método de moler cereales como trigo o avena en que se utilizan piedras en vez de máquinas. Este método viene siendo más saludable porque no elimina tanto de la fibra natural de los cereales. Al comprar alimentos cuyas etiquetas digan *"stone ground"* o "molido por piedra", puede tener mayor confianza de que estos sean integrales.

Mostaza *Dijon*. Un tipo de mostaza francesa con una base de vino blanco. En inglés: *Dijon mustard*.

Muesli. Un cereal para el desayuno que consiste en una combinación de diferentes cereales tostados (como por ejemplo avena, trigo o cebada), frutos secos, salvado de avena, germen de trigo, frutas secas y azúcar. Al igual que el cereal comercial, se toma con leche. Hay una receta para este plato en la página 162.

Muffin. Un tipo de panecillo que se puede preparar con una variedad de harinas y que muchas veces contiene frutas y frutos secos. La mayoría de los *muffins* norteamericanos se hacen con polvo de hornear en vez de levadura. Sin embargo, el *muffin* inglés sí se hace con levadura y tiene una textura más fina que el norteamericano. Es muy común como comida de desayuno en los EE. UU.

Mújol. Sinónimo: múgil. En inglés: *mullet*.

Naranja. Sinónimo: china. En inglés: *orange*.

Omega-3 (ácido linolénico). El omega-3 es un ácido graso esencial que nuestro cuerpo no es capaz de producir. Diversos estudios han demostrado que puede reducir el dolor de la artritis y el riesgo de sufrir cáncer, además de asistir a desarrollar el cerebro. Algunas buenas fuentes alimenticias son las grasas y los aceites (de *canola*, soya, nuez, germen de trigo y algunas margarinas), los frutos secos y las semillas (nuez de Cuba, nuez, grano de soya) y los frijoles (habichuelas) de soya.

Omega-6 (ácido linoleico). Nuestros cuerpos no son capaces de producir el ácido linoleico, por lo que debemos obtenerlo a través de los alimentos que consumimos. Los ácidos grasos omega-6 ayudan a conservar la integridad de las membranas celulares, a regular la presión arterial, a prevenir la formación de coágulos, a regular los lípidos sanguíneos y a mejorar la respuesta inmunitaria a las heridas e infecciones. Algunas buenas fuentes alimenticias son las verduras de hoja, las semillas, los frutos secos, los cereales y los aceites vegetales, incluyendo los de maíz, alazor (cártamo), soya, semilla de algodón, sésamo (ajonjolí) y girasol.

Omelette. Plato a base de huevos con relleno. Para preparar un *omelette*, se baten huevos hasta que tengan una consistencia cremosa y después se cocinan en un sartén, sin revolverlos, hasta que se cuajen. El *omelette* se sirve doblado a la mitad con un relleno (como jamón, queso o espinacas) colocado en el medio. Algunos hispanohablantes usan el término "tortilla" para referirse al *omelette*. El *omelette* tipo *Western* lleva un relleno de jamon picado en cubitos, pimientos (ajíes, pimientos morrones) y cebolla. Una *frittata* es un tipo de *omelette* en que el relleno se agrega a los huevos batidos antes de que se cocinen. Típicamente esta se hornea y no se sirve doblada.

Palomitas de maíz. Granos de maíz cocidos en aceite o a presión hasta que formen palomitas blancas. Sinónimos: rositas de maíz, rosetas de maíz, copos de maíz, cotufo, canguil. En inglés: *popcorn*.

Pan árabe. Pan plano originario del Medio Oriente que se prepara sin levadura. Sinónimo: pan de *pita*. En inglés: *pita bread*.

Pan crujiente. Un tipo de pan de centeno con una forma y textura parecida a las de las galletas (vea la página 414). Los panes crujientes son alimentos tradicionales en Escandinavia y últimamente se han vuelto populares en los EE. UU. Puede encontrarlos en la sección de las galletas y galletitas de los supermercados. En inglés: *crispbread*.

Pan de carne. Una "hogaza" de carne molida condimentada que a veces lleva pan molido o huevos para ayudarle a conservar la forma de hogaza. Se prepara horneado y se le echa salsa de tomate. Sinónimos: salpicón, mechado de carne. En inglés: *meat loaf*.

Pan de masa fermentada. Un tipo de pan con un sabor un poco agrio. Se prepara con una combinación de agua y levadura fermentada. Antes del invento de la levadura preempaquetada, los panes se hacían con esta levadura fermentada. Hoy en día se valora por su sabor único y su valor bajo en el índice glucémico. En inglés: *sourdough bread*.

Panko. Un tipo de pan molido japonés. Es más grueso que el pan molido estadounidense, por lo que crea una cubierta sabrosa y crujiente cuando se utiliza para empanizar (empanar) los alimentos. Por lo general se consigue en las tiendas que venden productos asiáticos o bien en la sección de productos asiáticos de algunos supermercados.

Pan molido por piedra. *Vea* **Molido por piedra.**

Panqueque. Un pastel (véase la definición de este abajo) plano generalmente hecho de alforjón (trigo sarraceno) que se dora por ambos lados en una plancha o en un sartén engrasado. Sinónimo: *hotcake*. En inglés: *pancake*.

Papas a la francesa. En este libro usamos este término para referirnos a las tiras largas de papas que se fríen en cantidades abundantes de aceite. En muchos países se conocen como papitas fritas y por lo general se sirven como acompañantes para las hamburguesas o los *hot dogs*. En inglés: *French fries*.

Papitas fritas. En este libro usamos este término para referirnos a las rodajas redondas u ovaladas de papas que se fríen en cantidades abundantes de aceite y que se venden en bolsas en las tiendas de comestibles. En inglés: *potato chips*.

Parrilla. Esta rejilla de hierro fundido se usa para asar diversos alimentos sobre brasas o sobre una fuente de calor de gas o eléctrica en toda Latinoamérica, particularmente en Argentina y en Uruguay. En inglés: *grill*. También puede ser un utensilio de cocina utilizado para poner dulces hasta que se enfríen. Sinónimo: rejilla. En inglés: *rack*.

Pastel. El significado de esta palabra varía según el país. En Puerto Rico, un pastel es un tipo de empanada servida durante las fiestas navideñas. En otros países, un pastel es una masa de hojaldre horneada que está rellena de frutas en conserva. No obstante, en este libro, un pastel es un postre horneado generalmente preparado con harina, mantequilla, edulcorante y huevos. Sinónimos: bizcocho, torta, *cake*. En inglés: *cake*.

Pepino de invernadero. Un tipo de pepino de origen inglés que es más largo que el pepino común (puede medir hasta 2 pies/60 cm) y que no tiene semillas. Se utiliza en sopas frías como el gazpacho y en las ensaladas. En inglés se conoce como *hothouse cucumber* o como *English cucumber*.

Pesto. Una salsa italiana hecha de albahaca machacada, ajo, piñones y queso parmesano en aceite de oliva. Es una salsa robusta para acompañar la pasta.

Pie. Una masa de hojaldre horneada que está rellena de frutas en conserva. Sinónimos: pay, pastel, tarta. En inglés: *pie*.

Pimiento. Fruto de las plantas *Capsicum*. Hay muchísimas variedades de esta hortaliza. Los que son picantes se conocen en México como chiles picantes, y en otros países como pimientos o ajíes picantes. Por lo general, en este libro nos referimos a los chiles picantes o a los pimientos rojos o verdes que tienen forma de campana, los cuales no son nada picantes. En muchas partes de México, estos se llaman pimientos morrones. En el Caribe, se conocen como ajíes rojos o verdes. En inglés, estos se llaman *bell peppers*.

Pimiento asado. Por lo general se trata de un pimiento no picante, como el que tiene forma de campana u otra variedad parecida, asado y empacado en un tarro. Se consigue en los supermercados. En inglés: *roasted pepper*.

Plátano amarillo. Fruta cuya cáscara es amarilla y que tiene un sabor dulce. Sinónimos: banana, banano, cambur y guineo. No lo confunda con el plátano verde, que si bien es su pariente, es una fruta distinta.

Polifenoles. Un grupo de fitoquímicos que se encuentran en las frutas, los cereales, las verduras, el vino, el té, el cacao y el chocolate; se cree que tienen propiedades antioxidantes.

Pomátomo. En inglés: *bluefish*.

Pretzel. Golosina hecha de una pasta de harina y agua. A la pasta se le da la forma de una soga, se le hace un nudo, se le echa sal y se hornea. Es una merienda muy popular en los EE. UU.

Pumpernickel. Un tipo de pan de centeno de origen alemán; es de color oscuro y su sabor es algo agrio.

Queso azul. Un queso suave con vetas de moho comestible de color azul verdoso. En inglés: *blue cheese*.

Queso feta. Un queso griego hecho de leche de cabra. Es blanco, salado y muy desmenuzable.

Queso Neufchatel. Un queso blanco muy blando de origen francés. Por lo general, se vende antes de que se ponga a punto. Después de que se ponga a punto, su sabor de vuelve más acre.

Queso ricotta. Un tipo de queso italiano blanco con una consistencia parecida a la del yogur. Es húmedo y tiene un sabor ligeramente dulce, por lo que se presta para hacer postres. En inglés: *ricotta cheese*.

Repollo. Una planta verde cuyas hojas se agrupan en forma compacta y que varía en cuanto a su color. Puede ser casi blanco, verde o rojo. Sinónimo: col. En inglés: *cabbage*.

Requesón. Un tipo de queso hecho de leche descremada. No es seco y tiene relativamente poca grasa y calorías. En inglés: *cottage cheese*.

Round. Corte de carne de res estadounidense que abarca desde el trasero del animal hasta el tobillo. Es menos tierno que otros cortes, ya que la pierna del animal ha sido fortalecida por el ejercicio. El *top round* es un corte del *round* que se encuentra en el interior de la pierna y es el más tierno de todos los cortes de esta sección del animal. A los cortes gruesos del *top round* frecuentemente se les dice *London Broil* y a los cortes finos de esta zona se les dice *top round steak*. El *eye round* es el corte menos tierno de esta sección pero tiene un sabor excelente. Todos estos cortes requieren cocción lenta con calor húmedo.

Salsa *hoisin*. Un tipo de salsa china hecha con frijoles de soya, ajo, chiles y varias especias. Es dulce y a la vez picante. Por lo general se utiliza como un condimento en la mesa para platos a base de carne, aves o mariscos. Se encuentra en la sección de productos asiáticos del supermercado y en tiendas que venden alimentos chinos.

Salsa *Worcestershire*. Nombre comercial de una salsa inglesa muy condimentada cuyos ingredientes incluyen salsa de soya, vinagre, melado, anchoas, cebolla, chiles y jugo de tamarindo. La salsa se cura antes de embotellarla.

Salvado de avena sin procesar. El salvado es la parte exterior de la avena y es rico en fibra soluble. Cuando no se procesa, se conserva intacto en su estado natural en vez de ser molido. Típicamente se agrega a recetas para productos panificados o bien se come con leche en el desayuno. El salvado de avena se consigue en las tiendas de productos naturales. En inglés: *unprocessed oat bran*.

Sándwich. Sinónimo: emparedado. En inglés: *sandwich*.

Sándwich tipo *wrap*. Un tipo de sándwich que consiste en carnes tipo fiambre (vea la página 410) o bien pollo o pavo, además de tomate (jitomate), lechuga y mayonesa, que se envuelve en un plan plano, como una tortilla, por ejemplo. "*Wrap*" significa "envolver" en inglés; de ahí su nombre.

Scone. Un tipo de panecillo de origen inglés preparado con harina —no levadura— y horneado.

Selenio. Un mineral que con frecuencia se identifica como antioxidante; es posible que ayude a prevenir el cáncer.

Semilla de lino. Aunque se utiliza más comúnmente para producir un aceite utilizado en pinturas y tintes, este alimento también forma parte de la dieta de muchas personas, ya que es rico en varios nutrientes, entre ellos ácidos grasos omega-3, fibra, hierro y vitamina E. Los que quieren aprovechar sus nutrientes agregan semillas de lino al cereal o a las sopas. Se consiguen en las tiendas de productos naturales y en algunos supermercados. Sinónimo: linazas. En inglés: *flaxseed*.

Shortbread. Un tipo de galletita (vea la página 414) hecha de mantequilla, harina y azúcar.

Sirloin. Un corte de carne de res proveniente de una zona en el ganado ubicado entre el lomo corto y el *round* (vea la página anterior). Normalmente este corte se pica en bisteces, aunque también se venden pedazos de *sirloin* que son para asar.

Sirope de maíz. Un edulcorante común que se agrega a muchos de los alimentos preempaquetados vendidos en los EE. UU. Por lo general se recomienda que se eviten los alimentos que contengan sirope de maíz porque son demasiado altos en azúcar. En inglés: *corn syrup*.

Spaghetti squash. *Vea Squash.*

Splenda. Una marca de edulcorante artificial que se recomienda usar en lugar del azúcar.

Squash. Nombre genérico de varios tipos de calabaza oriundos de América. Los squash se dividen en dos categorías: *summer squash* (el veraniego) y *winter squash* (el invernal). Los veraniegos tienen cáscaras finas y comestibles, una pulpa blanda, un sabor suave y requieren poca cocción. Entre los ejemplos de estos está el *zucchini*. Los invernales tienen cáscaras dulces y gruesas, su pulpa es de color entre amarillo y naranja y más dura que la de los veraniegos. Por lo tanto, requieren más tiempo de cocción. Entre las variedades comunes de los *squash* invernales están los *acorn squash*, el *spaghetti squash* y el *butternut squash*. Aunque la mayoría de los *squash* se consiguen todo el año en los EE. UU., los invernales comprados en el otoño y en el invierno tienen mejor sabor.

Suero de leche. Antiguamente era el líquido que quedaba después de que se hacía la mantequilla. Hoy en día, sin embargo, se fabrica al agregar una bacteria especial a la leche descremada. Se utiliza para hacer panqueques (vea la página 420), panes y dulces. Se consigue en muchos supermercados y en las tiendas de productos naturales. En inglés: *buttermilk*.

Tabbouleh. Un plato del Medio Oriente que típicamente consiste en tomates (jitomates) picados, cebollas, perejil, aceite de oliva y jugo de limón. En la página 175 encontrará una receta para este plato que cuenta con un valor bajo en el índice glucémico.

Tahini. Una pasta hecha de semillas de sésamo (ajonjolí) machacadas que se usa para sazonar platos medioorientales. A veces se combina con un poco de aceite y se unta en pan.

Tarta de queso. Un tipo de pastel (véase la página 420) hecho de requesón (o de queso crema, o bien ambos), huevos, azúcar y saborizantes, como cáscara de limón o vainilla. Se sirve con una salsa de frutas o crema batida. En inglés: *cheesecake.*

Tazón. Recipiente cilíndrico sin asas usado para mezclar ingredientes, especialmente al hacer postres y panes. Sinónimos: recipiente, bol. En inglés: *bowl.*

Tirabeque. Una variedad de chícharos (véase la definición de estos en la página 411) en vaina que se come completo, es decir, tanto la vaina como las semillas (los chícharos). Es parecido al comelotodo (véase la página 411), pero su vaina es más gorda que la del comelotodo y su sabor es más dulce. En inglés: *sugar snap peas.*

Tofu. Un alimento un poco parecido al queso que se hace de la leche de soya cuajada. Es soso pero cuando se cocina junto con otros alimentos, adquiere el sabor de estos.

Tomate de pera. Un tipo de tomate (jitomate) con una forma parecida a la de un huevo cuyo color puede ser rojo o amarillo. En inglés: *plum tomato.*

Toronja. Esta fruta tropical es de color amarillo y muy popular en los EE. UU. como una comida en el desayuno. Sinónimos: pamplemusa, pomelo. En inglés: *grapefruit.*

Torreja. Sinónimos: torrija, tostada francesa. En inglés: *French toast.*

Tortellini. Un tipo de pasta parecido a los ravioles que se rellena con queso, carne o espinacas.

Tortitas de arroz. Meriendas (refrigerio, tentempié) hechas de arroz con una forma redonda parecida a la de un pastel (bizcocho, torta, *cake*). Se consiguen en la sección de productos dietéticos del supermercado. En inglés: *rice cakes.*

Totopos. Pedazos triangulares o redondos de tortillas. Sinónimos: nachos, tostaditas. En inglés: *nachos.*

Triglicéridos. El nombre químico de las grasas que se depositan en nuestros cuerpos y que circulan por él.

Trigo *bulgur*. Un tipo de trigo medioriental que consiste en granos que han sido cocidos a vapor, secados y molidos. Tiene una textura correosa. Se consigue en las tiendas de productos naturales. En inglés: *bulgur wheat*.

Vermicelli. Un tipo de espaguetis muy finos.

Vieiras. Mariscos pequeños caracterizado por una doble cáscara con forma de abanico. Las que se cosechan en las bahías son pequeñas pero muy valoradas por su carne dulce y de hecho son más caras que las que se cosechan en el mar. Sinónimo: escalopes. En inglés: *scallops*.

Vitamina C. Una vitamina antioxidante que ayuda a mantener sanos el sistema inmunitario, los vasos capilares y las encías. Se encuentra en alimentos como la fresa, la naranja (china), la toronja (pomelo), el brócoli y el pimiento verde.

Vitamina E. Esta vitamina antioxidante influye en la salud del corazón; entre las buenas fuentes alimenticias de vitamina E están los aceites vegetales, los frutos secos y las semillas.

Waffles. Una especie de pastel (vea la página 420) hecho de una masa líquida horneada en una plancha especial cuyo interior tiene la forma de un panal. Se hornea en la plancha y se sirve con almíbar de arce (miel de maple). También vienen ya preparados y sólo hay que meterlos en la tostadora para calentarlos. Sinónimos: wafles, gofres.

Wrap. *Vea* **Sándwich tipo *wrap*.**

Zanahorias cambray. Zanahorias pequeñas, delgadas y tiernas que son 1½" (4 cm) de largo. En inglés: *baby carrots*.

Zucchini. Un tipo de calabaza con forma de cilindro un poco curvo y que es un poco más chico en la parte de abajo que en la parte de arriba. Su color varía entre un verde claro y un verde oscuro, y a veces tiene marcas amarillas. Su pulpa es color hueso y su sabor es ligero y delicado. Sinónimos: calabacín, calabacita, hoco, zambo, zapallo italiano. En inglés: *zucchini*.

Agradecimientos

$\mathcal{M}$UCHAS PERSONAS contribuyeron al proceso de crear *Adelgace con azúcar* y estamos muy agradecidos con ellos. En 1995, cuando nació el proyecto de la primera edición del libro (que tenía el título *The GI Factor*), fue Catherine Saxelby la que nos ayudó a comenzar. Luego Philippa Sandall, nuestra redactora con Hodder Headline de Australia y actual agente literaria, se hizo cargo para asegurarse de que nuestro estilo y el contenido fueran los apropiados para nuestros lectores; también participó en el éxito de todos los libros de muchas maneras más.

Por su trabajo en las ediciones norteamericanas quisiéramos dar las gracias a Johanna Burani, nuestra adaptadora muy esforzada que desde hace mucho tiempo aboga por el índice glucémico; a Rick Mendosa, otra persona convencida desde hace mucho tiempo del valor del índice glucémico, por su revisión cuidadosa del manuscrito; a Matthew Lore, nuestro editor con Marlowe & Company, así como a sus colegas Ghadah Alrawi, Peter Jacoby, Sue McCloskey y Michelle Rosenfield; a Donna Stonecipher, por su meticuloso trabajo de revisión; a Pauline Neuwirth, por el diseño y la composición del libro, y a Howard Grossman por el diseño de la portada.

Estamos en deuda con quienes han apoyado el concepto del IG como punto de partida para considerar la alimentación y que han recomendado nuestros libros, particularmente con la asociación Diabetes Australia, así como la Fundación para la Investigación de la Diabetes Juvenil. Muchos dietistas, médicos y lectores nos han dado su opinión y han intervenido de manera muy importante en nuestro éxito. Algunos de ellos merecen una mención especial: Shirley Crossman, Martina Chippendall, Helen O'Connor, Heather Gilbertson, Alan Barclay, Rudi

Bartl, Kate Marsh, Toni Irwin, David Jenkins, David Ludwig, Simin Liu, Ted Arnold, Warren Kidson, Bob Moses, Ian Caterson y Stewart Truswell. Por último damos las gracias a nuestros cónyuges —John Miller, Jonathan Powell y Ruth Colagiuri, respectivamente—, que tanto tuvieron que sufrir durante aquellas noches y fines de semana en que nos ocupamos de otro modo.

ÍNDICE DE TÉRMINOS

Los términos y temas cuyas referencias de páginas están <u>subrayadas</u> se encuentran en recuadros o bien tablas en las páginas correspondientes. Las referencias de páginas en **negritas** indican que hay una ilustración o bien un gráfico del término o tema en la página correspondiente.

ÍNDICE DE RECETAS

ACERCA DE LOS AUTORES

Jennie Brand-Miller, Ph.D., es una de las autoridades principales sobre los carbohidratos y el índice glucémico. Es profesora de Nutrición en la Universidad de Sidney y presidenta de la Sociedad de Nutrición de Australia. Durante más de dos décadas ha abogado por el enfoque del índice glucémico en lo que se refiere a la nutrición. En 2003 Brand-Miller recibió el prestigioso premio ATSE Clunies Ross Award por su compromiso con el avance de la ciencia y la tecnología. Ha redactado más de 200 trabajos escritos investigativos, entre ellos 60 sobre el índice glucémico de los alimentos. Además, ha sido la coautora de varios libros publicados sobre el índice glucémico.

El Dr. Thomas M.S. Wolever, M.D., Ph.D., es profesor en el departamento de ciencias nutricionales en la Universidad de Toronto y miembro de la División de Endocrinología y Metabolismo en el Hospital de St. Michael's en Toronto. Ha recibido varios títulos universitarios de la Universidad Oxford en el Reino Unido, entre ellos licenciaturas en Artes y Química y una maestría. Obtuvo su doctorado de la Universidad de Toronto. Desde 1980 sus investigaciones se han centrado en el índice glucémico y en la prevención de la diabetes. Vive en Toronto, Canadá.

Kaye Foster-Powell, B.Sc., M. Nutr. & Diet., es una dietista/nutricionista acreditada con consultas tanto públicas como privadas. Licenciado en Nutrición en la Universidad de Sidney, tiene experiencia extensa en el manejo de la diabetes y ha investigado las aplicaciones prácticas del índice glucémico durante los últimos 10 años. Ha sido la coautora de varios libros sobre cómo utilizar el índice glucémico para mejorar la salud.

El Dr. Stephen Colagiuries el director del Centro de la Diabetes y jefe del departamento de Endocrinología, Metabolismo y Diabetes en el Hospital Prince of Wales en Randwick, Nuevo Gales del Sur. Se graduó de la Universidad de Sidney en 1970 y en 1977 recibió una beca del Colegio Real Australiano de Médicos. Tiene un puesto académico en la Universidad de Nuevo Gales del Sur. Ha redactado más de 100 trabajos escritos científicos, muchos de los cuales trataron la importancia de los carbohidratos en las dietas de las personas con diabetes y es el autor de varios libros sobre cómo utilizar el índice glucémico para mejorar la salud.